A CAMINHO DE CASA

W. Bruce Cameron

A CAMINHO DE CASA

Tradução
Edmundo Barreiros

Rio de Janeiro, 2019

Editora original: Macmillan Publishing Group, LLC.
Título original: *A Dog's Way Home*

Contato:
Rua da Quitanda, 86, sala 218 – Centro – 20091-005
Rio de Janeiro – RJ – Brasil
Telefone: (21) 3175-1030

Diretora editorial
Raquel Cozer

Editora
Alice Mello

Copidesque
Anna Beatriz Seilhe

Revisão
André Sequeira

Diagramação
Abreu's System

Arte de capa
Motion Picture Artwork © 2019 CTMG

Adaptação de capa
Nathalia Barone

CIP-Brasil. Catalogação na Publicação
Sindicato Nacional dos Editores de Livros, RJ

C189c

Cameron, W. Bruce, 1960-
A caminho de casa / W. Bruce Cameron; tradução Edmundo Barreiros. – 1. ed. – Rio de Janeiro: Harper Collins, 2019.
320 p.: il. ; 23 cm.

Tradução de: A dog's way home
ISBN 978-85-9508-470-4

1. Romance americano. I. Barreiros, Edmundo. II. Título.

18-53642 CDD: 813
CDU: 82-31(73)

Vanessa Mafra Xavier Salgado – Bibliotecária – CRB-7/6644

Para meu sobrinho, William Gage Cameron

Capítulo 1

DESDE O COMEÇO, EU TINHA CONSCIÊNCIA DOS GATOS.

Gatos por toda parte.

Eu, na verdade, não conseguia vê-los — meus olhos estavam abertos, mas, quando os gatos estavam próximos, eu não registrava nada além de formas se movendo na escuridão. Mas conseguia sentir o cheiro deles, do mesmo modo que podia sentir o cheiro da minha mãe enquanto mamava ou dos meus irmãos se mexendo ao meu redor enquanto eu lutava para encontrar o caminho até o leite da vida.

Eu não sabia que eram gatos, claro — só sabia que eram criaturas diferentes de mim, presentes na nossa toca, mas sem tentar mamar ao meu lado. Mais tarde, quando vi que eram pequenos, rápidos e ágeis, percebi que não eram apenas "não cachorros", mas o seu próprio tipo de animal.

Nós vivíamos juntos em uma casa fresca e escura. A terra seca sob o meu focinho liberava cheiros exóticos e velhos. Eu adorava inalá-los, mergulhar naqueles aromas deliciosos e saborosos. No alto, um telhado de madeira ressecada despejava poeira no ar, e o teto era tão baixo que sempre que a minha mãe se levantava da depressão de terra batida que nos servia de cama para deixar a mim e aos meus irmãos — nós ganíamos em protesto e nos encolhíamos uns contra os outros para nos tranquilizarmos —, a cauda erguida dela ficava a meio caminho das vigas. Eu não sabia onde a minha mãe ia, só sabia que a ansiedade tomava conta da gente até ela voltar.

A única fonte de luz na toca vinha de um buraco quadrado na extremidade oposta. Através dessa janela para o mundo derramavam-se cheiros incríveis de frio, vida e umidade, de lugares e coisas ainda mais intoxicantes do que eu podia sentir lá de dentro. Embora, de vez em quando, eu visse um gato sair pelo buraco que levava ao mundo ou voltar de um lugar desconhecido, minha mãe me empurrava para trás sempre que eu tentava rastejar na direção da saída.

À medida que as minhas pernas ganhavam força e os meus olhos se aguçavam, eu brincava com os gatinhos como fazia com os meus irmãos. Conseguia identificar a mesma família de gatos perto do nicho que ficava nos fundos da casa comunitária, onde um par de filhotes novos era bem amigável, e a mãe deles me lambia vez ou outra. Eu a via como a Mamãe Gata.

Depois de algum tempo brincando alegremente com os pequenos felinos, minha mãe chegava e me resgatava, puxando-me da pilha de gatinhos pelo cangote. Todos os meus irmãos me cheiravam desconfiados quando mamãe me largava ao lado deles. Suas respostas sugeriam que eles não se importavam com o cheiro residual de gato.

Essa era a minha vida divertida e maravilhosa, e eu não tinha razão para desconfiar que ela algum dia mudaria.

Eu estava mamando e cochilando, ouvindo os ruídos agudos dos meus irmãos, quando, de repente, a mamãe ficou de pé, um movimento tão inesperado que as minhas pernas foram levantadas do chão antes que eu caísse da teta dela.

Na mesma hora, soube que alguma coisa ruim estava acontecendo.

O pânico se espalhou pela toca, indo de gato para gato como uma brisa. Eles correram para o fundo, as mães carregando as proles miando pelo cangote. Meus irmãos e eu corremos na direção da nossa mãe, gritando por ela, assustados porque ela estava assustada.

Fachos forte de luz passaram por nós, machucando os meus olhos. Eles vinham do buraco, assim como os sons:

— Meu Deus! Tem um milhão de gatos embaixo da casa!

Eu não tinha ideia do que estava causando esses ruídos, nem porque a toca ficou cheia de luzes brilhantes. O cheiro de um tipo totalmente novo de criatura veio do buraco na minha direção. Nós estávamos em perigo, e a ameaça eram essas criaturas que eu não podia ver. Arfando, mamãe abaixou a cabeça e recuou, e nós todos fizemos o possível para segui-la aos tropeções, implorando com as vozes pequeninas para que ela não nos abandonasse.

— Deixa eu ver. Caramba, olha só isso!

— Vai dar problema?

— Droga, claro que sim.

— O que você quer fazer?

— Vamos ter que chamar um exterminador.

Consegui distinguir a diferença entre o primeiro conjunto de sons e o segundo, uma variação de volume e tom, embora não soubesse ao certo o que isso significava.

— A gente não pode resolver isso sozinho?

— Você tem alguma coisa na caminhonete?

— Não, mas posso conseguir.

Minha mãe continuava a nos negar o conforto das suas tetas. Os músculos dela estavam tensos, as orelhas viradas para trás, a atenção focada na fonte dos sons. Eu queria mamar, saber que estávamos em segurança.

— Bom, mas se fizermos isso, vamos ficar com um monte de gatos mortos na vizinhança. Tem gatos demais. Se estivéssemos falando de apenas um ou dois, tudo bem, mas isso aqui é uma colônia inteira de gatos.

— Você queria terminar a demolição antes do fim de junho. Não dá muito tempo para a gente se livrar deles.

— Eu sei.

— Está vendo as tigelas? Tem alguém alimentando os bichos.

As luzes abaixaram, se juntando em um ponto ardente de brilho no chão logo no interior do buraco.

— Nossa, é verdade. O que há de errado com as pessoas?

— Quer que eu tente descobrir quem é?

— Não. O problema vai desaparecer quando os gatos desaparecerem. Vou chamar alguém.

As luzes curiosas brilharam ao redor uma última vez e se apagaram logo em seguida. Ouvi terra em movimento e passos pesados e distintos, bem mais altos que os passos silenciosos dos gatos. As novas criaturas sumiram, e pouco a pouco os gatinhos retomaram as suas brincadeiras, felizes de novo. Mamei junto dos meus irmãos, depois fui ver os filhotes da Mamãe Gata. Como sempre, quando a luz do dia que entrava pelo buraco quadrado diminuía, os gatos adultos saíam, e, durante a noite, eu os ouvia voltar e, às vezes, farejava o cheiro de sangue da pequena caça que traziam para as respectivas ninhadas.

Quando a minha mãe caçava, ela não ia além das tigelas grandes de comida seca que eram postas perto do buraco quadrado. Dava para sentir o cheiro da refeição no hálito dela, e era peixe, plantas e carnes, e comecei a imaginar qual seria o gosto daquelas coisas.

O que quer que tivesse acontecido para causar tanto pânico tinha terminado.

Eu estava brincando com os filhotes incansáveis da Mamãe Gata quando o nosso mundo se estilhaçou. Dessa vez, a luz não era um único facho, era uma explosão brilhante, deixando tudo claro.

Os gatos se espalharam aterrorizados. Eu congelei, sem saber ao certo o que fazer.

— Prepare as redes. Quando eles saírem correndo, vão fazer isso ao mesmo tempo!

Um barulho do lado de fora do buraco.

— Estamos prontos!

Três seres grandes entraram rastejando atrás da luz. Eles eram os primeiros humanos que eu via, mas percebi que tinha sentido o cheiro de outros — só não havia sido capaz de visualizar a aparência. Uma centelha de reconhecimento brilhou dentro de mim — senti uma estranha atração por aqueles homens, quis correr para eles enquanto rastejavam para dentro da toca. Apesar disso, o barulho do alarme dos gatos frenéticos me paralisou.

— Peguei um!

Um gato macho rosnou e gritou.

— Meu Deus!

— Cuidado, dois acabaram de fugir!

— Droga! — respondeu alguém lá de fora.

Eu estava longe da minha mãe e tentei identificar o cheiro dela em meio aos gatos, mas parei quando senti dentes afiados no cangote. A Mamãe Gata me arrastou para trás, para as profundezas das sombras, para um lugar onde uma fenda grande dividia a parede de pedra. Ela me espremeu pela fenda até um lugar pequeno e apertado, deixando-me ali com os filhotes dela e se enroscou conosco. Os gatos estavam em silêncio, seguindo o exemplo da Mamãe Gata. Deitei com eles na escuridão e ouvi os humanos falarem.

— Tem um monte de filhotes de cachorro aqui também!

— Sério? Ei, pegue aquele ali!

— Caramba, eles são rápidos.

— Vem cá, gatinho, não vamos machucar.

— Ali está a mãe dos cachorros.

— Ela está aterrorizada. Cuidado para não levar uma mordida.

— Está tudo bem. Você vai ficar bem, garota. Venha.

— Gunter não falou nada sobre cachorros.

— Ele também não disse que ia haver tantos gatos assim.

— Ei, vocês estão pegando eles com as redes?

— É muito difícil! — gritou uma voz do exterior.

— Vem cá, cachorrinho. Droga! Cuidado! Aí vem a mãe!

— Meu Deus! Está bem, pegamos a cachorra! — gritou a voz do exterior.

— Aqui, cachorrinho, aqui, cachorrinho. Eles são tão pequenos!

— São mais fáceis que a droga dos gatos, isso sim.

Ouvimos os ruídos sem entender o que significavam. Uma luz chegou até o nosso espaço atrás da parede, entrando pela fenda, mas os odores humanos não se aproximaram do nosso esconderijo. A mistura de cheiro de medo e de felinos no ar foi desaparecendo aos poucos, assim como os sons.

Depois de algum tempo, adormeci.

Quando acordei, minha mãe tinha desaparecido. Meus irmãos tinham desaparecido. A depressão na terra onde nascemos e mamávamos ainda cheirava à nossa família, mas a sensação de vazio que tomou conta de mim quando farejei à procura da minha mãe provocou um choro, um soluço na garganta que não conseguia calar.

Eu não entendia o que havia acontecido, mas os únicos gatos que restavam no lugar eram a Mamãe Gata e os seus filhotes. Frenético, procurando respostas e segurança, voltei para ela, chorando de medo. Ela retirara os filhotes de trás da parede e eles estavam reunidos sobre o pequeno quadrado de pano que eu considerava a casa deles. A Mamãe Gata me examinou com cuidado com o seu focinho preto. Então, ela se deitou e se aninhou ao meu redor, e eu segui o cheiro e comecei a mamar. A sensação na língua era nova e estranha, mas o calor e o alimento eram o que eu precisava, e me alimentei, agradecendo. Depois de alguns momentos, os filhotes dela se juntaram a mim.

Na manhã seguinte, alguns dos gatos machos voltaram. Eles se aproximaram da Mamãe Gata, que rosnou um alerta, e foram para a própria área de dormir.

Mais tarde, depois que a luz do buraco tinha chegado ao ponto mais brilhante e começado a diminuir, senti cheiro de humano, de outro humano. Agora que eu entendia a diferença, percebi que tinha sentido aquele cheiro antes no meu focinho.

— Gatinho? Gatinho?

De repente, a Mamãe Gata nos deixou sobre o quadrado de pano. O impacto repentino de frio que veio com a partida dela chocou todos nós, e nos voltamos uns aos outros à procura de conforto, espremidos em uma pilha de gatinhos e cachorro. Pude vê-la quando se aproximou do buraco, mas ela não saiu — só ficou parada, suavemente iluminada. Os gatos machos estavam em alerta, mas não a seguiram até o humano.

— Só sobrou você? Não sei o que aconteceu, eu não estava por perto, mas vi marcas de pneus na terra, por isso sei que caminhonetes passaram por aqui. Levaram todos os gatos?

O humano entrou rastejando pelo buraco, bloqueando a luz por um momento. Era um macho — dava para farejar isso, embora eu só fosse aprender mais tarde a diferença entre homem e mulher. Ele parecia um pouco maior que os primeiros humanos que eu tinha visto.

Mais uma vez, aquela criatura especial me atraiu e um desejo inexplicável surgiu dentro de mim. Mas a lembrança do terror da véspera me manteve com os meus irmãos gatinhos.

— Certo. Vejo vocês depois. Como você escapou? E ainda levaram as tigelas. Legal.

Houve um som farfalhante e o cheiro delicioso de comida subiu pelo ar.

— Aqui tem um pouco para você. Vou pegar uma tigela. Um pouco de água também.

O homem saiu, rastejando pelo buraco. Assim que ele se foi, os gatos surgiram e comeram com entusiasmo o que quer que tinha sido derramado na terra.

A aproximação da mesma pessoa me alertou antes que os gatos, como se eles não fossem capazes de identificar o cheiro conforme ia ficando mais forte. Todos os machos reagiram, porém, quando ele reapareceu no buraco, correndo de volta para os seus cantos. Apenas a Mamãe Gata se levantou depressa. Uma tigela nova foi empurrada para a frente, e havia uma refeição dentro dela, mas a Mamãe Gata não se aproximou, só ficou olhando. Eu podia sentir que ela estava tensa e sabia que ela sairia correndo se ele tentasse nos capturar como os outros humanos tinham feito.

— Tem um pouco de água também. Você tem filhotes? Parece estar amamentando. Eles levaram os seus bebês? Ah, gatinha, sinto muito. Vão demolir essas casas e construir um condomínio. Você e a sua família não podem ficar aqui, está bem?

Depois de algum tempo, o homem foi embora, e, com cuidado, os gatos adultos voltaram a comer. Farejei a boca da Mamãe Gata quando ela retornou, mas, quando lambi a sua cara, ela se virou de repente.

O tempo era marcado pelas mudanças na luz que entrava pelo buraco. Outros gatos chegaram, alguns que já viviam conosco antes e uma fêmea nova, cujo surgimento disparou uma briga entre os machos, que assisti com grande interesse. Um par de combatentes ficou agarrado por tanto tempo que eu só sabia que eles não estavam dormindo pelo movimento das caudas, que não balançavam de alegria, mas comunicavam verdadeiro sofrimento. Quando se soltaram, os dois se esticaram no chão, os focinhos quase se tocando, e fizeram sons nada felinos um para o outro. Outra briga consistiu em um macho deitado de lado batendo em outro, que estava sobre as quatro patas. O que estava de pé batia no alto da cabeça do que se esparramava pelo chão, que, por sua vez, respondia com uma série de tentativas de arranhá-lo.

Por que eles não se levantavam nas duas pernas traseiras para atacar? Esse comportamento, além de ser estressante para todos os animais na toca, parecia não fazer sentido algum.

Tirando a Mamãe Gata, eu não interagia com os adultos, que me tratavam como se eu não existisse. Eu me emaranhava com os gatinhos, e nós lutávamos, subíamos uns nos outros e nos perseguíamos o dia inteiro. Às vezes, eu rosnava para eles, irritando-me com o seu estilo de brincadeira, que, de algum modo, parecia errado. Eu queria subir nas costas deles e morder os seus pescoços, mas eles não entendiam isso e ficavam congelados quando eu os derrubava ou saltava em cima dos seus corpos pequenos. De vez em quando, eles envolviam o corpo inteiro em torno do meu focinho, ou batiam na minha cara com garras pequenas e afiadas, me atacando de todos os ângulos.

À noite, eu sentia falta dos meus irmãos. Sentia falta da minha mãe. Eu tinha feito uma família, mas entendia que os gatos eram diferentes de mim. Tinha uma matilha, mas era uma matilha de gatinhos, o que não parecia certo. Eu sentia um incômodo e estava infeliz, e, às vezes, chorava de angústia. Mamãe Gata me lambia, e eu ficava um pouco melhor, mas as coisas não eram como deveriam ser.

Quase todo dia, o homem aparecia e trazia comida. A Mamãe Gata me castigou com um tapa rápido no focinho quando tentei me aproximar dele, e aprendi as regras da toca: não devíamos ser vistos pelos humanos. Nenhum dos outros felinos parecia querer sentir o toque de uma pessoa, mas, para mim, um desejo crescente de ser segurado por ele tornava cada vez mais difícil obedecer às leis da toca.

Quando a Mamãe Gata parou de nos amamentar, tivemos que nos ajustar a comer as refeições que o homem fornecia, que consistiam de pedaços secos e saborosos, e, às vezes, carne exótica e molhada. Depois que me acostumei com a mudança, foi bem melhor — eu tinha passado fome por tanto tempo que parecia uma condição natural, mas agora podia comer a minha parte e beber quanta água aguentasse. Eu consumia mais que os meus irmãos gatinhos juntos, e agora estava perceptivelmente maior que eles, embora não ficassem impressionados com o meu tamanho e se recusassem a brincar direito, continuando a tentar arranhar o meu focinho.

Imitávamos a Mamãe Gata e nos afastávamos do buraco quando o humano aparecia, mas, fora isso, ousávamos flertar com os limites, sorvendo os aromas deliciosos do exterior. De vez em quando, a Mamãe Gata saía à noite, e eu podia sentir que todos os gatinhos queriam se juntar a ela. Para mim, a luz do dia era mais atraente, mas eu prestava atenção à Mamãe Gata e sabia que ela logo castigaria qualquer tentativa de sair dos limites.

Um dia, o homem cujas fragrâncias se tornaram tão familiares para mim quanto as da Mamãe Gata apareceu em frente ao buraco, fazendo barulhos. Eu podia sentir outros humanos com ele.

— Em geral, eles ficam bem no fundo. A mãe chega perto quando trago comida, mas não me deixa tocá-la.

— Tem outro jeito de sair além dessa janela?

Era uma voz diferente, acompanhada por cheiros diferentes — uma mulher. Sem perceber, comecei a balançar a cauda.

— Acho que não. Como vamos fazer?

— Essas luvas grandes vão nos proteger e, se você ficar aqui com a rede, pode pegar qualquer gato que passar pela gente. Quantos tem aí?

— Não sei mais. Até pouco tempo, dava para ver que a fêmea estava amamentando, mas se há algum filhote, eles não saem durante o dia. Tem outros, não sei de que sexo. Costumava haver muitos, mas acho que o empreiteiro deve ter pegado quase todos. Ele vai demolir essa fileira de casas para construir um condomínio.

— Ele nunca vai conseguir permissão para demolição com gatos vivendo aqui.

— Deve ter sido por essa razão que fez isso. Você acha que ele machucou os que pegou?

— Hum, não tem lei contra capturar e machucar gatos que estejam vivendo na sua propriedade. Quer dizer, ele pode ter levado os animais para um dos abrigos, acho.

— Havia muitos. A propriedade inteira estava cheia de gatos.

— Bem, eu não ouvi falar nada sobre um grupo grande de gatos aparecendo por aí. A comunidade de resgate de animais é bastante unida; nós todos falamos uns com os outros. Se vinte gatos entrassem no sistema, eu teria sabido. Você está bem? Poxa, desculpe, talvez eu não devesse ter dito isso.

— Estou bem. Só queria ter sabido de antemão que isso ia acontecer.

— Mas você fez a coisa certa em nos chamar, Lucas. Vamos encontrar casas boas para qualquer gato que pegarmos. Pronto?

Eu estava sentindo um grande tédio com os barulhos monótonos e me ocupava lutando com os gatinhos quando senti a Mamãe Gata se enrijecer, tomada por alarme. Os olhos se dirigiam sem piscar para o buraco, a cauda se retorcia. As orelhas estavam achatadas para trás sobre a cabeça. Olhei para ela com curiosidade, ignorando o gatinho macho que veio correndo, bateu na minha boca e fugiu.

Então, uma luz brilhou, e entendi o medo dela. A Mamãe Gata correu na direção da parede dos fundos, abandonando os filhotes. Eu a vi se esgueirar em silêncio pela fenda escondida no momento em que dois humanos entraram pelo buraco. Os gatinhos corriam de um lado para o outro, confusos, os gatos machos fugiram para o fundo da toca, e eu me afastei dali, com medo.

A luz dançou pelas paredes, então me encontrou, brilhando forte na minha cara.

— Ei! Tem um filhote de cachorro aqui!

Capítulo 2

— AQUI, GATINHO!

A mulher rastejava para a frente, o braço estendido. Nas mãos, o tecido grosso cheirava a traços de diversos animais diferentes, na maioria gatos.

Os gatinhos saíram correndo, aterrorizados. A fuga foi caótica e desgovernada, e nenhum deles correu para a fenda na parede onde a Mamãe Gata estava escondida, embora eu pudesse sentir o cheiro dela ali, encolhida e com medo. Os outros gatos adultos estavam um pouco melhor, embora estivessem quase todos paralisados, olhando com medo para o ser humano que se aproximava. Um deles correu para o buraco e rosnou quando a mulher o pegou com as luvas pesadas. Ela o entregou com cuidado para outro par de mãos cobertas por pano. Dois outros felinos adultos passaram correndo por ela para a liberdade.

— Você os pegou? — perguntou a mulher em voz alta.

— Um deles! — gritou uma voz em resposta. — O outro fugiu.

Eu sabia o que devia fazer. Devia ficar com a minha mãe. Só que alguma coisa em mim se rebelava contra essa reação — em vez disso, começava a sentir atração pela mulher que rastejava na minha direção, um fascínio por ela. Uma compulsão me tomou: embora eu nunca tivesse experimentado o toque humano, tinha uma forte ideia de qual seria a sensação, como se me lembrasse de algo de muito tempo atrás. A mulher gesticulou para mim mesmo enquanto o restante dos gatos adultos saía correndo pelo buraco atrás dela.

— Aqui, cachorrinho!

Corri para a frente, direto para os seus braços, abanando a minha pequena cauda.

— Ah, meu Deus, como você é fofo!

— Pegamos mais dois! — gritou uma voz do lado de fora.

Lambi o rosto da mulher, me agitando e me contorcendo.

— Lucas! Peguei o cachorro, você pode vir aqui?

Ela me levantou e examinou a minha barriga.

— Quero dizer, cadela. É uma menina.

O homem que trazia alimento para as tigelas apareceu no buraco, e o cheiro familiar dele invadiu o local. Suas mãos se estenderam e se envolveram delicadamente ao meu redor, então ele me trouxe ao mundo. Meu coração batia forte, não de terror, mas de completa alegria. Eu ainda podia sentir os gatinhos atrás de mim, o medo deles, e o odor da Mamãe Gata forte no ar, mas, naquele momento, só queria ser segurada pelo homem, mordiscar os seus dedos e me atirar em cima dele quando ele me pôs no chão e me rolou pela terra fresca.

— Você é muito boba! Você é uma filhotinha muito boba!

Enquanto brincávamos, a mulher trouxe os gatinhos um de cada vez e os entregou a dois outros homens, que os puseram em gaiolas na traseira de uma caminhonete. Os gatinhos miavam de agonia. Seus apelos me entristeceram, porque eu era a irmã maior deles, mas não podia fazer nada para ajudá-los. Eu torcia para que a nossa mãe se juntasse logo a eles e sabia que, assim, eles iriam se sentir melhor.

— Acho que pegamos todos — disse a mulher, chegando no lugar em que eu estava brincando com o homem. — Menos os que fugiram.

— É, desculpe por isso. Seus amigos pegaram os deles, mas eu não fui nada bom em pegá-los.

— Tudo bem. Tem que ter muita prática.

— O que vai acontecer com os que fugiram?

— Bom, com sorte, eles não vão voltar tão cedo, se os trabalhadores vão demolir as casas. — A mulher se ajoelhou para acariciar as minhas orelhas. Ter a atenção de dois humanos ao mesmo tempo era a coisa mais maravilhosa que já havia acontecido comigo. — Não havia outro cachorro. Não tenho ideia do que essa aqui estava fazendo lá embaixo.

— Eu nunca a tinha visto antes — falou o homem. — Sempre foram só gatos. Qual a idade dela?

— Não sei, uns dois meses? Ela vai ser grande, dá para ver. Olhe só essas patas.

— É o que? Um pastor? Um mastim?

— Não, quer dizer, pode haver algo de mastim aí, mas estou vendo staffordshire e talvez um rottweiler na cara. É difícil dizer. Provavelmente tem todo um coquetel de DNA canino.

— Ela parece saudável. Quero dizer, para quem estava vivendo em um buraco... — observou o homem.

Ele me pegou, e fiquei imóvel nas suas mãos, mas, quando me aproximou, tentei morder o nariz dele.

— Certo, bem, duvido que ela estivesse *vivendo* ali — comentou a mulher. — Deve ter seguido um filhote de gato ou até um gato adulto. Por falar nisso, quando foi a última vez que você viu a mãe gata?

— Faz alguns dias.

— Ela não estava ali embaixo, então devemos ter chegado na hora errada, e ela está por aí caçando. Se você a vir, me avise, está bem, Lucas?

— Você tem um cartão ou algo assim?

— Claro.

O homem me botou no chão, e ele e a mulher se levantaram. Ela entregou alguma coisa para o homem. Botei as patas nas pernas dele, querendo farejá-lo. Eu estava interessada em tudo que o homem estava fazendo e queria muito que ele se agachasse de novo e brincasse um pouco mais comigo.

— Audrey — disse o homem, olhando para a coisinha que ele segurava com os dedos.

— Se eu não estiver, pode falar com qualquer pessoa que atender. Todos eles sabem sobre esta casa. Podemos vir e pegar os que sobraram. Ah, andei perguntando e ninguém apareceu com uma grande colônia de gatos em nenhum lugar de Denver nos últimos dias. Acho que devemos supor o pior.

— Como alguém pode *fazer* uma coisa dessas? — respondeu o homem, parecendo angustiado. Saltei sobre os seus pés de modo que ele soubesse que, se estivesse triste, tinha uma cachorrinha ali para fazer com que todas as suas preocupações desaparecessem.

— Não sei. Às vezes, não entendo as pessoas.

— Eu me sinto muito mal.

— Não fique assim. Você não sabia o que estavam planejando. Embora eu não entenda porque não se deram ao trabalho de levar os animais para um abrigo em algum lugar. Podíamos ter encontrado lares para alguns, e temos conexões com lugares seguros para gatos ferozes. Algumas pessoas não se dão ao trabalho nem de fazer a coisa certa.

A mulher me pegou.

— Está bem, pequenina, pronta para ir?

Balancei o rabo e, em seguida, virei a cabeça para poder ver o homem. Eram as mãos dele, mais que as de qualquer outra pessoa, que eu desejava.

— Hã, Audrey?

— Sim?

— Eu sinto como se essa cachorrinha fosse minha. Quero dizer, eu a achei, tecnicamente.

— Ah. — Ela me botou no chão, e fui até o homem para mastigar os seus sapatos. — Bom, eu não devia dar um animal para adoção desse jeito. Quer dizer, tem um procedimento.

— Exceto que, se for o meu cachorro, não é uma adoção.

— Está bem. Veja. Não quero que isso fique estranho nem nada. Você por acaso pode pegar um cachorro? Onde você mora?

— Bem aqui, nos apartamentos do outro lado da rua. Foi assim que vi os gatos. Passo sempre por essa casa. Um dia, resolvi alimentá-los.

— Você mora sozinho?

Algo muito sutil mudou nos modos do homem. Ergui os olhos, alerta, desejando que ele me pegasse outra vez. Queria lamber o seu rosto.

— Não. Eu moro com a minha mãe.

— Ah.

— Não, não é o que você está pensando. Ela está doente. Ela é militar e, quando voltou do Afeganistão, desenvolveu alguns sintomas. Então, estudo e trabalho com a Administração de Veteranos para tentar conseguir a ajuda de que ela precisa.

— Sinto muito.

— Tenho aulas on-line. Estudando para entrar em uma faculdade de medicina. Então, passo bastante tempo em casa, e a minha mãe também. Podemos dar à filhotinha toda a atenção de que precisa. E acho que ter uma cadela seria bom para nós. Minha mãe ainda não consegue manter um emprego.

O homem se abaixou e me pegou. Finalmente! Ele me segurou nos braços, e eu me joguei para trás e olhei para o seu rosto. Eu podia sentir que algo importante estava acontecendo, mesmo sem saber ao certo o que era. A toca, onde nasci e onde a Mamãe Gata ainda se escondia, parecia um lugar que eu estava deixando para trás. Agora, eu ficaria com esse homem, para onde quer que ele me levasse. Esse era o meu desejo: ficar com ele.

— Você já teve um filhote de cachorro? — perguntou a mulher. — Eles dão um trabalho danado.

— Eu morei com a minha tia durante boa parte da vida. Ela tinha dois yorkshires.

— Essa aí já é maior que um yorkshire. Desculpe, Lucas, mas não dá. É antiético. Há um processo de veto, e uma das razões porque temos tão pouco retorno é que os nossos protocolos de colocação são muito rigorosos.

— Como assim?

— Estou dizendo que não é possível. Não posso deixar que fique com ela.

O homem olhou para mim e sorriu.

— Ah, cachorrinha, ouviu isso? Eles querem tirar você de mim. Você quer isso?

Ele baixou o rosto até a minha cara, eu o lambi, e ele sorriu.

— A cadelinha e eu votamos para que ela fique comigo. São dois contra um — disse ele, delicadamente, para a mulher.

— Hein? — respondeu ela.

— Acho que as coisas acontecem por uma razão, Audrey. Havia uma razão para essa menina estar ali embaixo, escondida com os gatos, e acho que era para que eu a encontrasse.

— Desculpe, mas há regras.

Ele assentiu.

— Sempre há regras, e sempre há *exceções* às regras. Esta é uma delas.

Os dois ficaram quietos por um momento.

— As pessoas ganham de você? Quer dizer, em discussões — perguntou ela, por fim.

Ele piscou.

— Ah, claro. Só não nessa, eu acho.

Ela sacudiu a cabeça e sorriu.

— Está bem. Como falou, você a encontrou. Vai levá-la para um veterinário? Tipo, amanhã mesmo? Se prometer fazer isso, acho que por mim tudo bem... Deixe-me lhe dar algumas coisas. Tenho guias, coleiras e comida de filhote.

— Ei, cachorrinha! Quer vir morar comigo?

Havia um sorriso radiante no rosto dele, mas eu podia sentir alguma coisa na sua voz que não entendia. Ele estava ansioso, incomodado. O que quer que fosse acontecer em seguida o preocupava.

* * *

A Mamãe Gata não saiu. Eu podia sentir o cheiro dela quando o homem me levou embora da toca, e a imaginei ainda no esconderijo apertado, com medo dos humanos. Na verdade, não entendia isso — qual era a razão para ter medo? Era como se eu nunca tivesse sentido nada tão incrível quanto o homem me segurando, nunca tivesse experimentado nada tão maravilhoso quanto a sensação das mãos dele no meu pelo.

Quando as pessoas fecharam a porta do veículo, os sons dos meus irmãos gatos foram cortados abruptamente. A caminhonete foi embora, deixando apenas rastros da minha família felina no ar. Perguntei a mim mesma quando iria vê-los de novo, mas não tinha tempo para pensar sobre essa separação estranha, na qual os meus irmãos foram para uma direção, a nossa mãe, para outra, e eu, para uma terceira. Havia tantos sons e imagens novos que cheguei a ficar tonta. Quando o homem me levou para o lugar que eu aprenderia a chamar de casa, senti cheiro de comida, poeira, produtos químicos e uma mulher. Ele me botou no chão e o piso era maravilhosamente macio com o carpete. Corri atrás dele quando o homem atravessou a sala e mergulhei no seu colo quando cruzou as pernas e se sentou para ficar comigo.

Eu podia sentir a ansiedade dele crescendo, estava na sua pele do mesmo jeito que a Mamãe Gata ficava tensa quando sabia que humanos estavam se aproximando.

— Lucas? — perguntou uma voz feminina.

Associei a voz com os cheiros que cobriam todos os objetos na sala.

— Oi, mãe.

Uma mulher entrou na sala e parou. Corri para encontrá-la, balançando a cauda, querendo lamber as mãos delas.

— O que é isso?

Ela ficou boquiaberta e de olhos arregalados.

— É um filhote.

Ela se ajoelhou e estendeu as mãos, e corri até elas, rolei de costas e mordisquei os dedos.

— Bom, dá para ver que é um filhote, Lucas. O que ele está fazendo aqui?

— Ela.

— Isso não responde à minha pergunta.

— As pessoas que resgatam animais vieram pegar os gatos que sobraram. Pelo menos, a maioria deles. Havia uma ninhada de gatinhos, e essa cadelinha estava embaixo da casa com eles — explicou Lucas.

— E você a trouxe para casa porquê...

Ele se aproximou e se agachou ao lado da mulher, e agora eu tinha duas pessoas me tocando!

— Porque olhe só para ela. Alguém a abandonou, e ela foi para baixo da casa e, provavelmente, teria passado fome lá.

— Mas você não pode ter um cachorro, Lucas.

O medo do homem tinha desaparecido, mas senti algo diferente se agitar dentro dele, uma emoção diferente. O corpo ficou mais rígido; o rosto, tenso.

— Eu sabia que você ia falar isso.

— Claro que eu ia falar isso. Nós mal conseguimos nos sustentar. Você sabe quanto custa criar um cachorro? Contas de veterinário e ração. Isso logo vira um monte de dinheiro — disse ela.

— Eu tenho uma segunda entrevista com o Departamento de Veteranos, e eles disseram que o dr. Gann está prestes a me aprovar. Além disso, eu conheço todo mundo lá. Então, vou ter um emprego, vou ter dinheiro.

As mãos dele estavam me acariciando, e me senti relaxar e ficar sonolenta.

— Não é apenas o dinheiro. Precisamos conversar sobre isso. Quero muito que você se concentre em entrar para a faculdade de medicina.

— Eu *estou* concentrado! — A voz dele era ríspida, e despertei da minha fadiga. — Você tem algum problema com as minhas notas? Se é essa a questão, vamos conversar sobre isso.

— É claro que não, Lucas. *Notas*. Por favor! Acho incrível que você consiga carregar todo o seu fardo e manter uma média alta.

— Então, você não quer que eu tenha um cachorro ou não quer que eu tome sozinho uma decisão tão importante?

Fiquei ansiosa com o tom de voz dele. Esfreguei o focinho no homem, torcendo para que ele brincasse comigo e se esquecesse do que o deixava aborrecido.

Houve um longo silêncio.

— Está bem. Sabe de uma coisa? Eu esqueço que você tem quase 24 anos. É fácil demais cair de novo na dinâmica mãe e filho que sempre tivemos.

— Que sempre tivemos. — A voz dele estava desanimada.

Outro silêncio.

— É, exceto pela maior parte da sua infância. Você tem razão — disse ela, com tristeza.

— Desculpe. Não sei por que falei isso. Não tive intenção.

— Não, não, você está certo. Podemos conversar sobre isso toda vez que você tiver vontade, e sempre vou concordar, porque tomei muitas, muitas decisões ruins na minha vida, e várias delas influenciaram a sua. Mas estou tentando compensar isso, agora.

— Sei que está, mãe.

— Você tem razão sobre a cadelinha. Meu reflexo é agir como se você ainda fosse um adolescente, e não um adulto que divide o apartamento comigo. Mas vamos pensar nisso, Lucas. Nosso contrato de aluguel nem permite animais no prédio.

— Quem vai saber? Provavelmente a única vantagem de ter o que todo mundo considera o pior apartamento no condomínio é que a porta abre para a rua em vez de para o pátio. Vou sair para passear com ela e, quando estiver de volta, ninguém no prédio nem vai ver de onde eu vim. Nunca vou deixá-la ir no pátio e vou mantê-la na coleira.

Ele me virou de costas e beijou a minha barriga.

— Você nunca teve um cachorro. É uma grande responsabilidade.

O homem não falou nada, apenas continuou a esfregar o nariz em mim. A mulher, então, riu, um som leve e alegre.

— Mas acho que se tem uma coisa pela qual eu não precise lhe passar sermão é sobre ser *responsável*.

Nos dias seguintes, eu me ajustei à minha nova e maravilhosa vida. Aprendi que a mulher se chamava Mãe e o homem era Lucas.

— Quer um petisco, Bella? Um petisco?

Olhei para Lucas, sentindo que algo era esperado de mim, mas sem entender o quê. Então, ele tirou a mão do bolso e me deu um pedacinho de carne, liberando uma torrente de sensações deliciosas na minha língua.

Petisco! Essa logo virou a minha palavra favorita.

Eu dormia com Lucas, aninhada ao lado dele em uma pilha macia de cobertores que rasguei um pouco até entender como isso o deixava infeliz. Deitar ao lado dele era ainda melhor do que ficar apertada contra a Mamãe Gata. Às vezes, eu pegava os dedos dele na minha boca, não para morder, mas apenas para dar uma mordiscada leve, tão cheia de amor que fazia o meu maxilar latejar.

Ele me chamava de Bella. Várias vezes por dia, Lucas trazia a "guia", que era como ele chamava a coisa que prendia à "coleira". Ele usava a guia para me puxar na direção que queria ir. No início, odiei aquilo, porque não fazia sentido para mim ser puxada pelo pescoço em uma direção quando sentia o cheiro de coisas maravilhosas na outra. Mas depois aprendi que, quando a guia era tirada do seu lugar perto da porta, nós íamos sair para "passear", e como eu gostava de fazer isso! Eu também amava quando chegávamos em casa e Mãe estava lá, e corria até ela para ganhar abraços, e amava quando Lucas botava comida na minha tigela ou quando ele se sentava para que eu pudesse brincar com os seus pés.

Eu adorava lutar com ele e o jeito como Lucas me segurava no colo. Eu o amava. O centro do meu mundo era Lucas e, quando os meus olhos estavam abertos ou o meu focinho estava ativo, eu procurava por ele. Todo dia trazia novas alegrias e coisas que eu nunca tinha feito antes com o meu Lucas, a minha pessoa.

— Bella, você é a melhor cachorrinha do mundo — dizia ele, enquanto me beijava.

Meu nome era Bella. Logo era assim que eu pensava em mim: Bella.

Pelo menos uma vez por dia, íamos até a toca. Havia várias casas enfileiradas sem ninguém morando nelas, mas só uma com gatos. Elas ficavam isoladas por uma cerca de alambrado, mas Lucas puxava os arames onde eles ficavam presos a uma estaca, e nós entrávamos.

O cheiro da Mamãe Gata ainda era forte na toca, embora os sinais dos filhotes estivessem desaparecendo. Eu também sabia que alguns dos gatos machos tinham voltado. Lucas botava comida e água, mas eu não podia comer aquela ração. Também não tinha permissão de entrar na toca para ver a minha mãe.

— Você viu? Viu a gatinha? Ela está ali só nos observando, Bella. A gente mal consegue fazê-la sair das sombras — comentou Lucas com delicadeza.

Eu amava ouvir o meu nome. Pude sentir uma pergunta na voz de Lucas, mas isso não resultou em nenhum petisco para mim. Eu podia não entender o que ele dizia, mas estava com Lucas, então mais nada importava.

Certa tarde, fiquei deitada em cima dos pés de Lucas, onde eu tinha desabado depois de uma brincadeira especialmente agitada de atacar os sapatos. Eu não me sentia confortável deitada ali, mas estava exausta demais para me mexer, então a minha cabeça se encontrava bem mais baixa do que o restante do meu corpo.

Ouvi um ronco barulhento ficando mais alto, e, após algum tempo, Lucas se remexeu de um jeito que sugeria que ele ouvira o som também.

— O que foi isso, Bella?

Eu me esforcei para ficar de pé. Passear? Petisco? Lucas foi até a janela e olhou para fora.

— Mãe! — gritou ele, alarmado.

A mãe saiu do quarto.

— O que foi?

— Estão usando uma retroescavadeira! Vão derrubar a casa, e ainda tem gatos morando lá!

Ele foi até uma gaveta e a abriu enquanto Mãe ia até a janela.

— Certo, olhe. Aqui está o cartão. Ligue para o resgate. Pergunte por Audrey, mas, se ela não estiver, diga a eles que um empreiteiro vai demolir a casa e que os gatos vão ser mortos!

Eu podia sentir o medo emanando de Lucas quando ele foi buscar a guia. Ele a prendeu em mim. Eu me sacudi para acordar.

— Vou ligar. O que você vai fazer? — perguntou Mãe.

— Preciso detê-los.

Ele abriu a porta.

— Lucas!

— Preciso detê-los!

Juntos, saímos correndo.

Capítulo 3

Lucas saiu em disparada pela porta, me puxando com ele. Atravessamos a rua correndo. A cerca tinha sido parcialmente derrubada. Alguns homens estavam reunidos em torno da toca e havia uma máquina muito grande e barulhenta. O ruído que ela fazia era incrivelmente profundo e alto. Eu me agachei para fazer xixi, e um dos homens se afastou do grupo e veio até nós. Ele usava um sapato que exalava aromas fascinantes de óleos e outras fragrâncias que eu nunca havia sentido.

— Ainda tem gatos vivendo aí embaixo — avisou Lucas, quando o homem se aproximou.

Ele estava arfando, e o seu coração batia forte quando me pegou e me abraçou contra o peito.

— Do que está falando? — perguntou o homem, franzindo o cenho.

— Gatos. Tem gatos vivendo embaixo da casa. Você não pode demoli-la. Vai matá-los. Você pode derrubar as outras, mas esta tem animais.

O homem mordeu o lábio. Ele olhou para os amigos, depois para mim.

— Que cachorro bonito.

As mãos dele tinham uma textura áspera quando ele me fez carinho, e senti o cheiro de produtos químicos e detritos, ao mesmo tempo fortes e suaves na pele.

Lucas respirou fundo.

— Obrigado.

— O que é, uma mistura de mastim e dogue-alemão?

— Hein?

— O filhote. Um amigo meu tem um assim. Parecia muito com esse quando era pequeno. Gosto de cachorros.

— Que bom. Talvez. Não sei de que raça ela é. Na verdade, ela foi resgatada de baixo da casa que estão prestes a demolir. Havia todo tipo de gatos, e muitos deles ainda estão aí dentro. É isso que estou tentando explicar, que nem todos os animais foram pegos. Então, legalmente, não podem demolir a casa com gatos de rua vivendo embaixo dela.

Pelo buraco que levava à toca, dava para sentir o cheiro da Mamãe Gata, e eu sabia que ela tinha se aproximado com cuidado. Me remexi, querendo vê-la, mas a mão de Lucas me deteve. Eu amava ser segura por ele, mas, às vezes, isso me frustrava na hora de brincar.

— Legalmente — repetiu o homem, pensativo. — Bom, tenho a autorização para demolir. Ela está afixada bem ali, viu? Então é legal. Não tenho nada contra gatos, exceto que a minha namorada talvez tenha muitos deles, mas preciso fazer o meu trabalho. Entende? Não é pessoal.

— É pessoal. É pessoal para os gatos. É pessoal para mim — declarou Lucas. — Eles estão sozinhos no mundo. Abandonados. Eu sou tudo que eles têm.

— Certo, está bem, não vou discutir isso.

— Já chamamos o pessoal do resgate de animais.

— Pouco importa. Não dá para esperar por eles.

— Não! — Lucas saiu andando e parou na frente da máquina grande, e eu o segui, mantendo a guia frouxa entre nós. — Não pode fazer isso.

Olhei para aquela coisa enorme, sem entender.

— Você está começando a me irritar, parceiro. Saia do caminho. Você está em propriedade particular.

— Daqui eu não saio.

Lucas me pegou e me levou junto ao peito.

O homem se aproximou de nós, olhando fixo para Lucas. Eles eram da mesma altura e se olhavam nos olhos. Lucas e eu o encaramos. Abanei a cauda.

— Quer mesmo fazer isso? — perguntou o homem, com delicadeza.

— Se importa de eu colocar botar a minha cachorra no chão primeiro?

O homem afastou os olhos, aborrecido.

— Minha mãe avisou que haveria dias assim — murmurou ele.

— Ei, Dale! — gritou um dos outros homens. — Acabei de falar com Gunter. Ele disse que está vindo para cá.

— Está bem. Certo. Ele pode lidar com esse protesto.

O homem se virou e voltou a ficar com os amigos. Eu me perguntei se o restante deles se aproximaria para me acariciar. Eu ia gostar disso.

Em pouco tempo, um carro grande e escuro parou e um homem saiu. Ele foi até os demais e conversou com eles, que olharam todos para mim, porque eu era a única cadela ali. Então, o homem se aproximou para me ver. Ele era mais alto que Lucas e maior na cintura. Quando se aproximou, pude sentir cheiro de fumaça, algumas carnes e algo adocicado na sua roupa e no seu hálito.

— Então do que isso se trata? — questionou ele.

— Ainda há alguns gatos morando embaixo da casa. Sei que não iam querer correr o risco de machucá-los — respondeu Lucas.

O homem sacudiu a cabeça.

— Não tem gatos. Nós pegamos todos.

— Não pegaram, não. Ainda tem alguns aí embaixo. Três, pelo menos.

— Bom, você está errado, e eu não tenho tempo para isso. Já estamos atrasados por causa dos malditos gatos, e não vou perder mais nenhum dia com isso. Tenho apartamentos para construir.

— O que você fez? Com os gatos que viviam aqui? Alguns deles eram filhotes!

— Não é da sua conta. *Nada* disso é da sua conta.

— É, sim. Eu vivo do outro lado da rua. Vejo os gatos todos os dias.

— Bom para você. Qual é o seu nome?

— Lucas. Lucas Ray.

— Sou Gunter Beckenbauer.

O homem estendeu a mão e apertou a de Lucas por um momento, mas então a soltou. Quando a mão de Lucas voltou a me segurar, havia carne e fumaça na pele dele. Farejei com cuidado.

— É você que tem aberto a minha cerca? Já tive que mandar consertar três vezes.

Lucas não falou nada. Deitada nos seus braços, eu estava começando a sentir sono.

— E é você que alimenta os gatos, é óbvio. O que não está exatamente ajudando a situação, sabia?

— Está dizendo que preferia que eles passassem fome?

— São *gatos*. Eles matam pássaros e ratos, ou talvez você não saiba disso. Dessa forma, não *passam fome*.

— Não é verdade. Eles se reproduzem demais. Se não forem capturados e esterilizados, têm ninhadas, e a maioria dos filhotes morre de fome ou de doenças provocadas pela desnutrição.

— E isso é culpa *minha*?

— Não. Veja, tudo que estou pedindo é tempo para as pessoas lidarem com isso de forma humana. Há organizações dedicadas a isso, a resgatar animais que, embora não tenham culpa, são abandonados e vivem nas ruas. Nós chamamos uma, e eles estão a caminho agora mesmo. Deixe que eles façam o trabalho deles, e então vocês podem fazer o de vocês.

O homem da carne defumada tinha escutado Lucas, mas ainda sacudia a cabeça.

— Está bem, parece que você está citando isso de um site ou algo assim, mas não é sobre o que estamos conversando nesse momento. Você tem ideia de como é difícil construir qualquer coisa hoje em dia, Lucas? Tem cerca de uma dezena de agências com as quais você precisa lidar. Enfim consegui a autorização para a demolição depois de um ano de atraso. Um *ano*. Então, preciso começar a trabalhar agora.

— Não vou sair daqui.

— Vai ficar parado na frente de uma retroescavadeira enquanto ela derruba uma casa? Pode ser morto.

— Tudo bem.

— Sabe de uma coisa? Eu ia fazer isso do jeito fácil, mas você está me obrigando a agir de outro modo. Vou chamar a polícia.

— Tudo bem.

— Alguém já lhe disse que você é um pequeno canalha teimoso?

— Teimoso, talvez — respondeu Lucas. — Ninguém nunca disse que sou pequeno.

— Ah. Você é mesmo uma figura.

O homem saiu andando sem me acariciar, o que foi incomum. Ficamos parados por um longo tempo. A máquina grande ficou silenciosa e, quando o ronco se aquietou, meu corpo se sentiu diferente, como se alguma coisa estivesse me apertando e agora tivesse parado. Lucas me botou no chão e farejei a terra com cuidado. Eu queria brincar, mas Lucas só queria ficar ali parado, e a guia não me dava muito espaço para eu correr.

Balancei a cauda quando mais pessoas apareceram. Havia uma mulher e um homem, e eles saíram de outro carro. Os dois estavam usando roupa escura e tinham objetos de metal nos quadris.

— Polícia — observou Lucas, em voz baixa. — Bom, Bella, vamos ver o que acontece agora que a polícia está aqui.

As duas pessoas de roupa escura se aproximaram e conversaram com o homem com dedos de carne defumada. Lucas parecia um pouco desconfortável, mas continuamos no mesmo lugar. Bocejei, em seguida, agitei a cauda animada quando as duas pessoas se aproximaram para me ver. Eu podia sentir o cheiro de cachorro na mulher, mas não no homem.

— Ah, meu Deus, que filhotinho fofo — falou a mulher, simpática.

— Essa é Bella — saudou Lucas. Amei que eles estivessem falando de mim!

A mulher sorria.

— Qual é o seu nome?

— Lucas. Lucas Ray.

— Muito bem, Lucas. Por que não conta para a gente o que está acontecendo? — disse o amigo dela.

O homem falou com Lucas enquanto a mulher se ajoelhava e brincava comigo. Pulei nas mãos dela. Agora que eu podia farejá-la, percebi que ela tinha mesmo o cheiro de dois cachorros diferentes nos dedos. Eu os lambi e consegui sentir o gosto dos cachorros. Os objetos de metal ao lado dela chacoalharam.

Quando a mulher se levantou, olhei de novo para Lucas.

— Mas quem deve proteger os gatos, senão a polícia? — perguntou Lucas. Era a segunda vez que ele usava aquela palavra, "polícia". Percebi que ele estava aborrecido e fui me sentar aos seus pés, torcendo para ajudá-lo a ficar feliz.

— Você não tem nada para fazer aqui. Entendeu? — O homem de roupas escuras gesticulou para a máquina grande. — Entendo que isso incomode você, mas não pode interferir com um projeto de construção. Se não for embora, teremos que prendê-lo.

A mulher com o cheiro de dois cachorros tocou Lucas no braço.

— A melhor coisa que você e a sua cadela podem fazer é ir para casa agora.

— Vocês podem ao menos jogar a luz da lanterna no espaço embaixo da casa? — perguntou Lucas. — Vão ver do que estou falando.

— Não tenho certeza se isso faria alguma diferença — respondeu a mulher.

Eu vi outro carro chegar e parar. Esse cheirava a cachorros, gatos e até outros animais. Ergui o focinho no ar, esmiuçando tudo.

O novo veículo continha uma mulher e um homem. No banco de trás, o homem pegou algo grande, que colocou no ombro. Não consegui sentir o cheiro do que era. Ele tocou aquilo, e uma luz forte saiu do objeto, lembrando-me da vez em que luzes entraram pelo buraco e iluminaram os gatos enquanto eles corriam, assustados, pela toca.

Eu sabia quem era a mulher. Era a pessoa que tinha entrado embaixo da casa no dia em que conheci Lucas. Balancei a cauda para os dois recém-chegados, feliz por vê-los. Havia muitas pessoas ali!

— Oi, Audrey — cumprimentou Lucas.

— Oi, Lucas.

Eu queria brincar com a mulher, que decidi que se chamava Audrey, mas ela e o amigo pararam antes de chegar onde estávamos. A luz passou pelo rosto de Lucas e parou na terra em frente ao buraco da toca.

O homem com cheiro de carne defumada se aproximou. Os passos eram pesados, e ele gesticulava como um homem jogando um brinquedo para um cachorro.

— Ei! Você não pode filmar aqui.

Audrey chegou mais perto do homem com a coisa no ombro.

— Estamos filmando porque você está demolindo um lugar onde moram gatos de rua!

O homem da carne defumada sacudiu a cabeça.

— Não tem mais gatos aqui!

Fiquei tensa: a Mamãe Gata! Por um momento, ela parou na beira do buraco, avaliando a situação, e então saiu correndo em terreno aberto, passando por nós e desaparecendo em meio a alguns arbustos na cerca dos fundos. Eu me esqueci de que estava na coleira quando tentei persegui-la e parei bruscamente. Frustrada, sentei e lati.

— Você pegou isso? — perguntou Audrey ao amigo.

— Peguei — respondeu o homem com a coisa no ombro.

— Então, não tem mais gatos aqui? — disse Lucas para o homem da carne defumada.

— Quero que prendam essas pessoas — gritou o homem para as pessoas de roupa escura.

— Eles estão parados na calçada — observou o homem de roupa escura, calmo. — Não há nenhuma lei contra isso.

— Não podemos prender alguém por filmar — disse a mulher com o cheiro de dois cachorros. — E você falou que não havia mais gato.

— Eu estou com o resgate de animais — disse Audrey de onde estava. — Já fizemos uma ligação para a comissão de obras. Estão retirando a autorização de demolição por causa da presença de gatos de rua. Policiais, se ele demolir essa casa, vai ser um ato ilegal.

— Impossível — escarneceu o homem da carne defumada. — Eles não agem assim tão rápido. Eles nem atendem a droga do telefone tão rápido.

— Atendem quando um dos membros da nossa diretoria liga. Ela é vereadora — respondeu Audrey.

As duas pessoas de roupa escura olharam uma para a outra.

— Isso não tem nada a ver com as nossas funções — comentou o homem.

— Mas você viu o gato. O bem-estar animal é uma das suas funções — retrucou Audrey.

Eu me perguntei por que ela não se aproximava, mas a mulher ficou parada onde os carros estavam estacionados. Eu queria que ela brincasse conosco!

— Isso está me custando uma fortuna! Quero que a polícia faça o seu trabalho e tire a droga dessa gente daqui! — disse, com raiva, o homem com cheiro de carne defumada.

Polícia: as pessoas que usavam roupa escura e tinham objetos nos quadris eram polícia. Os dois se enrijeceram.

— Senhor — falou a mulher para Lucas —, pode, por favor, pegar o seu cachorro e ir para a calçada?

— Não se ele vai derrubar a casa em cima de um monte de gatos indefesos — respondeu Lucas, com teimosia.

— Meu Deus! — gritou o homem da carne defumada.

O homem e a mulher de roupa escura olharam um para o outro.

— Lucas. Se eu tiver que pedir de novo, vou algemá-lo e botá-lo na traseira da viatura — disse a policial.

Lucas ficou parado em silêncio por um momento, então ele e eu fomos até onde Audrey estava para que ela pudesse me acariciar. Fiquei muito feliz por vê-la! E satisfeita, também, porque o homem da carne defumada e os policiais nos seguiram, de modo que todos pudemos ficar juntos.

O homem da carne defumada respirou fundo.

— Havia algumas dezenas de gatos aqui, mas não tem mais. O gato que acabamos de ver podia estar ali dentro conferindo as coisas, isso não significa que *mora* aí.

— Eu a vejo todo dia — informou Lucas. Uma folha de papel passou, levada pelo vento, e me esforcei para pegá-la, mas a guia me segurou. — Ela vive aqui. E tem outros, também.

— Aliás, sobre os gatos que viviam aqui. Para que abrigo você os levou? Não consigo encontrá-los no sistema em lugar nenhum — perguntou incisivamente Audrey.

— Está bem. Primeiro, esse sujeito, Lucas, andou cortando a minha cerca, policiais. Ele tem *alimentado* os gatos! Além disso, a mulher tem razão, trouxemos uma empresa para capturá-los de forma humana. Não sei o que fizeram com eles. Provavelmente encontraram bons lares para todos.

— Então, ele tem alimentado os gatos que, segundo você, não estão mais aqui — falou a mulher de roupa escura.

Todo mundo ficou parado em silêncio por um momento. Bocejei.

— Ei, Gunter! — chamou um dos homens empoeirados. — Estou com Mandy no telefone. Ela disse que é sobre a autorização.

Depois de algum tempo, a maioria das pessoas foi embora. Audrey se ajoelhou e brincou comigo na grama esparsa enquanto o amigo dela botava a coisa com a luz de volta no carro.

— Isso foi genial, aparecer com uma câmera de noticiário — disse Lucas.

Audrey riu.

— Foi um acidente, na verdade. Eu estava levando o meu irmão para filmar algumas coisas. Ele estuda cinema na Universidade do Colorado, em Boulder. Quando a sua mãe ligou, viemos direto e achamos que seria uma ótima ideia fazer com que parecesse o canal Fox 31 ou algo assim. — Ela me pegou e beijou o meu focinho, e eu dei uma lambida no seu rosto. — Você é tão gracinha. — Ela me botou no chão de novo.

— O nome dela é Bella.

Eu olhei para Lucas ao ouvir o meu nome.

— Bella! — repetiu alegremente Audrey. Pus as patas nos seus joelhos, tentando subir até o rosto. — Você vai ser uma cachorra enorme quando crescer!

— Ei, hã, Audrey? — Lucas fez um som contido de tosse e olhei para cima, sentindo uma tensão crescente. Audrey sorriu para ele. — Eu estava pensando que seria divertido se você e eu saíssemos um dia. E veja só, Bella concorda.

— Ah. — Audrey se levantou de repente. Fui até Lucas para atacar os seus sapatos. — Isso foi gentil, Lucas. Mas acabei de me mudar junto com o meu namorado. É bem sério. Quero dizer, nós estamos firmes.

— Claro. Não, lógico.

— Audrey! Podemos ir? Quero chegar a Golden antes da hora dourada — gritou o homem pela janela do carro. Sonolenta, bocejei e me estiquei na grama, achando que era uma boa hora para um cochilo. Fechei os olhos e não os abri quando Lucas me pegou.

Mais tarde, eu estava brincando com Lucas no chão macio do aposento grande da casa. Eles chamavam aquele lugar de sala. Ele puxava um barbante, e eu pulava em cima e saía correndo com ele. Quando o barbante caía da minha boca, Lucas ria e o puxava de novo pelo chão até que eu conseguisse atacar. Eu ficava tão contente por estar com ele, tão feliz de ouvir o seu riso, que podia ter brincado a noite inteira.

Houve uma batida na porta e Lucas ficou imóvel por um momento, mas depois foi até lá. Eu o segui. Ele aproximou o olho da porta enquanto eu sentia o cheiro de um homem no ar mais frio que penetrava pela fresta. Era o homem de antes, o que cheirava a fumaça e carne.

Lucas ficou rígido. O homem voltou a bater na porta. Finalmente, Lucas a abriu e me afastou para o lado com o pé quando fez isso.

— Você e eu precisamos conversar — disse o homem para Lucas.

Capítulo 4

— CONVERSAR SOBRE O QUÊ? — PERGUNTOU LUCAS.

— Eu posso entrar ou você quer ficar parado na porta?

— Pode entrar. — Lucas deu passagem, e o homem entrou, olhando ao redor. Lucas fechou a porta, embora isso significasse sufocar a onda maravilhosa de odores externos que invadia o local.

O homem se sentou no sofá.

— Filhote fofo — disse, estendendo os dedos para que eu cheirasse. — É um pit bull?

— É ela. Não sabemos. Ela morava embaixo da casa do outro lado da rua.

O homem ficou imóvel por um momento, e eu o observei com curiosidade. Então, ele se encostou.

— É, tem isso. Então, estou certo sobre ser você quem alimenta os gatos ali?

— Sim.

— Está bem. Tem uma ironia aí, não acha? Estou com um problema que você causou. Você bota tigelas com ração e os gatos surgem. É a lei da natureza. E estou certo sobre você cortar a minha cerca, não estou?

Lucas não respondeu.

— Olhe, vim aqui para tentar me entender com você. Tem muita coisa em jogo, e acho que você não entende isso.

Eu estava impaciente com eles lá, apenas sentados. Ataquei uma bola peluda e barulhenta. Eu não conseguia fechar a boca em torno dela e, quando tentava, ela rolava, então eu pulava em cima dela e a submetia à força. Eu rosnava, sentindo-me feroz e triunfante.

— Desculpe, senhor...

— Me chame de Gunter. Estou tentando ser amigável aqui.

— Está bem, Gunter — concordou Lucas.

O homem da carne defumada era Gunter.

— Bem, desculpe, mas ninguém da sua equipe deu a mínima quando falei a eles que havia gatos embaixo da casa — disse Lucas. — Eles iam demolir o lugar, mesmo que isso significasse matar animais inocentes.

— Certo, então você chamou o esquadrão vingador de animais e eles ligaram para a prefeitura, e agora a minha autorização está suspensa. Pode levar semanas para que ela seja emitida de novo. Droga, eles não fazem nada que leve menos de um mês. Então, considere que a obra vai começar no fim do verão, talvez até depois. Estou pagando o meu empréstimo com juros, e a minha equipe, e tenho equipamento, e isso está me custando uma fortuna. Tudo por causa da droga de um *gato*. E você sabe que não existe nenhuma lei que diga que não posso dar um tiro no bicho se quiser.

— Tem mais de um gato. Você quer mesmo atirar neles? Isso é boa publicidade?

— É por esse motivo que estou aqui. Não quero fazer isso. Mas você sabe muito bem que, no instante em que começarmos a demolir o lugar, os gatos vão fugir. Não vai ser necessário matá-los. Só preciso que você não chame a mulher com a câmera de TV, está bem? Eles não ligam para a verdade. Vai aparecer no noticiário que gatinhos morreram, o que é pura estupidez.

— Você não vai ter como saber que todos escaparam. Nós precisamos pegá-los e fechar a entrada — respondeu Lucas.

— Não. O quê? Isso pode levar *semanas*. A solução tem que ser imediata. — Gunter ficou em silêncio por um momento. —

Talvez estejamos analisando a questão do ângulo errado. Esses apartamentos que vou construir, eles vão ser bem legais. Bancadas caras, bons eletrodomésticos. Vou reservar um para você, dois quartos. O que tem aqui, um quarto e um banheiro? Conheço esse condomínio, ele foi construído nos anos 1970. Não tem ar-condicionado central, só aparelhos de janela e fogão elétrico barato. A coisa toda devia ser demolida, todo mundo está construindo agora que o novo hospital vai ser feito.

— Nós temos dois quartos. E o nosso aluguel é subsidiado. Não podemos mudar.

— É isso que estou dizendo. Vou subsidiar você.

— Não acho que iria funcionar. Tudo está ligado aos benefícios de veterana de guerra.

— Droga, garoto, não dá para me ajudar aqui? Está bem, vou simplificar as coisas. Dou mil dólares se você parar de falar com o pessoal dos direitos dos animais, fechado?

— Mil dólares para fazer vista grossa enquanto você derruba uma casa em cima de uma família de gatos.

— Às vezes, a vida é assim. Você precisa ver o custo e o benefício. Pense em todo o bem que poderá fazer para a sociedade protetora dos gatos, o Greenpeace ou qualquer coisa com mil dólares, contra alguns gatos cheios de doença que provavelmente vão morrer no próximo inverno.

Bocejei e cocei a orelha. Não importava que houvesse brinquedos para perseguir e mastigar, as pessoas em geral preferiam ficar apenas *sentadas*.

— Cinco mil — disse Lucas, depois de um momento.

— O quê? — O homem se revirou de repente, fazendo um ruído no sofá. Eu o observei com curiosidade. — Você está mesmo barganhando comigo?

— Estou apenas escutando. Você está preocupado com meses de atraso. Isso pode lhe custar muito dinheiro. Cinco mil parece bem barato. Até dez mil.

O homem ficou em silêncio por um minuto; em seguida, riu alto. Havia uma dureza na voz dele.

— O que você faz da vida, garoto?

— Basicamente sou estudante. Semana que vem começo um emprego no hospital dos veteranos como assistente administrativo. É bom, porque é onde a minha mãe faz tratamento.

Eu me esparramei no chão, entediada.

— Ora, que bom para você. Não, eu lhe ofereci um belo acordo, e você me insultou ao tentar me extorquir. Então, vai lhe dar o seguinte: uma boa lição e mais nada. Você podia ter ganhado mil dólares. Acha que é possível vencer nesse mundo como construtor sem fazer alguns amigos no governo? Tudo que preciso é encontrar um agente do controle de animais que esteja disposto a assinar alguma coisa que diga que não tem gatos embaixo da casa. E ele vai sair muito mais barato que mil dólares. Eu estava tentando ajudá-lo. Esse dinheiro com certeza iria ajudá-lo.

— Na verdade, você me insultou primeiro me dizendo que eu devia me vender por um pouco de dinheiro. Nós dois sabemos que eu não aceitaria — respondeu Lucas, calmo. — E agora está sugerindo algo sobre o nosso padrão de vida.

Gunter se levantou.

— Fique fora da minha propriedade. Se eu pegar você por lá, vou mandar prendê-lo por invasão de propriedade.

— Foi um prazer recebê-lo — respondeu Lucas, seco.

De vez em quando, as pessoas se abraçam ou tocam as mãos rapidamente quando vão embora, mas Gunter e Lucas não fizeram nenhuma das duas coisas.

— Eu não vou deixar que eles machuquem os gatos, Bella — disse Lucas para mim. Ouvi meu nome e me perguntei se era hora do jantar.

Às vezes, Lucas e Mãe me deixavam sozinha. Na primeira vez que isso aconteceu, fiquei muito angustiada e mastiguei coisas que sabia que eram proibidas — papéis e sapatos, objetos que não tinham sido dados a mim pela mão de Lucas e que sempre eram tirados da minha boca quando eu era flagrada com elas. Mãe e Lucas ficaram cheios de raiva quando chegaram em casa. Eles sacudiram um sapato na minha cara e gritaram:

— Não!

Eu conhecia aquela palavra e estava aprendendo a detestá-la. Na vez seguinte em que eles me deixaram sozinha, mastiguei os meus brinquedos e só um sapato. Entendi que eles ficaram com raiva de novo, mas não entendia por que me deixavam sozinha. Isso, para mim, parecia ser a questão importante.

Quando eu estava com Lucas, o mundo era um lugar maravilhoso, mas, quando não estava, era como me esconder com a minha mãe na fenda na parede dos fundos da toca, onde tudo era escuro e assustador. Eu não entendia o que tinha feito e só precisava que ele voltasse para casa e me mostrasse que ainda me amava. Sempre que dizia "Não!", eu me encolhia toda e esperava que ele deixasse de ficar com raiva por qualquer problema que fosse.

A coisa que eu mais gostava de fazer era ir com Lucas alimentar os gatos. Eu sempre me excitava com os sons e as fragrâncias do saco de comida, embora ele nunca tenha me deixado comer um pouco daquela ração. Atravessávamos a rua e Lucas empurrava a abertura da cerca para entrar. Eu queria muito segui-lo até a toca, para brincar, mas ele me amarrava a uma árvore do lado da rua da cerca para que eu não fizesse isso. Eu podia sentir o cheiro de três felinos ali dentro. A Mamãe Gata nunca se aproximava o suficiente do buraco para ser vista, mas os outros dois apareciam de vez em quando.

— Eu não posso ficar aqui o dia inteiro, tenho um emprego agora — falou Lucas para os felinos, enquanto estava parado junto do buraco. — Vou tentar protegê-los, mas, se as máquinas vierem, vão ter que fugir. — Às vezes, Lucas rastejava para dentro da toca e eu choramingava preocupada até ele retornar.

Certa noite, voltamos para casa, e Mãe e Lucas se sentaram à mesa para comer galinha! Eu fiquei ao lado dele, paciente, esperando um pouquinho, e não me decepcionei — a mão de Lucas desceu com um pedacinho de pele que logo peguei dos seus dedos. Eu amava galinha e tudo mais que vinha da mão de Lucas.

— Tem pelo menos três, agora, talvez quatro. É difícil dizer.

— Como eles atravessam a cerca? — perguntou Mãe.

— Ah, tem muitos lugares por onde um gato pode se espremer. Bella passa um bom tempo farejando um buraco nos fundos embaixo da estrutura de suporte. Acho que talvez seja por onde eles estejam entrando e saindo.

Olhei para ele com expectativa quando disse o meu nome. Petisco? Passear? Mais galinha?

— Alguma chance de atraí-los para o lado de fora? — perguntou a mãe.

— Não, eles estão muito assustados. Especialmente a fêmea preta. Por incrível que pareça, ela é a mais corajosa e anda até perto do buraco, mas sei que nunca vai sair enquanto eu estiver ali.

— E a mulher do resgate de animais? Wendy?

— Audrey. É, conversei com ela. Falou que vão tentar vir para retirá-los, mas que estão muito ocupados no momento — respondeu Lucas.

— Ela era tão bonita.

— Ela tem namorado.

— Bom... Às vezes, elas dizem isso, mas...

— Mãe.

Ela riu.

— Está bem. Então, qual é o plano?

— Estamos em um impasse até Audrey poder vir. Mas não vou deixar que ele mate os gatos.

— E se ele botar veneno?

— Eu tenho prestado atenção. Ele ainda não tentou. Acho que está procurando alguém para subornar no departamento do xerife para dizer que todos os gatos saíram.

Mãe ficou em silêncio por um momento.

— Lucas...

— Sim?

— Por que esse assunto é tão importante para você? Não que eu não ame animais, mas para você parece, não sei, mais que isso.

Lucas se ajeitou na cadeira.

— Acho que é porque eles estão sozinhos no mundo.

Olhei para Mãe quando ela se encostou e cruzou os tornozelos.

— Você acha que precisa protegê-los porque eles estão abandonados. Do mesmo jeito que sentiu que precisava ser protegido, quando *você* foi abandonado.

— Sua terapia em grupo está deixando quase impossível ter uma conversa normal com você.

— Estou falando sério.

— Não pode ser apenas porque me sinto responsável por eles?

— Por quê? Por que você se sente responsável por tudo o tempo inteiro? É como se você fosse adulto desde que tinha 5 anos de idade. É...

Os dois ficaram em silêncio por um momento. Farejei com cuidado o chão em frente aos pés dele, na esperança de encontrar algo para comer que podia ter perdido.

— É o quê?

— Você é filho único de uma alcoólatra.

— Pode parar com isso, mãe? Às vezes, faço coisas sem saber a razão, está bem?

— Só acho que seria uma boa ideia pensar nisso.

— Mãe, eles são gatos. Será que podemos dizer que isso é tudo? Eu honestamente não ando por aí culpando você todo dia, nem pensando sobre todas as coisas que aconteceram. Sei que isso é importante, mas estou feliz que as coisas estejam de volta ao normal. Está bem? E eu acho que é *normal* querer impedir uma construtora de derrubar uma casa em cima de gatos indefesos.

— Está bem, Lucas. Está bem.

* * *

Lucas e eu brincávamos muito. Ele gostava de dizer:

— Faça as suas necessidades. — Isso significava que, quando saíamos, ele, às vezes, me dava um petisco, mas, na maior parte do tempo, não. Ele também podia botar os dedos na boca e soltar um ruído estridente e penetrante que no início me assustou, mas depois se tornou um sinal para correr até ele para pegar algum tipo de comida, de modo que eu ficava alegre sempre que ele levava as mãos à boca.

A coisa de que eu menos gostava na casa era a "gaiola". Mãe e Lucas pareciam muito animados quando me apresentaram a ela, que era construída de barras finas de metal e não era mastigável. Eles botaram um travesseiro macio dentro dela e me ensinaram:

— Vá para a sua gaiola.

O que significava que eu devia entrar nela e deitar no travesseiro, e eles me davam um petisco. Então, de repente, mudaram o jogo: fizemos "Vá para a sua gaiola" e eles me deram um petisco, mas depois me deixaram sozinha em casa!

Não havia nada para mastigar além do travesseiro. Depois que eu o destrocei (não era muito gostoso), me senti muito sozinha. Sentia tanta falta de Lucas que latia o tempo inteiro quando ele não estava.

Lucas ficou preocupado por me deixar sozinha o dia inteiro, embora eu tenha ficado em um frenesi de alegria tão grande quando ele voltou que corri pela sala, pulei nos móveis, rolei no carpete e lambi o seu rosto. Ele parecia chateado por eu ter espalhado o recheio do travesseiro por toda parte, mas o que mais eu podia fazer com ele? Ele mesmo não tinha provado e não sabia como o gosto era ruim. Eu com certeza não ia comer aquilo.

— Eu tenho uma toalha velha que podemos botar aí — disse Mãe.

— Você não devia destruir a sua caminha, Bella — falou Lucas para mim.

Balancei a cauda.

— Talvez se a gente colocar a bola com ela da próxima vez... — observou a mãe.

Olhei para ela, alerta. Bola? Eu conhecia aquela palavra — a bola era o brinquedo mais maravilhoso da casa. Quando Lucas a jogava, ela saía quicando e eu corria atrás dela, pegava e trazia de volta para ele fazer de novo.

Às vezes, Lucas levava a bola quando saíamos para passear. Havia um espaço aberto com grama onde ele me soltava da guia — um "parque" — e jogava a bola várias e várias vezes. A bola nunca escapava de mim.

Eu adorava perseguir a bola e adorava trazê-la de volta, e adorava quando Lucas me dizia que eu era uma boa cachorra. Às vezes, havia outros cães lá, e eles perseguiam outras bolas, fingindo não desejarem estar perseguindo uma bola jogada por Lucas.

Ele era a minha pessoa. Eu não queria mais nada da vida além de fico com ele todo dia. Bom, isso e petiscos.

— Faça as suas necessidades — dizia ele. Petisco! Depois: — Faça as suas necessidades! — Sem petisco. Não era um jogo muito bom.

Então, entendi. "Faça as suas necessidades" era para eu me agachar e fazer xixi, o que tinha passado a preferir fazer fora de casa. Lucas ficou radiante de aprovação, me dando um petisco quando estávamos na grama, quando percebi do que se tratava o "Faça as suas necessidades". Fomos para o parque e, depois que "fiz as minhas necessidades", ganhei um petisco, e Lucas ficou tão feliz que jogou a bola onde crianças às vezes brincavam nos balanços. Fui atrás, ganhando terreno, e quando ela quicou sobre uma rampa de plástico e rolou até o alto, continuei perseguindo-a, com as garras tentando se agarrar à superfície escorregadia. No alto da rampa, a bola continuou em frente, e eu também, pulando e pegando a bola depois de ele atingir o chão e ficar na altura da minha boca.

— Bella! — disse Lucas. — Você subiu o escorrega. Boa cachorra, Bella!

Lucas ficou satisfeito comigo. Ele me levou até a rampa.

— Está bem, suba o escorrega atrás da bola, Bella!

Nós fizemos essa brincadeira várias e várias vezes. A bola subia o "escorrega" e eu pulava atrás dela, pegava-a e trazia de volta para ele. Às vezes, eu conseguia pegar a bola no ar do outro lado do escorrega, logo depois que ela quicava no chão. Lucas ria de prazer quando eu fazia isso.

Depois, ele me deu água e nos esparramamos na grama. O ar estava fresco e o sol estava brilhante no céu. Botei a cabeça nas pernas dele, que me fez carinho. Sempre que a mão dele parava, eu a cutucava com o focinho, querendo mais.

— Desculpe por precisar deixá-la sozinha para trabalhar. Mas eu amo o meu trabalho. Tenho uma mesa, mas quase nunca fico lá. Na maior parte do tempo, estou correndo para todos os lados, auxiliando os gerentes com os seus casos. É divertido, mas sinto a sua falta, Bella.

Eu amava quando ele dizia o meu nome.

— Você ouviu a minha mãe andando ontem à noite? Ela voltou a não dormir. Não sei o que fazer se ela entrar de novo em um dos seus ciclos. Meu Deus, como eu queria que ela ficasse boa.

Um sentimento triste emanou dele, então subi no seu peito. Isso funcionou: ele riu e me empurrou.

— Você é uma cachorra muito boba, Bella!

Sempre que eu estava com Lucas, estava feliz. Eu amava Mãe, mas o que sentia por Lucas era tão urgente quanto a fome, e, quando eu dormia, diversas vezes sonhava que ele e eu passávamos tempo juntos, alimentando os gatos ou brincando de bola no escorrega.

Eu não gostava das palavras "para o trabalho" porque, quando Lucas a dizia, significava que ele ia me deixar por muito, muito tempo.

— Vou para o trabalho — dizia ele para Mãe, e aí eu ficava sozinha com ela. Não podia imaginar por que ele brincava de "Para o trabalho". Eu não era uma boa cachorra?

Mãe brincava comigo durante o dia, e me levava para passeios curtos na coleira, mas nós não alimentávamos os gatos ou íamos ao parque.

Quando era hora de Lucas parar de brincar de "Para o trabalho", eu podia senti-lo chegando em casa. Sabia, sem precisar farejá-lo, que ele estava caminhando pela rua na direção de casa, e então eu ia para a porta e sentava, para esperar por ele. Quando o sentia ali, começava a balançar o rabo e, um momento depois, sentia o seu cheiro e ouvia os seus passos na calçada.

— Não sei como, mas ela sabe quando você está chegando — disse Mãe a Lucas. — Ela vai para a porta e começa a choramingar.

— Ela provavelmente só decorou o meu horário.

— Querido, *você* não decorou o seu horário. Você sai do emprego em uma hora diferente todo dia. Não, ela tem um sexto sentido em relação a isso.

— Bella, a cachorra sensitiva de Denver — disse Lucas. Olhei para ele, mas não vi sinal de que ele tinha falado o meu nome para me dar um petisco.

Lucas estava brincando de "Para o trabalho" enquanto Mãe descansava no sofá. Certos dias, ela andava e me levava para passear, e cantava, com a voz subindo e descendo de um jeito que era completamente diferente de falar. Nos últimos tempos, porém, ela não fazia muito mais que ficar deitada no sofá. Eu me enroscava com ela, sentindo o seu amor, mas também alguma tristeza.

Ouvi alguém subir os degraus da frente, embora pelo cheiro não fosse ninguém que eu conhecesse. Dava para dizer que era um homem. Lati.

— Não, Bella! — repreendeu a Mãe.

Não? Naquele contexto, não entendi o uso da palavra.

Ouvi o toque alto e claro da campainha que soava quando havia alguém na varanda. Meu trabalho era alertar todo mundo que eu tinha ouvido, por isso lati mais uma vez.

— Bella! Não! Cachorra má.

Olhei para ela com uma consternação culpada. Cachorra má? O que eu tinha feito?

Mãe abriu a porta um pouco e apertei o focinho na fresta, farejando e balançando a cauda.

— Oi, querida. — Havia um homem grande parado nos degraus. O hálito dele cheirava a produtos químicos fortes que arderam um pouco nos meus olhos, além de um gostoso cheiro de pão grudado na roupa.

Percebi que Mãe ficou infeliz, por isso parei de balançar o rabo com tanto entusiasmo.

— Como você me encontrou? — perguntou ela.

— Não vai me convidar para entrar, Terri?

— Está bem, mas eu já estava de saída.

— Uau, que cachorro grande! Qual o nome dele?

— Dela. O nome dela é Bella.

— Oi, Bella! — Ele se agachou e quase caiu quando estendeu o braço na minha direção, apoiando uma das mãos no carpete. A mão dele esfregou o alto da minha cabeça.

Os braços de Mãe estavam cruzados.

— Não sei por que está aqui.

— É *espontânico*.

— Você está bêbado ou algo assim, Brad? Alguma *outra* coisa?

— O quê? Não.

— Olhe para mim.

O homem se levantou.

Mãe sacudiu a cabeça, parecendo aborrecida.

— Você está completamente chapado.

— Talvez um pouco. — O homem riu. Ele saiu andando pela sala, olhando ao redor. Mãe o observava com frieza. — Olhe, tenho pensado muito sobre nós. Acho que cometemos um erro. Sinto a sua falta, querida. Acho que devíamos tentar de novo. Ninguém aqui está ficando mais novo.

— Não vou falar com você enquanto estiver assim. Nunca.

— Assim como? Assim *como*?

O homem tinha levantado a voz, e me encolhi. Mãe pôs as mãos nos quadris.

— Não comece. Não quero brigar. Só preciso que vá embora.

— Não vou até você me dar uma boa razão para ter me largado.

— Ah, meu Deus.

— Você está ótima, Terri. Venha aqui. — Ele sorriu.

— Não. — Mãe começou a se afastar do homem.

— Estou falando sério. Sabe o quanto penso na gente? Nós éramos bons juntos, querida. Você se lembra da vez em que nos hospedamos naquele hotel em Memphis...

— Não. Pare. — Mãe sacudiu a cabeça. — Nós *não* éramos bons juntos. Eu não era eu mesma com você.

— Você nunca foi mais você mesma que comigo.

— Isso é ridículo.

— Está bem. Eu venho aqui para elogiar você e você age como uma vaca.

— Por favor, vá embora.

Ele olhou em torno da sala.

— Nada mau. Parece que o seu filho voltou a morar com você. — Ele apertou os olhos. — Talvez ele precise de uma conversa de homem para homem sobre crescer e não depender da mamãe para tudo.

Mãe deu um suspiro.

— Ah, Brad, o que você está dizendo é errado de tantas maneiras.

— Sério? Quer que ele acabe como o pai? Morto atrás de uma loja de bebida em algum lugar? Ah, você não deve se lembrar de ter me contado isso. Você se esqueceu do seu estado quando eu a encontrei? — perguntou ele, com um olhar malicioso. — Você me deve.

— É isso que você acha? Não devo nada a você. Você *não é* nada, nada para mim, nada para o mundo.

— Não estou me sentindo respeitado. Entende o que estou dizendo? Você não tem direito de me tratar assim. Não depois do que fizemos juntos. Do que eu *sei*.

— Você tem que ir, *agora*! — A voz de Mãe estava alta e raivosa. Baixei os olhos, torcendo para que ela não estivesse com raiva de mim, mas ergui o olhar alarmada quando o homem estendeu as mãos e a segurou pelos braços.

Capítulo 5

— PARE COM ISSO! — GRITOU MÃE, A VOZ TÃO DURA QUE LATI. FIQUEI com muito medo. Ela e o homem tombaram juntos contra a parede e algo caiu com o barulho de vidro quebrando. Me encolhi e me afastei.

Ouvi um baque seco, e o homem deu um grunhido e recuou, dobrado ao meio, e Mãe foi atrás dele, com as mãos fazendo sons secos ao atingir o seu rosto. Ela girou e o chutou, e ele cambaleou.

— Sua vadia! — gritou ele.

O homem se equilibrou com os braços, e ela os pegou e os torceu, e chutou as suas pernas. Ele caiu no chão. Parei de latir.

— Meu Deus, Terri — falou ele. O homem estava irradiando fúria e dor. Ele segurou o punho com a mão. Senti o cheiro do sangue dele, e um filete escorria do lábio pelo queixo.

— Não, nem tente se levantar, se fizer isso, vou machucá-lo — alertou Mãe com raiva.

O homem olhou para ela.

— Você precisa ir embora — disse ela.

— Você quebrou o meu *pulso*.

— Não, não quebrei. Podia ter quebrado, mas não quebrei.

— Vou matar você!

— Não, você está na minha casa e, se voltar a se aproximar de mim, *eu* que vou matar você — respondeu ela, furiosamente. —

Agora saia. Não, mandei não se levantar! Rasteje. Rápido. Faça isso antes que eu mude de ideia.

Observei, confusa, enquanto o homem ia de quatro até a porta da frente. Fui farejá-lo, mas Mãe me repreendeu.

— Não, Bella! — Então me encolhi e sentei. Eu sabia que tinha feito alguma coisa para deixá-la com raiva de mim.

— Eu vou vomitar — engasgou o homem.

— Aqui, não. Continue em frente.

O homem chegou à porta e a abriu, ficando de pé ao fazer isso. Ele virou para trás e começou a dizer coisas para Mãe, mas ela foi até a porta e a empurrou com força. Pude ouvi-lo cair nos degraus da entrada, mas, depois, ele saiu andando pelo jardim, e o cheiro dele se dissipou.

Mãe ficou parada na porta pelo que pareceu muito tempo. Ela estava triste. Fui esfregar o focinho na sua mão, que estava molhada de esfregar os olhos. Eu lamentava por ter sido uma cachorra má.

— Ah, Bella, por que não consigo fazer nada certo?

Quando ela se sentou no sofá, pulei para ficar com ela e botei a cabeça no seu colo. Pude sentir alguma tensão e tristeza a deixarem. Eu estava lhe confortando. Isso era mais importante que sair para passear, mais importante que ajudar a alimentar os gatos — era o meu trabalho mais importante. Eu sabia que devia ficar sentada com Mãe pelo tempo que ela precisasse de mim.

Ela acariciou o meu pelo.

— Você é uma boa cachorra, Bella. Uma cachorra muito boa.

Um dos objetos da casa que tinha aprendido a identificar era o "telefone". Era um troço de metal e não o tipo de coisa com a qual eu gostava de brincar, mas Mãe e Lucas falavam muito sobre ele. Às vezes, eles aproximavam o telefone do rosto e falavam comigo, embora eu nunca soubesse o que devia fazer, e, além do mais, isso nunca levou a nenhum petisco.

Enquanto estava deitada enroscada com Mãe, ela aproximou o telefone do rosto.

— Lucas, você pode conversar? — perguntou ela. Ergui os olhos ao ouvir o nome. — É só que... Brad esteve aqui. Não, estou bem. Não sei, não é como se tivéssemos nos mudado para cá em segredo, ele pode ter descoberto com qualquer um. Precisei ser um pouco bruta com ele. Ele estava... não sei bem o que ele tinha tomado. Tequila, com certeza. E ele gosta muito de fumar. Não, não venha para casa. Estou bem aqui com Bella.

Abanei o rabo.

— Só queria dizer que sempre tive medo de que o mundo dele poderia parecer bom para mim se eu o visse de novo. Medo de que eu voltaria com ele, para aquela vida. Como se parte de mim não acreditasse que estou em recuperação. Mas, quando ele entrou, percebi no mesmo segundo que *nunca* vou fazer aquilo outra vez. Não comigo e não com você. Quase perdi você, não, escute, sei o que fiz você passar, e só estou dizendo que não precisa se preocupar comigo. Nunca mais. Está bem? — Mãe escutou por algum tempo. — Sim, vou a reunião esta noite. Eu também amo você, querido.

Ela abaixou o telefone, ainda ansiosa. Subi no seu colo. Aos poucos, a tensão nos deixou.

Na vez seguinte em que Lucas me levou para alimentar os gatos, farejei e vi que havia outro ali escondido, uma nova fêmea. Ela não saiu. Gatos, percebi, não gostavam muito de humanos.

— Então, falei com Audrey, e ela disse que não podem fazer nada agora por causa de todas as placas de PROIBIDA A ENTRADA colocadas por Gunter — contou Lucas a Mãe.

— Achei que ele fosse ficar satisfeito por estarem dispostos a tentar resgatar os animais que ainda estão lá embaixo. É uma situação em que todo mundo sai ganhando.

— Não sei no que ele está pensando — disse Lucas.

— Você quer que eu ajude com as redes que ela deixou?

— Não. Prefiro que você fique sentada na varanda vigiando, para o caso de Gunter aparecer.

Lucas prendeu a guia na minha coleira. Passear! Atravessamos a rua, mas ele não levava comida nenhuma. Ele empurrou a cerca e se espremeu por uma abertura, depois bateu palmas para que eu o seguisse, me levantou e deixou que a cerca voltasse para o lugar.

— Caramba, você está ficando muito pesada — grunhiu Lucas.

Ele me fez sentar e olhar enquanto pegava algumas cobertas finas com pequenos blocos de madeira costurados nela. Elas cheiravam um pouco a gato, e eu podia ver as mãos dele através do material.

— Certo, está pronta, Bella?

Agitei a cauda. Lucas soltou a guia.

— Certo, aqui está a sua chance. Vá em frente, Bella! Vá!

Lucas pegou as cobertas e gesticulou com elas. Fiquei tensa. O que eu devia fazer?

— Sei que quer fazer isso. Vá em frente. Vá ver os gatos!

Não entendi nada. Continuei sentada, tentando ser uma boa cachorra.

Ele riu, e senti o amor vindo dele e balancei o rabo.

— Você não consegue acreditar que estou deixando, né? Está bem, aqui. — Lucas soltou as cobertas de uma das mãos e pegou a minha coleira. Ele me puxou até o buraco da toca. Eu podia sentir o cheiro de vários gatos ali dentro, e um deles era a Mamãe Gata. Ela, porém, não estava perto. Eu me lembrei da fenda na parede e me perguntei se ela tinha entrado no seu pequeno esconderijo.

Lucas empurrou a minha cabeça no buraco. Eu não sabia o que ele queria, mas não achava que estava sendo uma cachorra má. Os gatos cheiravam a medo.

Decidi ver a minha mãe. Eu me abaixei junto ao chão e me contorci pelo buraco, que tinha ficado bem menor. Quando entrei na toca, me sacudi, balançando a cauda.

Um pânico familiar passou pelos gatos adultos, que agiam como se me vissem como uma ameaça. Logo *eu*! Quando me dirigi ao esconderijo, eles saíram correndo como uma matilha, na direção do buraco.

— Ah! — Ouvi Lucas gritar.

Enfiei o focinho na fenda, mas não consegui entrar no esconderijo. Respirei: a Mamãe Gata estava bem ali na escuridão. Abanei a cauda. Ouvi-a se aproximar, então o focinho dela tocou rapidamente o meu. Ela ronronou.

— Bella! Venha!

Eu virei. Queria que a minha mãe viesse comigo, mas sabia que ela não ia fazer isso.

Quando me espremi de novo para a luz do sol, Lucas estava feliz. Ele tinha pegado as cobertas do chão e dois machos bem mal-humorados olhavam para ele com raiva de dentro delas.

— Peguei dois deles! — disse ele para mim com um sorriso. Eu estava feliz porque ele estava feliz.

De volta para casa, Lucas botou os dois gatos em uma caixa. Eles estavam gemendo ali, o medo alto nas suas vozes. Farejei com curiosidade a tampa e, quando fiz isso, eles pararam de fazer qualquer barulho.

— Você ia gostar de persegui-los e fazê-los subir em uma árvore, não ia, Bella?

Agitei a cauda, achando que ele poderia me deixar brincar com os gatos. Talvez isso os deixasse menos nervosos.

Pouco antes do jantar, a campainha tocou. Lati como devia fazer, e dava para ver que Lucas tinha ficado perturbado com o toque.

— Pare. Não lata! — gritou, provavelmente para mandar a pessoa embora. Lati de novo. — Ei! — repreendeu ele.

Lucas deu um tapa no meu traseiro e olhei para ele, sem acreditar naquilo. Nós estávamos todos gritando e latindo porque a campainha tinha tocado, por que ele estava aborrecido *comigo*?

Balancei o rabo quando farejei a mulher na porta. Era Audrey! Ela ficou feliz ao me ver e disse que eu era uma boa cachorra, e levou a caixa com os gatos embora. Achei que ela ia levá-los de volta ao esconderijo. Se fosse o caso, eu ia vê-los na próxima vez que Lucas me deixasse entrar lá.

Os resquícios dos gatos ainda estavam no ar quando Lucas disse:

— Vou ler um pouco. — E foi deitar na cama. Ele tinha um prato ao seu lado com fragrâncias tão gostosas que quase fiquei tonta. — Quer um pouco de queijo, sua cachorrinha boba? — Ele estendeu um pedaço saboroso entre os dedos e congelei, observando com atenção. — Ah, meu Deus, você é tão engraçada. É só um pedacinho de queijo!

Na tarde seguinte, Mãe tinha acabado de chegar comigo da rua e estava soltando a minha guia quando senti que havia alguma coisa errada com ela. Uma emoção nova, acompanhada por uma mudança pronunciada no suor da sua pele. Eu a farejei, ansiosa.

— Boa cachorra, Bella — sussurrou, mas Mãe estava com o olhar perdido. — Nossa, eu me sinto muito estranha.

Depois de um tempo, ela se sentou para ver TV. Ver TV era quando Lucas e Mãe se sentavam no sofá e me acariciavam, então eu amava aquilo. Dessa vez, porém, foi diferente, porque Mãe estava diferente. O cheiro ruim ainda estava presente e, quando ela botou a mão em mim, senti-a trêmula e tensa. Eu estava tão apreensiva que pulei para o chão e me aninhei aos seus pés, mas, no momento seguinte, subi outra vez. Arfando, tornei a descer e fui beber um pouco de água. Quando voltei, eu me sentei e esfreguei o focinho na sua perna. O que quer que estivesse errado com ela, eu podia sentir que estava piorando.

— O que é, Bella? Você quer fazer as suas necessidades? Nós acabamos de sair.

Ela foi à cozinha e pegou a caixa de petiscos. Eu amava o som daquela caixa saindo do armário, mas quando Mãe foi até a escada do porão e abriu a porta, fiquei triste. Ela e Lucas gostavam de jogar petiscos lá embaixo e me fazer correr até lá. Normalmente um deles dizia "bom exercício". Eu não sabia o que aquilo significava e não entendia o motivo de jogar o petisco longe. Se queriam me dar um petisco, não podiam entregá-lo a mim ou me dar a caixa toda? Dessa vez, porém, não me senti bem em relação a deixá-la sozinha no alto da escada quando ela jogou alguns pedaços lá embaixo.

— Bella? O que está fazendo? Não quer um petisco?

Até a voz dela me alarmou. Choraminguei.

— Bella, vai! Vai buscar o petisco!

Sua intenção parecia clara, e a comida no pé da escada estava me atraindo com os seus cheiros tentadores. Desci correndo, desejando que Lucas estivesse ali. Sempre que as coisas estavam erradas, Lucas as consertava.

Enquanto comia os petiscos o mais rápido possível, ouvi um estrondo alto vindo de cima, uma batida que pareceu permanecer no ar.

Aterrorizada, subi a escada correndo. Mãe estava deitada encolhida no chão. Ela fazia sons baixos, e as mãos estavam no rosto, tremendo.

Não sabia o que fazer. Tentei botar a cabeça no ombro dela para lhe dar algum conforto, mas ele continuou rígido e não relaxou.

Eu lati e lati. Mãe parou de tremer tanto depois de um momento, mas os lábios estavam se mexendo e ela dava uns gemidos baixos.

Nunca fiquei tão feliz ao perceber, naquele instante, que podia sentir a chegada de Lucas. Ele logo estaria em casa. Estava freneticamente esperando por ele quando o cheiro desabrochou e a porta se abriu.

— Bella? Por que está latindo? Não pode latir aqui. Mãe? Olá?

Corri e fiz a curva para ir até onde Mãe estava. Quando ele não seguiu, corri de volta. Ele tinha ido para a cozinha e estava abrindo gavetas.

— Seus petiscos acabaram. Mamãe deu algum para você? Ela está tirando um cochilo?

Lati.

— Ei! Não, Bella!

Corri de volta até Mãe. Lucas estava parado na cozinha. Fiquei em cima de Mãe e lati.

— Bella! Fique quieta! — Lucas fez a curva. — Mãe! — Ele correu até a mulher e colocou a mão no seu pescoço. Então se levantou. Esfreguei o focinho no rosto de Mãe. Lucas pegou o telefone e, depois de um instante, estava falando alto, com a voz cheia de medo. — Por favor, depressa!

Não muito tempo depois, homens e mulheres entraram na nossa casa. Eu podia sentir o cheiro deles, mas Lucas me trancara no quatro, então não consegui vê-los. No início, ouvi muito barulho, depois a porta da frente fechou, e tudo ficou em completo silêncio.

Eu estava sozinha e com medo. Precisava de Lucas, mas sabia que ele tinha saído com todas os outros. Não entendia o que estava acontecendo, mas sabia que Lucas estava com medo e que Mãe não acordou quando ele a tocou. Botei o medo na minha voz, chorei e me lamentei, arranhei a porta do quarto e lati, para que as pessoas soubessem que eu estava abandonada e assustada e que precisava de alguém para me ajudar.

Ninguém foi.

Sentia tanto a falta de Lucas que não podia pensar em nada além de sentir as suas mãos no meu pelo. Eu não estaria segura até que ele voltasse para casa e me deixasse sair do quarto. A luz que entrava pela janela tinha diminuído, e senti o cheiro da mudança quando o dia se transformou em noite. Isso parecia tanto tempo atrás. Agora era noite, quando apenas os animais silenciosos farfalhavam pela grama, e os pássaros ficavam calados, e os carros que passavam eram solitários e sussurrantes, com as luzes brilhando nas cortinas. Onde estava Lucas?

Eu era uma cachorra má. Tinha aprendido a não me agachar dentro de casa, a “fazer as minhas necessidades” lá fora, mas agora não tinha escolha. Fui até o canto e deixei uma pilha ali. Eu sabia que Lucas ia chegar em casa e gritar comigo. No chão perto da cama, encontrei uma coisa comprida e mastigável com o cheiro dele, e a estava roendo quando senti a presença dele se aproximando e ouvi o som inconfundível dos seus pés vindo na direção de casa. Eu estava pulando feito louca, latindo, quando ele abriu a porta da frente e finalmente, finalmente seguiu pelo corredor até onde eu estava.

— Ah, Bella, desculpe. — Ele aproximou o rosto do meu, de modo que eu pudesse lambê-lo. Me encolhi quando ele pegou papéis e água para limpar a sujeira que eu tinha feito no canto, mas ele não gritou comigo. Ele pegou a coisa mastigável e disse: — Bom, nunca gostei mesmo desse cinto. Vamos, Bella, vamos passear.

Passear! O céu estava começando a ficar mais claro, e ouvi pássaros e senti o cheiro da Mamãe Gata, de outros cachorros e de pessoas enquanto andávamos pela rua.

Torci para que estivéssemos indo para o parque. Eu queria correr atrás dos esquilos, subir no escorrega, brincar e brincar.

— Ela teve outro ataque de convulsão — falou Lucas. — Não tinha um desses há um tempo. Achávamos que a medicação tinha deixado isso sob controle. Estou preocupado, Bella. Os médicos nem sabem ao certo o que há de errado com ela.

Senti a tristeza dele, mas não a entendi. Como alguém podia ficar infeliz em um passeio?

Mãe não voltou para casa naquele dia e nem no dia seguinte. Quando Lucas brincou de "Para o trabalho", fui deixada na gaiola e lati a minha frustração e o meu medo pelo que estava acontecendo. Por que Lucas precisava sair? Por que Mãe não estava em casa? Ela ia voltar? Lucas ia voltar? Eu precisava da minha pessoa. Seria uma boa cachorra e sentaria e daria conforto se todo mundo apenas voltasse e me deixasse sair da gaiola.

Fiquei bem feliz no dia em que Mãe e Lucas entraram juntos em casa. Lati e choraminguei, desesperada para sair da gaiola. Quando Lucas abriu a portinha, mal passei a língua pelo seu rosto antes de correr para a sala e pular no sofá onde Mãe estava deitada. Ela riu quando lambi as suas bochechas.

— No chão, Bella — disse Lucas para mim.

Eu não gostava de "no chão". Quando ele bateu palmas, porém, sabia que ia ficar com raiva, então saltei relutantemente para o carpete. Mãe estendeu a mão para acariciar a minha cabeça, o que era quase tão bom quanto deitar com ela no sofá.

— Então, o que o aviso diz? — perguntou Mãe.

— Que, por termos um cachorro, estamos violando o contrato de aluguel. Temos três dias antes que eles chamem o controle de animas e comecem os procedimentos de despejo. — Lucas parecia triste. Eu queria ir até ele para oferecer conforto, mas também queria ficar para que Mãe continuasse a me acariciar.

Ela botou as mãos nos quadris.

— Já vi outros cachorros por aqui.

— Sim, você pode receber a *visita* de um cachorro, mas acho que alguém contou a eles que Bella tem latido muito há algumas semanas.

— Quem?

— Não disseram.

— Não sei por que não vieram conversar conosco. Não estamos todos tentando ser bons vizinhos?

— Bom, às vezes, você pode ser um pouco intimidadora, mãe.

Eles ficaram em silêncio por um tempo. Esfreguei o focinho na mão dela quando Mãe parou de me acariciar.

— Não podemos nos mudar, Lucas — disse ela com delicadeza.

— Eu sei.

— Daqui, você pode ir a pé para o trabalho. E não dá para trocar o meu benefício habitacional em apenas alguns dias. Além disso, este foi o único lugar que encontramos que podíamos bancar. Onde poderíamos conseguir o dinheiro para um depósito de segurança?

— Mas isso foi antes de eu conseguir um emprego. Talvez a gente pudesse pagar por um apartamento melhor.

— Quero que você guarde esse dinheiro para a faculdade.

— Eu estou guardando. Mas é para isso que servem as economias... emergências.

— Não dá para acreditar que isso está acontecendo.

Eles ficaram em silêncio outra vez. Fui até Lucas — eu podia sentir que ele estava preocupado, embora eu não soubesse por quê, já que estávamos todos em casa juntos. Eu me enrosquei aos seus pés.

— O que vamos fazer, Lucas?

— Vou pensar em alguma coisa — respondeu ele.

No dia depois que Mãe voltou para casa, ela apertou o telefone no rosto, enquanto Lucas observava e eu mastigava um bastão de borracha chamado "osso". Havia outras coisas chamadas ossos de que eu gostava mais.

— É isso o que estou tentando dizer. Esse aviso é um erro. Eu não tenho cachorro — falou ela.

Ergui os olhos ao ouvir a palavra "cachorro". O que ela estava tentando dizer para mim? Olhei para Lucas, mas ele ainda estava concentrado em Mãe.

— Eu tinha um filhote de visita, mas não um cachorro. — Olhei de novo para Mãe quando ela disse a palavra "cachorro". — Isso mesmo. Sim. Muito obrigada. Não, eu que agradeço. — Ela baixou o telefone. — Não é mentira. *Eu* não tenho cachorro. Bella é *sua*.

Levei o osso para Mãe, achando que ela estava dizendo que queria jogá-lo pela escada para que eu fizesse exercício.

Lucas sorriu.

— É um excelente argumento jurídico.

Mãe não fez nenhum movimento para pegar o osso.

— Mas isso não vai fazer com que os nossos problemas desapareçam. Cedo ou tarde, vão nos pegar.

— Talvez não. Só vou sair com Bella antes de amanhecer ou depois do pôr do sol. Não tem ninguém trabalhando nessas horas.

Tenho certeza de que os vizinhos não se importam, contanto que ela fique quieta. E quando chegarmos à rua, quem pode dizer que moro aqui? Eu podia tanto estar passando com o meu cachorro pelo prédio quanto saindo dele.

Eu não sabia o que eles estavam dizendo, mas gostei da repetição do meu nome e da palavra "cachorro".

— Mas e se eu precisar ir para a clínica? Você não pode faltar ao trabalho sempre que isso acontecer. Posso ir às minhas reuniões à noite, mas só.

— Talvez possamos deixar Bella com uma babá de cachorro.

— E, para ter esse dinheiro, vamos deixar de comer o quê?

— Mãe.

— Só estou dizendo que não temos como pagar.

— Está bem.

Dei um suspiro satisfeito.

— Sinto muito. Eu não sei como vai funcionar. Um dia desses, provavelmente em breve, ela vai precisar ser deixada sozinha e, quando isso acontecer, vai latir.

Capítulo 6

DURANTE OS DIAS SEGUINTES, FIZEMOS DUAS BRINCADEIRAS NOVAS. UMA era "Sem latir". Meu trabalho sempre tinha sido alertar todo mundo quando eu detectava que havia alguém na porta. Sob as circunstâncias certas, eu ouvia ou farejava alguém mesmo antes de a campainha tocar, e latia em benefício de todos que estivessem em casa. Às vezes, Lucas ou Mãe juntavam as suas vozes com a minha, gritando os próprios alertas:

— Pare com isso — gritavam eles. — Fique quieta!

Mas com "Sem latir", Lucas ficava na porta aberta, esticava a mão para fora e a campainha tocava. Ele dizia com seriedade:

— Sem latir.

E segurava o meu focinho. Eu não gostei dessa brincadeira, mas brincamos disso várias vezes. Então, Mãe saía e Lucas ficava sentado na sala, e a mãe batia com os dedos na porta, o que era estranho, mas Lucas ainda dizia "Sem latir". Era como se eles não quisessem que eu fizesse o meu trabalho!

"Sem latir" era parecido com "Sentada", outra brincadeira de que não gostava. Quando Lucas dizia "Sentada", eu devia me sentar e não me mexer até que ele voltasse e dissesse:

— Tudo bem.

Às vezes, ele me dava um petisco e dizia "Muito bem, sentada", e eu gostava dessa parte, mas, fora isso, "Sentada" exigia concentração e era cansativo e chato. Humanos parecem não ter senso da passagem do tempo, de quanta diversão estavam perdendo quando uma cachorra está "Sentada" e precisa ficar parada. A mesma coisa valia para "Sem latir": Lucas esperava que, quando me dissesse "Sem latir", eu só seria uma boa cachorra se me lembrasse disso como algo semelhante a um estado eterno. Quando alguém tocava a campainha e eu fazia "Sem latir", Lucas podia me dar um petisco ou não. Era bastante cansativo. Eu torcia para que ele se esquecesse do "Sem latir", mas ele repetia a brincadeira sempre, e Mãe também.

Muito, *muito* mais divertida era "Para casa". "Para casa" significava que Lucas soltava a minha guia e eu devia voltar correndo para casa e me enroscar em frente à porta. Lucas era bem específico em relação ao lugar onde eu devia me deitar.

— Não, você precisa ficar *aqui*, Bella. Aqui, onde ninguém da rua pode ver você. Está bem?

Ele bateu no cimento até que eu deitasse, e aí me deu um petisco. Quando fazíamos "Para casa", eu era uma boa cachorra que ganhava comida. Quando fazíamos "Sem latir", eu não me sentia uma boa cachorra, mesmo que ele me desse um petisco.

— Ela entendeu rápido. Se um dia eu precisar, ela vai correr direto para casa e deitar perto da parede embaixo da cerca viva, escondida de vista — comentou Lucas para Mãe.

Mãe acariciou a minha cabeça.

— Ela é uma boa cachorra.

Balancei a cauda.

— Mas ainda tem problemas com o "Sem latir" — observou Lucas.

Eu dei ganidos.

Eu não desejava nada mais do que Lucas me dizer que eu era uma boa cachorra — isso e "pedacinho de queijo", o que significava que ele me amava e me dava um petisco maravilhoso.

Várias vezes, Lucas me botava na gaiola e colocava o telefone em frente a ele. Eu não tinha interesse naquilo.

— Sem latir — falou ele, de mau-humor. Então, Lucas e Mãe saíam pela porta.

Fiquei solitária e lati, e Lucas entrou correndo na casa, que era o que eu queria! Mas ele estava com raiva e repetiu várias vezes, sem me deixar sair da gaiola nem me acariciar, apesar de eu estar muito feliz em vê-lo:

— Sem latir.

Decidi que "Sem latir" era ainda pior quando envolvia a gaiola.

— Não acho que ela está entendendo — falou Lucas para Mãe certa noite. Nós tínhamos ido ao parque e jogado bola, e eu estava com um soninho delicioso.

— Ela não late mais para a campainha — respondeu Mãe.

— Isso é verdade. Bella, agora, é uma boa cachorra com a campainha.

Eu deixei a cauda cair, com sono. Sim, eu era uma boa cachorra.

— Tenho consulta com o neurologista amanhã — avisou Mãe.

— Talvez eu possa dizer no trabalho que estou doente. Não quero correr o risco de deixá-la aqui.

— Não, você não pode fazer isso, Lucas.

Agitei a cauda ao ouvir a palavra "Lucas", e fiquei de pé, caso um passeio estivesse a caminho.

— Quais são as alternativas? — perguntou ele, de modo sombrio. — Você não pode faltar a essa consulta; o tempo de espera é absurdo.

Eu me sentei e olhei para Lucas, minha pessoa, ficando alerta apesar do cansaço que eu sentia. Alguma coisa estava acontecendo. Ele e Mãe estavam tensos.

Eu fiz "Sentada", sendo uma boa cachorra, e fiz "Sem latir" também, mas isso não pareceu ajudar em nada.

No dia seguinte, de manhã cedo, por volta da hora que Lucas normalmente brincava de "Para o trabalho", nós três saímos para passear. Eu amava quando todos saíamos juntos.

Atravessamos a rua no momento em que saímos pela porta como sempre fazíamos. Eu senti o cheiro da Mamãe Gata na toca.

— Viu? — disse Lucas. — É uma cerca nova. Agora tem essa tela de nylon dos dois lados. Não tenho como encontrar um apoio para o pé. E os elos são grossos e se conectam direto com as estacas. Seria necessário um alicate de pressão industrial para passar por eles.

Mãe franziu o cenho.

— Espere aí, você estava cortando a cerca?

— Não. Gunter diz que fiz isso, mas nunca precisei. Eu só usava alicates para desenrolar os arames.

— Fico feliz por saber. E se você pulasse e pegasse a barra de cima, será que daria para subir?

— Talvez — falou Lucas. — Mas Bella ainda estaria do lado da rua da cerca. Preciso que ela entre no espaço embaixo da casa para expulsar os gatos para a rede.

— E se você mesmo entrasse, não conseguiria pegá-los com a rede?

— É possível. Posso tentar.

— E se eu fosse com você?

Lucas sorriu para a mãe.

— É bem nojento lá embaixo.

— Ah, imagina. Já vi piores — disse ela.

— Provavelmente.

— Será que os gatos conseguem sair do terreno? — Mãe passou a mão na tela que havia na cerca. — Acho que eles conseguiriam subir por aqui.

— Também acho, mas nos fundos eles escavaram a terra embaixo da estrutura onde a cerca velha estava torta, então devem entrar e sair pelo buraco.

— Por que você acha que ele botou a cerca nova? — perguntou Mãe.

— Honestamente, acho que quer impedir que eu pegue o restante dos gatos. Ele está querendo marcar posição. Ele pode fazer isso, e não tem nada que eu possa fazer para impedi-lo.

— Que sujeito simpático.

Caminhamos juntos. Logo chegamos a uma rua onde havia muitos carros passando rápido. Cada um deles deixava cheiros diferentes para trás, e havia fragrâncias maravilhosas nos gramados e arbustos que eu parava para apreciar. Um cachorro branco latiu para mim de trás de uma cerca e tive vontade de ir cheirá-lo, mas estava na guia.

Em um prédio grande, Mãe saiu andando em uma direção diferente. Eu parava e virava para olhar para ela, mas ela continuava a andar sem olhar para trás. Foi muito angustiante. O que tinha começado como um maravilhoso passeio em família, de algum modo, se partira em pedaços. Eu não entendia. Nós devíamos ficar juntos! Um lamento nervoso se ergueu na minha garganta.

— Vamos lá, Bella. Ela só vai a uma consulta. Ela vem encontrar você quando terminar. Eu preciso ir para o trabalho.

Eu estava confusa porque ele estava falando "Para o trabalho", que era quando ele me deixava sozinha em casa com Mãe. Nós tínhamos saído para *passear*.

Lucas me levou a uma porta que tocou uma campainha quando ele a abriu. Ele entrou, olhou com cuidado ao redor, então me puxou. O chão estava bastante escorregadio e cheirava a produtos químicos e a *muitas* pessoas diferentes, embora eu não conseguisse ver ninguém. Esse lugar novo era bem divertido, especialmente, quando Lucas me levou pelo corredor! Ele nos fechou em uma sala pequena com um cheiro químico ainda mais forte. Ele se ajoelhou, e balancei a cauda, animada.

— Está bem, escute. Você não devia estar aqui no hospital. Se pegarem você, vou ter problemas. Posso ser demitido. Isso é só enquanto a minha mãe estiver na consulta. Preciso ir para o trabalho. Posso voltar aqui assim que bater o meu ponto. Por favor, sem latir, Bella. *Por favor*.

Não isso de novo. Ele pegou o meu focinho e o sacudiu.

— Sem latir.

Eu não estava latindo.

Fiquei petrificada quando ele saiu pela porta e a fechou. E agora?

Eu me perguntei se essa era a versão de "Sem latir" na qual Lucas abria a porta quando eu latia. Mesmo que estivesse com raiva de mim, seria melhor do que ficar sozinha naquele lugar estranho. Não senti o cheiro dele parado do outro lado da porta, embora pudesse sentir que estava por perto. Era parecido com a sensação crescente da sua presença se aproximando quando ele estava voltando para casa depois de "Para o trabalho". Então, embora ele tivesse me deixado, ainda estava no prédio ou perto. Mas onde? E onde estava Mãe? Eu chorei. Eles não podiam querer me deixar sozinha naquela sala. Alguma coisa estava errada!

Eu fiz "Sentada" como uma boa cachorra, olhando para a porta, desejando que ela abrisse. Não conseguia ouvir nada do outro lado. Por fim, sem conseguir aguentar mais um segundo, lati.

Lucas abriu a porta depois de um bom tempo — tempo de muitas, muitas latidas. Antes que fizesse isso, pude sentir o cheiro dele e o de outra pessoa, e, quando entrou na sala, uma mulher veio atrás. Ela tinha um cheiro floral combinado com alguma coisa gostosa e com um toque de nozes. Fiquei bem feliz de ver Lucas e pulei em cima dele, botando as patas nele e tentando fazer com que ele se abaixasse para que eu pudesse beijar o seu rosto. Minha pessoa estava de volta! Agora podíamos sair daquela salinha e talvez ir ao parque comer uns petiscos.

— Viu? — disse Lucas para a mulher.

— Você falou que era uma filhotinha! Ela já é grande. — A mulher se abaixou e estendeu a mão, que tinha um resíduo açucarado. Eu a lambi com delicadeza, gostando dela por ter dedos tão doces.

— Não, ela ainda é filhote, tem talvez 8 meses de idade. A veterinária diz que nasceu em março ou no início de abril.

A mulher esfregou atrás das minhas orelhas.

— Sabe, ter um cachorro funciona mesmo com garotas.

Eu me esfreguei nas mãos dela.

— Já ouvi falar disso.

A mulher ficou de pé.

— Mas não comigo.

— Sério? Porque toda a razão por ter adotado Bella era para impressionar Olivia do departamento de manutenção.

— Percebi que essa parece ser a sua motivação para tudo, nos últimos tempos.

— Deve estar funcionando, se tem *percebido* tanto.

— Também percebi que o duto de lixo está cheio outra vez. Essa é, tipo, a minha maior prioridade no departamento.

— É bom você saber a minha situação.

— Então, qual é o plano? Você entende que, se for pego com um cachorro, vai ser demitido na hora. O e-mail do dr. Gann com as duas zilhões de coisas que um funcionário nunca deve fazer meio que tem trazer o seu animal de estimação para um dia de trabalho perto do topo da lista.

— Eu estava pensando: você é da manutenção, esse é um armário da manutenção, então talvez você pudesse limpá-lo por uma hora. Só para fazer companhia à Bella para que ela não lata.

— É? Devo algum favor a você?

— Não por mim. Faça pela cachorra.

— Bella — disse a mulher, acariciando a minha cabeça —, seu pai é um grande idiota.

— Você me chamou de nerd. Não acho que é possível ser as duas coisas.

— Eu abro uma exceção para pessoas como você.

— Então agora está dizendo que sou excepcional?

A mulher riu.

— Não tem absolutamente nada em você que eu ache excepcional. Nem surpreendente. Nem interessante.

— Nisso você está errada, porque, na verdade, eu sou bastante surpreendente.

— Sério?

— Garanto.

— Conte-me uma coisa sobre você que possa me deixar surpresa.

— Tá bom.

Lucas ficou em silêncio por um momento.

— Viu?

— Está bem. O que acha disso: eu moro em frente a uma casa de gatos.

— *O quê?* — A mulher riu.

— Eu falei. Cheio de surpresas.

— Certo, mas não posso passar uma hora aqui dentro. Não sou que nem você: não tenho um emprego no qual eu possa ficar o tempo todo andando por aí sem fazer nada. Tenho uma chefe, e, nesse momento, ela deve estar se perguntando onde estou.

— Mas essa foi a aposta! Eu surpreendo você, e você cuida da minha cadela.

— Não tinha aposta. Eu nunca aposto.

— Por favor?

— Não. De qualquer forma, se eu for pega com um cachorro, nós *dois* vamos ser demitidos.

Houve uma batida na porta. Essa parecia uma circunstância em que "Sem latir" não se aplicava, por isso contei a Lucas que havia alguém ali. Ele e a mulher ficaram parados olhando um para o outro.

Quando Lucas abriu a porta, havia um homem magro ali parado. Os sapatos cheiravam a terra e grama, e ele tinha cabelo comprido e um rosto peludo. Saí andando para cumprimentá-lo, mas fui bloqueado por Lucas, que entrou na minha frente.

— Espero não estar interrompendo nada — falou o homem, com ironia.

— Ele bem que gostaria — respondeu a mulher. — É só nisso que ele pensa.

Lucas riu.

— Oi, Ty. Olivia me puxou para dentro do armário. Você chegou bem a tempo de me salvar.

— Então, ouvi latidos nesse corredor? — O homem se agachou e fui até ele abanando o rabo. — Será possível que tem um *cachorro* no hospital dos veteranos? Com certeza, não. — As mãos dele eram delicadas e cheiravam a pessoas e café.

Lucas ergueu as mãos e logo depois as abaixou.

— Não podemos deixá-la em casa sozinha. Ela late, e a imobiliária disse que, se nos pegarem com um cachorro, vão nos despejar e mandar Bella para um abrigo. Sei que é contra as regras, mas não sabia mais o que fazer.

— Então o grande plano dele era que eu ficasse de babá para Bella nesse armário — acrescentou a mulher.

— Só até a minha mãe voltar da consulta.

— Ele entra em pânico — falou a mulher. — É dois anos mais velho, mas eu é que sou a madura.

— Bom, acho que tenho uma solução para o nosso probleminha aqui — declarou o homem. — Vou levar Bella para a enfermaria comigo.

— E se o dr. Gann souber? — perguntou Lucas, com ansiedade.

— O dr. Gann está administrando todo esse hospital com um orçamento reduzido e não tem tempo para caçar um cachorro que esteja de visita. Além disso, imagino que vamos conseguir manter Bella escondida por algumas horas.

O homem pegou a minha guia e me levou a algumas salas novas. O chão ali tinha um carpete firme e várias cadeiras com pessoas sentadas nelas. Dava para sentir o cheiro de pessoas, de produtos químicos e de comida no carpete, mas não cheirei nenhum cachorro. Eu não gostava de ficar longe de Lucas, mas todo mundo me amou, me fez carinho e me chamou pelo nome. Muitas das pessoas eram velhas, mas nem todas, e todas pareciam satisfeitas em me ver. As cadeiras eram macias quando eu botava a minha cabeça em cima delas para que as pessoas pudessem acariciar as minhas orelhas.

Descobri que o homem que tinha me levado se chamava Ty. Ele foi bem legal comigo e me deu um pouco de frango, pão e ovo para comer. Uma mulher, Layla, tinha as mãos trêmulas quando alisou o pelo na minha cabeça.

— Boa cachorra — murmurou ela no meu ouvido.

Um homem me deu uma colherada de um molho tão gostoso que tive vontade de me retorcer no chão.

— Não dê pudim a ela, Steve — disse Ty.

O homem pegou outro bocado.

— É baunilha. — O molho estava em um pequeno recipiente plástico em uma mesa ao lado da cadeira macia dele, e uma luminária na mesa esquentava a comida, de modo que um cheiro doce pairava no ar. Observei as suas mãos com a mesma atenção que me concentrava em pedacinhos de queijo. A colher desceu e lambi os lábios, me segurando até conseguir pegar aquilo dele com delicadeza.

Ty tamborilou com os dedos na cadeira do homem.

— Está bem, essa foi a última, Steve.

O homem do molho era Steve.

— Ela me lembra de um buldogue vira-latas que eu tinha quando criança. Você pode voltar sempre que quiser, Bella. — Lambi os dedos dele.

Ty deu de ombros.

— Não tenho certeza disso. Se o dr. Gann souber que ela está aqui, vai ter um ataque.

— Que tenha. — A voz de Steve estava dura, e a mão dele apertou o meu pelo. Olhei para o homem, sem saber ao certo o que estava acontecendo. — Ele não sabe pelo que nós estamos passando.

Ty esticou a mão para acariciar a minha cabeça.

— Não, escute, ele é um bom homem, Steve. Só tem tarefas e regras demais pesando sobre ele o tempo todo.

Steve afrouxou a mão.

— Claro. Certo. Então, eu digo isso: não contamos a ele.

— Hein? — Ty esfregou o queixo.

— Mais uma colherada. — Steve virou na cadeira, pegou a colher, e eu me concentrei nele sem piscar.

— Não. Precisamos ir. — Ty me puxou pela coleira, e eu o segui com relutância, olhando com tristeza para Steve. — Você é uma boa cachorra, Bella. Tem alguém que quero que você conheça.

Ty me levou até onde um homem estava sentado em uma cadeira grande e larga perto da janela. O nome dele era Mack. Ele não tinha cabelo, e percebi que as suas mãos eram macias quando ele as passou pelas minhas orelhas. Sua pele era muito escura, e os dedos cheiravam, principalmente, a sabonete e um pouco a bacon...

Mack era triste, do mesmo jeito que Mãe, às vezes — uma dor marcada por medo e desespero. Eu me lembrava de deitar ao lado de Mãe para confortá-la quando se sentia assim, então botei as patas da frente sobre a cadeira de Mack e, em seguida, subi para ficar com ele.

— Ei! — Ty riu.

Poeira subiu das almofadas, e eu a inalei profundamente. Mack me deu um abraço demorado e apertado.

— Como você está, Mack? Segurando as pontas?

— É — respondeu. Foi a única coisa que ele falou. Enquanto me abraçava, porém, eu podia sentir a dor dele diminuindo. Eu era uma boa cachorra, fazendo o meu trabalho e dando conforto a Mack. Eu tinha certeza de que Lucas aprovaria.

Depois de algum tempo, Mãe entrou na sala. Ela abraçou várias pessoas ali.

— Você precisa trazer Bella de novo aqui. Ela fez sucesso — disse Ty.

— Bom... vamos ver — falou Mãe.

— Estou falando sério, Terri. Você devia ter visto Mack se animando.

— Mack? Sério?

— Posso conversar com você por um minuto? — perguntou Ty com delicadeza.

Mãe e Ty foram para um canto para poderem ficar sozinhos comigo.

— Você sabe por que a maioria dessas pessoas vem aqui todo dia? — indagou Ty.

Mãe olhou para as pessoas sentadas nas cadeiras.

— Para ficar com pessoas iguais a elas.

— Claro, sim, isso é uma parte. Além disso, elas também não têm outro lugar para ir. Elas não são como você, não têm um filho de quem cuidar.

— Cuidar — respondeu Mãe, devagar. — Não sei bem se é dessa forma que eu definiria. É mais o contrário.

— Entendo. Só estou dizendo que, quando descobriram que você tinha trazido um cachorro para cá escondida, deu a eles um verdadeiro senso de propósito. Sabia? Deixou que eles ganhassem alguma coisa. Eles são guerreiros, é bom estar de volta em uma luta, mesmo que tudo o que estejamos fazendo seja se rebelar contra uma regra idiota sobre animais. Por que não a traz de volta amanhã?

— Ah, não acho que seja uma boa ideia, Ty. Se o dr. Gann descobrir, a situação de Lucas ficaria...

— O dr. Gann não vai descobrir — interrompeu Ty. — Vamos esconder Bella dele e de qualquer outra pessoa que possa se importar. Está bem? Vamos fazer isso, Terri.

No dia seguinte, quando Lucas saiu para brincar de "Para o trabalho", Mãe e eu fomos com ele! Fui levada outra vez para ver os meus amigos na sala grande com cadeiras, e Mãe ficou ali sentada e conversou com pessoas também. Todo mundo ficou feliz ao me ver.

O homem chamado Steve não tinha nenhum molho doce maravilhoso.

— Quer um pouco de bolo?

Era ótimo. Eu gostava de Steve. Gostava de Marty, que ia para o chão brincar comigo. Gostava de Drew, que não tinha pernas, mas me levou para dar uma volta na sua cadeira. Eu me sentei no colo dele e balancei o rabo enquanto as pessoas riam. Embora os cheiros fossem diferentes de um passeio de carro de verdade, gostei de poder me apertar contra Drew enquanto ele dirigia. Me perguntei se, no meu próximo passeio de carro, Lucas ia deixar que eu me sentasse no seu colo.

Foi um dia incrível. Todo mundo me acariciou e me deu petiscos e amor.

Eu estava fazendo "Sentada" para Jordan, que me dava pedacinhos de hambúrguer para comer, um de cada vez, quando Layla avisou:

— O dr. Gann está chegando!

Então, Ty me pegou no colo e correu comigo para sentar em um sofá com Mack.

— Deitada, Bella! — ordenou Ty.

Mack estendeu as mãos e me segurou, e fiquei apertada contra ele para lhe dar algum conforto. Alguém me cobriu com um cobertor. Não entendi a brincadeira, mas quando eu me mexia só um pouquinho, Mack botava a mão em mim e me segurava parada. O coração dele batia forte.

— Dr. Gann! — Ouvi Ty dizer com a voz forte. — Podemos conversar sobre ter TV a cabo aqui, além do canal do tempo?

Havia outras vozes. Eu me apertei contra Mack.

— Boa cachorra — elogiou ele com a voz tão baixa que quase não consegui escutá-lo.

Quando o cobertor foi tirado de cima de mim, as pessoas bateram palmas e me chamaram de "boa cachorra", e agitei a cauda com alegria.

Mais tarde, aprendi que a mulher do armário se chamava Olivia. Ela foi me ver, me deu coisinhas de comer e depois se levantou e conversou com Mãe.

Naquela noite, Mãe disse o nome dela algumas vezes.

— Por que você não a chama para sair? — perguntou Mãe a Lucas.

Eu tinha pegado a bola e agora estava olhando fixo para ela, torcendo para que Lucas a rolasse pelo chão.

— Ah, não sei. Porque ela me odeia?

— Se odiasse, ela ia ignorá-lo em vez de provocá-lo.

— Ela não está me *provocando*. Somos apenas diferentes. Ela é tipo uma gótica. Me chama de Garoto Sem Graça e diz que sou uma cura para a insônia.

Mãe ficou em silêncio por um momento.

— Não é por minha causa, é?

— O que quer dizer com isso?

— Você não pode me vigiar o tempo inteiro e, mesmo que pudesse, eu ia odiar. Ser um fardo para o filho é a pior coisa para uma mãe. Se você deixar tudo de lado por minha causa, isso significa que a minha vida não serviu para nada.

— Não fale assim!

— Não, não estou com pensamentos negativos. Estou falando a verdade. Saiba que não há nada de que eu me arrependa mais que as vezes em que abandonei você. Abandonei quando entrei para o exército e quase abandonei quando tentei tirar a minha vida. Mas isso agora é passado, Lucas. Não vou deixar você, e só quero que tenha um futuro. Por favor, acredite em mim, nada é mais importante que isso.

— Está bem, então, acredite em mim, mãe. Tenho um futuro. Tenho um *grande* futuro. Prometo que não vou deixar nada me afastar dele.

Um pouco mais tarde, Mãe saiu e Lucas e eu fomos alimentar os gatos. Em vez de ir até a toca, Lucas me levou até os fundos, onde havia um sulco escavado sob a base da cerca. A terra e a cerca ali cheiravam a vários felinos, e eu soube na hora que havia ainda mais deles vivendo na toca. Eu podia dizer que a Mamãe Gata também estava lá dentro. Lucas derramou comida de um saco em uma tigela, então a empurrou por baixo da cerca.

— Vai ter que servir — disse ele, resignado. — Não posso chegar mais perto. — Esperei que Lucas empurrasse e abrisse a cerca, mas ele não fez nada disso. Ele foi comigo até a frente e parou com as mãos nos quadris, olhando para alguma coisa branca no tecido escuro que cobria a cerca. — É um aviso de demolição, Bella. Acho que ele conseguiu a autorização.

Senti o aborrecimento de Lucas e olhei para ele com curiosidade. Corremos de volta para a nossa porta e entramos. Mãe não estava em casa. Lucas foi até o armário e pegou as cobertas finas com cheiro de gato e blocos de madeira nas pontas. Então, pegou o telefone e a minha guia.

— Pronta, Bella?

Voltamos correndo pela rua.

— Bom, isso não vai funcionar — comentou Lucas. — Mesmo que eu conseguisse subir até lá com você, não sei como conseguiria descê-la do outro lado sem machucá-la. — Ele acariciou a minha cabeça. — Está bem, vamos, no lugar. — Ele soltou a guia da coleira. Balancei o rabo. — Bom treino. Pronta? Vá para casa, Bella!

Eu sabia o que fazer. Saí correndo pela rua e me enrosquei no lugar certo. Era tão divertido!

Ouvi Lucas batendo em alguma coisa. Levantei a cabeça, sabendo que devia estar fazendo "Para casa", mas não consegui me segurar. Lucas estava no alto da cerca, balançando, e, enquanto eu observava, ele desapareceu do outro lado.

Nunca tínhamos feito isso como parte de "Para casa" antes. Normalmente, ele vinha até mim e me dava um petisco. O objetivo de "Para casa" era que alguém me desse um petisco.

Gani. Não entendi nada.

Então, a Mamãe Gata dobrou a esquina e veio correndo!

Ela correu pela rua. Isso era totalmente novo e parecia significar que "Para casa" não se aplicava mais.

Minha mãe desapareceu nas sombras, mas eu podia localizar o cheiro.

Corri alegre atrás dela.

Capítulo 7

SUBI UMA LADEIRA ATRÁS DA MAMÃE GATA ATÉ UMA FILEIRA DE CASAS COM deques de madeira que se projetavam da borda do morro. Descobri a presença dela mais forte embaixo de um deles — bem no fundo, onde a terra subia e se encontrava com as tábuas, ela tinha encontrado um lugar para se esconder. Só consegui entrar um pouco por baixo do deque até que o vão ficasse estreito demais para que eu coubesse. Estiquei o focinho para a frente e respirei o seu cheiro. Ela sabia que eu estava ali? Será que ia sair?

Depois de um momento, o cheiro ficou mais forte, e então eu a vi. Ela me olhou por um momento sem piscar os olhos. Puxei a cabeça para trás e rastejei até onde podia ficar de pé, e ela veio atrás e esfregou a cabeça no meu pescoço, ronronando.

Mãe. Quando eu era pequena, fazia brincadeiras brutas com ela, lutando e rolando pela toca, e, embora esse lugar com o teto baixo de madeira fosse bem parecido com onde eu tinha nascido, não senti que tentar brincar fosse a coisa certa. Eu estava grande demais, e ela estava muito frágil.

A Mamãe Gata era de uma época anterior a Lucas. Sentir o cheiro dela me lembrou de quando o meu mundo não continha pessoas nem cães, apenas muitos gatos. Eu agora me lembrava apenas vagamente de como era a vida na toca, mas o ronronar fez com que eu me sentisse segura e protegida. Os cheiros e sons voltaram para mim com tanta força que era como estar aninhada ao seu lado, com os meus irmãos gatinhos deitados junto de mim.

No seu hálito, consegui sentir o cheiro da comida que Lucas dava para ela. Eu entendia isso, que Lucas fazia "Alimentar os gatos" e dava a ela comida que não era para mim. Lucas cuidava da Mamãe Gata. Cuidar de gatos era o nosso trabalho.

Mamãe Gata não entendia o quanto a vida podia ser maravilhosa com uma pessoa como Lucas. Ela tinha medo dos humanos. Eu sabia que, mesmo que tentasse, não poderia dar a ela conforto suficiente para fazê-la confiar na mão de Lucas, nem no momento em que ele levava a comida. Gatos são diferentes de cachorros.

Pensar em Lucas fez com que eu me sentisse um pouco como uma cachorra má. Eu tinha saído correndo sem ele, em vez de permanecer no meu ponto perto da parede — embora fosse verdade que ele tinha mudado tudo ao escalar a cerca.

Decidi que precisava fazer "Para casa", que, se eu fizesse "Para casa", seria uma boa cachorra. Hesitei em deixar a Mamãe Gata, porque, se ela permanecesse ali, não sei como Lucas a encontraria para alimentá-la. Eu queria que ela me seguisse, mas, quando dei as costas, sabia que ela não ia fazer isso. Desci o morro e olhei para ela. Ela me observava do alto da encosta, com a cauda erguida e se retorcendo preguiçosamente.

Eu me perguntei se algum dia voltaria a ver minha mãe.

Fui para casa. Lucas abriu a porta quando me enrosquei no meu ponto especial. Corri para ele, exultante, pulando para ser amada, mas ele estava sério e me chamou de cachorra má. Eu não sabia o que tinha feito, mas percebia que ele estava com raiva de mim.

— Você não pode sair correndo, Bella! Tem sempre que vir para casa.

Eu ouvi o meu nome e soube que tinha tomado a decisão certa ao fazer "Para casa", mas, por alguma razão, ele ainda estava com raiva. Fui até a minha cama de cachorro e me deitei ali, sofrendo por dentro porque tinha deixado Lucas infeliz.

Quando Mãe chegou, comecei a pular e a abanar a cauda, e ela me disse que eu era uma boa cachorra, então achei que o que quer que tivesse acontecido havia passado, e todo mundo me amava agora.

— Como foi o grupo? — perguntou Lucas.

— Bom. Esta noite foi boa. Todo mundo me perguntou sobre Bella. Ela é a melhor coisa que já aconteceu com aquele lugar. Parece ter formado um relacionamento especial com cada uma daquelas pessoas. O que aconteceu com os gatos?

— Não peguei nenhum, exceto em vídeo. Também tirei uma foto da autorização de demolição e mandei para Audrey no resgate de animais.

— Boa ideia. Talvez ela consiga fazer alguma coisa em relação a isso.

— Talvez.

— Pode me mandar uma cópia por e-mail?

— Claro. Ah, e Bella fugiu.

Ergui os olhos ao ouvir o meu nome.

Mãe engasgou em seco.

— Ela fugiu? Bella, você *fugiu*?

Baixei os olhos. Agora eu me sentia de novo uma cachorra má, embora não tivesse ideia do que havia acabado de fazer.

— Achei que não teria problema em mandá-la para casa e se esconder na varanda da frente enquanto eu escalava a cerca. Estava ansioso para tentar capturar um gato e não me dei ao trabalho de trazê-la antes para casa. Foi culpa minha. Quando enfim desisti de tentar cercar os gatos que estavam embaixo da casa e voltei para cá, ela não estava em lugar nenhum.

— Onde você foi, Bella? — perguntou Mãe.

Balancei a cauda. Eu estava perdoada? Não parecia mais que Mãe estava com raiva. Fui até ela e empurrei a cabeça na sua mão, e ela a acariciou. Sim!

— Vou tentar de novo amanhã — falou Lucas. Fui até ele, e ele me acariciou. Não havia sensação melhor no mundo que ser uma boa cachorra para Mãe e Lucas. Corri e peguei a bola e a levei até ele para celebrar.

Naquela noite, pouco antes de ir para a cama, comi pedacinhos de queijo. Eu tremia de concentração, observando o petisco, até que ele ria e o dava para mim.

Eu era uma boa cachorra.

Na vez seguinte em que fizemos "Para o trabalho", o chão estava coberto de uma coisa fria, molhada e incrível.

— Neve! — falou Lucas para mim. — É neve, Bella!

Achei que neve era a coisa mais maravilhosa que tinha encontrado desde pedacinho de queijo e talvez até melhor que bacon. Eu ainda estava molhada quando Lucas foi recebido no prédio grande por Ty, que pegou a minha guia e me levou para a sala com cadeiras para que eu pudesse ver todos os meus amigos. Mack estendeu a mão na minha direção, e pulei para cima do sofá ao seu lado e dormi apertada contra ele por um tempo. Mack era o homem mais triste que conhecia, mas ele sempre parecia mais feliz quando eu o via. Eu estava fazendo o meu trabalho, cumprindo com o meu propósito, dando conforto.

Ty me conduziu até uma sala onde as pessoas estavam sentadas em um círculo. Um deles era o meu amigo Drew, e ele não me levou para dar uma volta, embora tivesse dito que eu era uma boa cachorra.

Ty puxou a minha guia com delicadeza até que ficamos os dois no meio do círculo, de modo que qualquer pessoa que quisesse ver um cachorro pudesse fazer isso.

— Escutem. Se alguém tiver algum problema com Bella, se for alérgico ou algo assim, me avise agora. Fora isso, ela está aqui para ajudar. Ela consegue saber quando a pessoa está com dificuldade para dizer as coisas. Ela vai direto ao indivíduo. Ah, e uma última coisa antes de começarmos... as visitas de Bella ao hospital não são autorizadas. Todo mundo entendeu?

Passamos um longo tempo na sala, apenas sentados, sem nenhum petisco. Um homem chorou, apertando o rosto entre as palmas das mãos, e pus a cabeça no seu colo, tentando ajudar, fazendo o meu trabalho do mesmo jeito que ajudava Mãe. Eles eram amigos, e eu queria que soubessem que não deviam ficar tristes, porque havia uma cachorra ali para lhes dar conforto.

Mais tarde, Lucas foi visitar os meus amigos e me chamou de boa cachorra. Quando ele e eu estávamos indo embora, Olivia chegou para me ver. Ela tinha um pedacinho de frango na mão e o deu para mim. Eu gostava muito de Olivia.

— Quer ir andando para casa conosco? — perguntou Lucas a ela.

— Vou andar até em casa com Bella. Acho que você pode vir junto — respondeu Olivia.

Nós saímos pela porta lateral. Neve! Pulei nela e me deitei de costas com as pernas para cima.

— Você é muito boba, Bella — disse Olivia.

Lucas puxou a guia com delicadeza.

— Está bem, chega. Vamos, Bella.

Fiquei de pé e sacudi a água do meu pelo.

— Como está essa coisa de esconder Bella do dr. Gann? — perguntou Olivia. Olhei para ela, torcendo para que a razão para ter dito o meu nome fosse para me dar mais um pouco de galinha, embora eu pudesse farejar que ela não tinha mais nada no bolso. Mas os humanos sempre podem encontrar galinha, biscoitos e peixe, se quiserem.

— Ty montou toda uma operação. Quando eles têm a reunião dos doze passos, ela fica com eles. Quando Bella está na enfermaria com os pacientes, Ty bota vigias. Eles fazem como se fosse um campo de prisioneiros de guerra e estivessem enrolando os guardas. Acho que as enfermeiras sabem, mas os médicos não fazem ideia. Ty diz que, se Bella for pega, ele vai dizer que a cachorra é dele. Não vão demitir Ty; todos os veteranos o respeitam, e ele basicamente organiza a terapia em grupo noturna.

Enquanto caminhávamos, encontramos um esquilo. Ele estava achatado no calçamento e exalava muitos odores. A neve ao seu redor tinha derretido. Inalei com cuidado. O esquilo estava morto. Eu conhecia a morte; era um conhecimento que, de algum modo, eu tinha adquirido mesmo sem nunca ter me deparado com ele, do mesmo jeito que sabia como lamber Lucas quando ele se abaixava para falar comigo, ou o como sabia que o que devia fazer naquele instante era esfregar o meu ombro no esquilo.

— Bella! Não! — Lucas puxou a minha guia com força. Olhei para ele, assustada. Não? O que eu tinha feito de errado?

— Você não quer esse cheiro nojento em você, Bella — falou Olivia. Andamos, e olhei para trás, lamentando e querendo aquele perfume no meu pelo.

— As coisas ainda estão perigosas com o senhorio? — perguntou Olivia.

— Honestamente, acho que estão fazendo vista grossa. Desde que Bella não lata, ninguém vai reclamar, e nós temos um sistema no qual sempre confiro antes de levá-la para a rua. Se nenhum dos outros inquilinos notificá-los em caráter oficial, acho que tudo bem. Bella fica muito bem sem latir.

Ergui os olhos, surpresa. “Sem latir”? O que isso significava nesse contexto?

— Então, eu me diverti na outra noite — observou Olivia depois de um momento.

Lucas sorriu.

— Eu também. Foi como um encontro, mas com insultos.

— Foi você que riu do jeito que eu dirijo.

— Eu não ri, só falei que não esperava ver tantos pedestres atropelados.

— Sabe, nós estamos nos Estados Unidos. Você podia comprar um carro, e aí eu poderia me sentar no banco do carona e gritar enquanto *você* dirige.

— Ah, eu não gritei. Estava aterrorizado demais para fazer qualquer som. De qualquer forma, acho que o transporte público é mais que adequado. É bom para o meio ambiente. Talvez você devesse experimentar.

— Estou só impressionada por estar saindo com o garoto que anda de ônibus.

— Saindo? Então, estamos *saindo*. Tipo, oficialmente?

— Acabei de cometer um erro grave.

— Não, isso vai ser bom. Você finalmente vai sair com um cara que não precisa ligar toda semana para um agente da condicional.

— Nós saímos uma vez, não se empolgue tanto.

— Vou mudar o meu status no Facebook.

— Ah, meu Deus.

— Vou para a escola de medicina no próximo outono. Não preciso de carro até lá, minha mãe e eu podemos caminhar até o hospital e as lojas, e Denver tem um sistema de ônibus ótimo. Além disso, a mulher com quem estou *saindo* tem carro.

— Esse é o pior dia da minha vida. — Quando entramos na nossa rua, Olivia estendeu a mão para tocar o braço dele. — Que tanto de polícia é essa?

Eu tinha ouvido a palavra "polícia" antes e a associava com as pessoas de roupa escura e coisas metálicas nos quadris.

— Não sei. Parece que alguém chamou a polícia por algum motivo — disse Lucas. — Mas não é nada com a minha mãe. Eles estão do outro lado da rua.

— É um protesto, olha só — falou Olivia.

Fomos impedidos de prosseguir, o que me frustrou, porque eu queria ver todo mundo que estava de pé na calçada na frente da toca. Algumas pessoas carregavam folhas grandes de papel com bastões, agitando-as no ar.

— Fiz vídeo dos gatos e da autorização de demolição. Alguém deve ter colocado eles no Facebook ou algo assim. — Lucas estava digitando no seu telefone e, em seguida, estendeu-o para que Olivia olhasse. Bocejei. Telefones são chatos. — Perfeito! Olhe, a minha mãe fez a tomada da retroescavadeira saindo de cima do reboque, e o resto é o vídeo que fiz embaixo da casa. Ela tagueou nele todos os ativistas da cidade.

— Isso é incrível. Eu amo a sua mãe. Ela é uma rebelde. Diferente de algumas pessoas que eu conheço — comentou Olivia.

— Está vendo o homem com a cara cheia de raiva? Esse é Gunter. É ele quem quer demolir o lugar. Acho que ele *teria* me chamado de rebelde. Ele me contou que ia subornar algum agente de controle de animais para dar um certificado de que não havia gatos.

— Ele *contou* isso para você?

— Ele acha que é o dono do mundo.

Olivia apontou.

— Essa van é de uma equipe de reportagem. Parece que você vai ficar famoso.

— Não vou me esquecer de você nem das pessoas que tornaram isso possível.

— Ah, tenho certeza de que você nunca vai *me* esquecer.

Lucas me deixou com Olivia. Ele conversou com algumas das pessoas, inclusive alguém cujo cheiro eu conhecia, a mulher chamada Audrey. Havia várias pessoas de roupa escura, e elas estavam paradas na rua, acenando para carros. Em determinado momento, alguém botou uma luz forte no rosto de Lucas, enquanto Olivia segurava a minha guia.

As mãos delas ainda cheiravam um pouco a galinha.

Fiquei satisfeita ao ver Mãe quando demos a volta e fomos para casa. Então, Lucas e Olivia saíram, o que me deixou preocupada até que Mãe botou comida na minha tigela.

Ouvi a campainha alta e fiz "Sem latir". Mãe foi até a porta e me bloqueou com as pernas. Era o homem da carne defumada, Gunter.

— Seu filho está em casa, senhora?

— Não, ele saiu.

— Meu nome é Gunter Beckenbauer.

— Sim, sei quem você é — respondeu Mãe, friamente.

— Você sabe o que ele fez esta noite?

— Sim.

— Ele fez com que um monte dos amigos dele montassem um falso protesto na minha propriedade. Quero saber por que ele está fazendo isso comigo? Que diabos eu fiz para qualquer um de vocês?

— Acho que ele só está tentando salvar alguns animais inocentes.

— Recebi um monte de ameaças de morte no meu site. Posso processar vocês.

Mãe, pelo que parecia, não ia deixar que eu chegasse mais perto de Gunter para farejá-lo, embora eu estivesse interessada pela fragrância de carne na sua roupa. Eu me sentei.

— Deixe-me perguntar uma coisa ao senhor — falou Mãe. — Por que não permite que o pessoal do resgate entre lá e capture os gatos? Isso resolveria tudo.

— Aquelas casas estão condenadas. Estão desabando. Se alguém se machucar ali embaixo, a minha responsabilidade legal será enorme.

— Ora, eles podem assinar algum termo que libera você de qualquer culpa.

— Olhe, você sabe do que isso se trata? Essa propriedade é minha, e o seu filho tem invadido, entrado e alimentado a droga dos gatos, que é a única razão por eles estarem ali! Agora é *inverno*. Sabe o quanto a construção fica mais cara quando a temperatura está congelante? Ele criou esse problema, a culpa é dele, e, se um bando de gatos for esmagado, é culpa também vai ser dele. Publiquem isso nas suas redes sociais. — Gunter apontou o dedo de carne defumada no rosto da Mãe. Ele parecia com raiva, e senti o pelo se eriçar na minha nuca. Um rosnado cresceu dentro de mim, mas não emiti som. Será que "Sem latir" significava que eu não devia rosnar?

Mãe olhou para Gunter sem expressão no rosto.

— Acabou?

— A senhora não quer entrar em guerra comigo.

— Guerra. — Mãe deu um passo na direção do homem, olhando fixo para ele. Eu podia sentir emoções fortes emanando dela. — Você acha que isso é uma guerra? Você não sabe nada sobre isso.

O homem desviou os olhos.

— O cachorro está ficando bem grandinho. O que é, um pit bull? Como podem ter um animal aqui? Eu conheço a administração desse prédio, animais não são proibidos no seu contrato de aluguel?

— Tem mais alguma coisa que possa fazer por você, sr. Beckenbauer?

— Só queria deixar registrado que tentei resolver as coisas com vocês de maneira amistosa.

— Está registrado que você veio aqui para dizer que estamos em guerra. Boa noite. — Mãe fechou a porta. Quando fez isso, a tensão deixou os seus músculos, mas ela parecia cansada. — Ah, Bella — disse Mãe. — Estou com uma sensação ruim em relação a isso tudo.

Lucas começou a sair muito de casa sem mim. Quando voltava, tinha um cheiro parecido com o de Olivia. Eu me perguntei por que ele ficava com a nossa amiga Olivia e não me levava, já que eu era a sua cachorra.

Havia muitas coisas que eu não entendia. Eu gostava de ir à veterinária, que era uma mulher simpática, mas uma vez nós fomos e eu dormi. Quando acordei, estava em casa com uma proteção de plástico rígido em volta do pescoço, uma coisa desconfortável e ridícula. Não conseguia me lamber em lugar nenhum.

— Você está castrada agora, Bella — disse Lucas. Agitei o rabo ao ouvir o meu nome, porque ele não parecia estar com raiva de mim, mas ainda me deixou de castigo com a coleira estranha por vários dias.

Muito tempo depois que a coleira foi removida, Mãe e eu estávamos sozinhas em casa, porque Lucas tinha feito "Para o trabalho" de modo que pudesse ver Olivia. Mãe parecia cansada e infeliz. Ela levou a mão ao rosto várias vezes.

Então, um cheiro forte e azedo encheu o ar. Ele era familiar: na última vez em que tinha acontecido, Mãe passou mal e fiquei em casa sozinha a noite inteira. Gani com ansiedade, mas ela não olhou para mim.

Então, lati.

— Bella! Sem latir! — repreendeu Mãe, em voz alta.

Arfei, ansiosa e assustada. Quando Lucas voltou, pulei em cima dele, choramingando.

— O que foi? Qual é o problema, Bella?

— Ela tem agido de um jeito estranho pela última meia hora — explicou Mãe, entrando na sala. — Acho que preciso deitar por alguns minutos. — Ela desabou no sofá.

— Você está bem? — perguntou Lucas, preocupado.

— Me dê um minuto.

O odor dela ficou mais pronunciado, e não consegui me conter. Lati mais uma vez.

— Bella! Sem latir! — disse Lucas.

Eu lati.

— Ei! — Ele deu um tapa no meu traseiro. — Sem latir, Bella. Você... Mãe? Mãe!

Mãe estava fazendo ruídos baixos e agudos, com as mãos fechadas enquanto socava o ar. Lucas correu até onde ela estava deitada no sofá.

— Mãe, mãe — sussurrou ele, com o medo forte e exposto. Ele pegou o telefone. — Minha mãe está tendo um ataque. Depressa.

Então, ele se enroscou com ela no sofá para lhe confortar. Pulei ao lado dele e pus a cabeça no seu ombro, tentando ajudar.

— Você vai ficar bem. Por favor, fique boa, mãe.

Logo havia duas mulheres e um homem na nossa casa. Eles ergueram Mãe sobre uma cama e a empurraram pela porta. Lucas me levou até a minha gaiola e me fechou ali.

— Você é uma boa cachorra, Bella — disse ele. — Fique aí.

Eu não me sentia como uma boa cachorra porque tinha sido deixada sozinha. Fiz "Sem latir" a noite inteira, sentindo falta de Lucas. Estava com medo que ele pudesse nunca voltar para casa.

Não entendia o que estava acontecendo.

Lucas voltou quando ainda estava escuro lá fora, me alimentou, me levou para passear, depois deitou na cama comigo. Fizemos "Pedacinho de queijo", mas ele parecia distraído e não riu. Eu me aninhei grudada a ele, sentindo um pouco do seu medo, amando estar tão perto do meu Lucas, ajudando-o a me apertar contra ele. Quando ele saiu naquela manhã, as coisas estavam mais normais, e esperei com paciência por sua volta.

Mãe, Lucas e Olivia chegaram todos juntos em casa. Eu corria em círculos, de tão feliz que estava por vê-los.

— Muito obrigada pela carona — disse Mãe para Olivia. — Não era necessário. Eu estava me sentindo bem para andar.

— Não, sem problema. Lucas agora acha que sou a sua Uber pessoal dele mesmo — respondeu Olivia.

Naquela noite, depois que Olivia foi embora, ele se sentou à mesa e brincou com o telefone.

— Diz aqui que quinze por cento dos cachorros conseguem sentir um ataque.

— Isso é incrível. Parecia mesmo que ela sabia o que estava acontecendo — respondeu Mãe.

— Você é uma cachorra incrível, Bella — elogiou ele.

Abanei o rabo, ouvindo aprovação na maneira como ele disse o meu nome. Eu estava feliz por estarmos todos juntos em casa, e sabia que Lucas logo ia fazer "Pedacinho de queijo".

Houve uma batida na porta. Segurei a minha vontade e fiz "Sem latir".

— Segure Bella — pediu Mãe.

Lucas agarrou a minha coleira.

— Precisamos nos assegurar que não é ninguém do prédio, Bella — disse ele com delicadeza. — Sem latir. — Eu amava a sensação da mão dele no meu pelo e o jeito como ele fazia ruídos delicados e dizia o meu nome.

Farejei um homem na porta, cujo odor às vezes estava no ar perto de casa. Mãe falou com ele e depois fechou a porta. Lucas me soltou e fui até ela porque ela parecia triste e com raiva.

— O que é? — perguntou Lucas.

— Aviso de despejo.

— O quê?

— Fui condescendente, achei mesmo que íamos conseguir nos safar. — Mãe se jogou na cadeira.

— Bella tem sido tão boa! — Lucas também se sentou. — Ela não latiu nenhuma vez. Como descobriram?

— Ah — respondeu Mãe. — Eu sei como.

Capítulo 8

NO DIA SEGUINTE, FIZ "PARA O TRABALHO" COM LUCAS, QUE ERA A MINHA coisa favorita de fazer, exceto "Pedacinho de queijo". Passei um tempo com Ty e os meus outros amigos. Muitos deles agora levavam petiscos, porque eu era uma cachorra muito boa. Steve me deu um pouco de uma coisa fria e deliciosa com gosto de leite, mas bem mais doce. Marty me deu bacon. Seu carinho por mim era óbvio nas suas carícias, nas suas palavras e nos seus aconchegos. Um velho gostava de me beijar no focinho, mas não conseguia se abaixar muito, então tive que aprender a ir até a sua cadeira, botar as patas no seu peito e lamber o seu rosto. Ele riu quando fiz isso. O nome dele era Wylie, e ele me chamava de Guardiã em vez de Bella.

— Ela é uma guardiã — dizia a Ty toda vez.

Em geral, quando eu ia visitar os meus amigos, passava a maior parte do dia com eles, fornecendo conforto, comendo petiscos e brincando de "Doutor Gann", que era o jogo em que eu me deitava no sofá entre duas pessoas e eles me cobriam com um cobertor e me acariciavam com delicadeza até alguém dizer:

— Tudo bem!

Era como "Sentada", só que muito mais divertido. Nesse dia, Lucas e Ty me levaram a uma parte diferente do hospital. Ficamos parados por um tempo, ouvimos barulhos de campainhas, e fiz "Sem latir". Uma porta deslizou e se abriu, e entramos em uma salinha que zunia e vibrava. Senti uma sensação no estômago parecida com a de um passeio de carro. Quando a porta abriu, os cheiros tinham mudado, e, de algum modo, eu sabia que estávamos em outro lugar. Era como um passeio de carro sem o carro!

Segui os dois homens por um corredor escorregadio, farejando as paredes e captando os cheiros de muitas pessoas e produtos químicos. Ty e Lucas pareciam nervosos, e estávamos andando bem depressa, por isso não consegui sentir todos os odores de maneira correta. Nós fizemos algumas curvas, então Lucas bateu em uma porta aberta e enfiou a cabeça por ela.

— Dr. Sterling? Sou Lucas Ray. Liguei para o senhor esta manhã...

— Entre — cumprimentou um homem. Suas mãos tinham um cheiro forte de produtos químicos. Ele pegou a mão de Lucas, largou, então pegou a mão de Ty, largou de novo e abaixou o braço. — Então, esse é o cachorro?

— Essa é Bella.

Abanei a cauda. Ele se abaixou e acariciou a minha cabeça. Gostei daquele homem, apesar da fragrância pronunciada que emanava das palmas das suas mãos.

— É melhor fechar a porta, Ty.

Todo mundo se sentou, então fiz isso também. Não havia muito mais a farejar na sala. No entanto, dava para dizer que a lata de lixo aberta tinha algumas batatas.

— Bem, estudei o assunto — disse o homem. — Sim, há cães detectores de ataques. A maioria é treinada para fazer o que você diz que Bella faz naturalmente, que é sinalizar. Algumas pessoas dizem que eles salvaram vidas, embora, é claro, existem aqueles que neguem que isso exista. Pela lei, você tem permissão de ter um cachorro detector de ataques se um médico receitar. Não importa se está em um prédio onde animais são proibidos, eles precisam abrir uma exceção. Conversei com o nosso conselheiro e ele diz que a Lei da Habitação Justa é muito clara em relação a isso.

— Graças a Deus — murmurou Lucas.

O homem ergueu uma das mãos fedorentas.

— Bom, espere um minuto. Não é assim tão simples. É preciso passar por todo um procedimento. Bella precisa ter um certificado. Nesse momento, ela é apenas um bicho de estimação.

— Mas eu contei ao senhor: ela latiu duas vezes quando a minha mãe estava prestes a ter um ataque. Se tivéssemos entendido o que estava acontecendo, podíamos ter nos preparado!

Senti a agitação da minha pessoa e olhei com ansiedade para Lucas. Qual era o problema?

— Eu entendo, filho — respondeu o homem. — Mas ter a habilidade inata está muito longe de obter uma certificação legal.

— Quanto tempo isso leva? — perguntou Lucas.

— Na verdade, não sei, mas parece um processo complicado. — O homem deu de ombros. — Não fazemos aqui, isso eu posso garantir.

— Só nos restam três dias até que os procedimentos comecem — gemeu Lucas.

Lambi a mão dele.

— Doutor, seria possível dar a ele algum tipo de carta em relação a isso? — perguntou Ty.

— Infelizmente, não. Mesmo que uma carta fizesse algum bem, o que duvido, como falei, há um processo claro, e não posso afirmar que Bella é uma cachorra treinada para dar alerta de ataques, porque ela não é treinada, é apenas uma cachorra com habilidade inata.

Ty se levantou. Na verdade, ele parecia mais agitado que Lucas.

— Olhe, ela é mesmo uma cadela especial. Quando ela vai na enfermaria, dá para ver o estresse das pessoas diminuindo. Nos doze passos, os novos ficam empolgados por Bella estar ali. Ela dá confiança a eles. Senta na frente das pessoas, e quase todo mundo que quer falar faz um carinho nela antes. E sei que ela ajuda Terri; ela me disse que Bella é mais eficiente do que os antidepressivos que está tomando. Todo mundo a ama. Ela está fazendo uma coisa boa aqui, doutor. Isso deve contar para alguma coisa.

O homem ficou em silêncio por um momento.

— Vocês sabem que ter um cachorro no hospital é contra as regras, certo? — perguntou ele, por fim.

— Sei que vou fazer o que for preciso para ajudar os homens e as mulheres com quem me preocupo. Pessoas que serviram a esse país. Que estão passando por momentos difíceis por muitas razões. E, se essa cachorra pode fazer a diferença, vou me desdobrar para que ela possa vir aqui! — respondeu Ty de forma alterada.

O homem levantou a mão.

— Ah, não me entenda mal. Só queria ter certeza que vocês sabiam que, se o dr. Gann ou alguns outros médicos descobrirem que estão trazendo um animal para o hospital, vão acabar com isso. Eu pessoalmente não tenho nenhum problema com isso.

— Bella é mais que um bicho de estimação — afirmou Ty de maneira uniforme. Ele parecia com menos raiva. — É isso que estou dizendo.

Gostei de ouvir Ty dizer o meu nome e balancei o rabo.

— Como está a sua mãe? — perguntou o homem a Lucas.

— Ela está... melhor de algumas maneiras, mas pior de outras. Não anda muito deprimida ultimamente, mas esses ataques são uma verdadeira preocupação. Nós achávamos que eles tinham acabado.

— E a sua cadela a ajuda com a depressão? — perguntou o homem.

— Sim, com certeza.

— Conte-me sobre isso.

— Bom, ela passa o dia com Bella. Quando chego em casa, minha mãe está muito melhor do que costumava estar. Quer dizer, antes da cachorra. Faz muito tempo que ela não fica mal a ponto de não tirar o pijama nem comer nada. Ela leva Bella para passear e obtém muita energia com isso. Bella parece saber quando ela está começando a ir para algum lugar sombrio, pois bota a cabeça no colo da minha mãe.

Lucas disse o meu nome, por isso abanei a cauda de novo.

— Fico feliz em saber que ela está melhorando.

— Ela está indo às reuniões com muito mais frequência. — Lucas olhou para Ty.

— Na verdade, não posso confirmar isso, Lucas — disse Ty, desculpando-se.

— Ah, certo. Desculpe.

— Bom, o negócio é o seguinte — falou o homem, limpando a garganta. — Não posso lhe dar nada em relação a ela ser uma cadela que identifica ataques. Mas, pelo que entendo da Lei de Habitação Justa, tudo que é necessário para que ela seja considerada um animal de apoio emocional é uma carta de um médico que esteja tratando de Terri, então vou fazer isso agora mesmo.

— Isso vai... O prédio vai permitir que a gente fique, se tivermos essa carta? — perguntou Lucas, esperançoso.

— Não sou advogado, mas o que li na internet parece sugerir que eles têm que aceitar.

— Muito obrigado, dr. Sterling. O senhor não faz ideia do quanto isso significa para mim e para a minha mãe.

O homem estava usando um lápis para riscar uma folha de papel.

— Mas isso não é uma liberação para aqui no hospital. — Ele olhou rispidamente para Ty. — Ficar com ela aqui ainda é contra as regras. Um cachorro detector de ataques, isso podia ser uma outra história, mas animais para apoio emocional são proibidos.

— Entendido, doutor — disse Ty.

— Não vou entregá-los. Só estou avisando o que pode acontecer se forem descobertos.

— Ah, acho que podemos manter Bella em segredo — observou Ty, seco. — Temos boas pessoas nisso.

O homem entregou uma folha de papel, e Lucas a guardou no bolso. Ele parecia muito, muito feliz, mas não celebrou com nenhum petisco.

Depois disso, as coisas mudaram um pouco. Lucas não saía mais de casa por um instante antes de correr comigo para a calçada. Agora saíamos juntos, e Lucas não se importava se eu farejasse e perdesse tempo perto da nossa porta da frente.

No início, fiquei confusa. Uma boa cachorra, eu tinha concluído, aprendia as coisas ao fazê-las várias e várias vezes. Foi assim que soube que "Sem latir" significava ficar em silêncio, não importava qual a provocação, e "Pedacinho de queijo" significava que Lucas me amava e tinha um petisco muito especial na mão. Quando ele me dizia que eu era uma boa cachorra, era tão bom quanto qualquer petisco, até galinha, exceto, claro, que era sempre melhor quando havia um petisco também.

Só que os humanos podem mudar sem aviso, e apenas aceitei isso como parte de estar com a minha pessoa. Por isso, se o nosso padrão de sair de casa ficou diferente, eu não tinha a menor ideia por quê.

Quando Mãe me levava, não andávamos tão longe, mas, às vezes, encontrávamos pessoas.

— Ela é minha cachorra terapêutica — dizia Mãe para elas. Eu não entendia o que isso significava, mas ouvia a palavra "cachorra" e podia sentir a aprovação e a afeição das pessoas que me acariciavam, e sabia que elas entendiam que eu era uma boa cachorra.

Quando o ar esquentou e as folhas se agitavam ao vento, Olivia nos levava para passeios de carro em lugares no alto das colinas, onde os cheiros eram todos diferentes.

— Vamos dar uma caminhada — dizia Lucas. Eu sempre ficava feliz quando ele ia até o armário e trazia uma bolsa com alças presa nos ombros. Sempre havia petiscos ali para mim.

— Olha, uma raposa! — falou Olivia em uma dessas caminhadas. Farejei um animal que nunca tinha encontrado antes e o vi à frente na trilha. Ele corria como um gato pequeno, abaixado, perto do chão.

— Está vendo a raposa, Bella? Ali! — disse Lucas, animado.

A raposa era diferente de um outro animal — o coiote. Nós, às vezes, víamos alguns desses, e eu rosnava fundo na minha garganta para deles. A raposa parecia divertida de perseguir, mas algo nos coiotes fazia com que eles parecessem cachorros pequenos e maus — cães que, por instinto, eu odiava.

— Bella quer correr atrás dele — observou Olivia, em uma dessas ocasiões. Distante à nossa frente, um coiote solitário olhava para mim enquanto permanecia insolentemente na trilha. Eu rosnei.

— Certo, bom, embora sejam pequenos, eles são traiçoeiros — respondeu Lucas. — E pode haver mais de um, este está em campo aberto, tentando atrair Bella para persegui-lo, enquanto mais um ou dois devem estar escondidos nos arbustos.

— Eu não estava dizendo que você devia deixar que ela fizesse isso. Só falei que ela quer.

— Você sempre está me dizendo que eu devia relaxar. Achei que deixar a minha cadela perseguir animais selvagens fosse parte do programa.

— Você está me entendendo mal. O que estou dizendo é que você devia ser uma pessoa melhor, em geral — respondeu ela, com leveza.

— Gosto tanto dessas caminhadas longas. Elas nos dão tempo para você listar todos os meus defeitos — observou Lucas, seco. — Obrigado por isso.

Frustrada, observei o coiote ir embora. Por que não tínhamos ido cuidar dele?

— Como está a sua mãe?

Eu olhei para Olivia quando ela mencionou Mãe.

— Muito bem. Tirando os ataques. Seu ânimo, porém, anda mesmo ótimo.

— Ela sempre sofreu de depressão?

Parei para farejar o esqueleto deliciosamente podre de um pássaro até que a guia se esticou e me puxou.

— Na verdade, não sei. Quando ela se alistou, eu já tinha voltado a viver com a minha tia Julie. Então, as coisas ficaram muito ruins quando ela retornou do Afeganistão. Sabe, drogas e álcool. Julie obteve a guarda na justiça, e a minha mãe meio que desapareceu por alguns anos. Então, ela se comprometeu, entrou no programa e perguntou se eu permitiria que ela voltasse para a minha vida.

— Ela perguntou a você? Uau.

— É.

— Ela tem orgulho de você. Fala sobre as suas notas o tempo todo e sobre como você é responsável.

— Legal, mas você está me ensinando a explorar a pessoa que corre riscos que existe em mim.

Olivia riu, um som curto e rápido.

— É, sobre isso — falou ela, após um momento —, você já disse para alguma outra pessoa antes?

Nós subíamos uma colina alta, com o vento frio descendo das montanhas cobertas de branco. Havia neve lá em cima, e eu me perguntei se íamos rolar nela.

— Disse o quê?

— Você sabe.

Ele chutou uma pedra que correu à nossa frente como uma bola.

— Não, você é a primeira. Por quê, você já disse a alguém antes?

— Não.

— Então, se na próxima vez disser que me ama também, será um momento histórico.

— Você vai dizer isso *de novo*? — Ela riu.

— Amo você, Olivia.

— Os homens estão sempre me dizendo isso.

— Estou falando sério.

— Claro que está. Você é a pessoa mais séria que já conheci.

Lucas parou e segurou a minha cabeça nas mãos. Eu olhei para ele.

— Bella, Olivia estará morrendo de medo de expressar as suas emoções.

Abanei a cauda.

Olivia se ajoelhou ao meu lado.

— Bella, Lucas acha que precisa discutir *tudo*.

Eles se inclinaram na direção um do outro por cima de mim e se beijaram. A onda de amor entre os dois fez com que eu me deitasse de costas e esticasse as patas dianteiras para cima. Eles amavam um ao outro, e eu queria ser parte daquilo.

Estávamos na calçada, voltando do parque, quando duas caminhonetes pararam perto de nós. A porta de uma se abriu, e era o homem da carne defumada, Gunter.

O outro veículo tinha um cheiro incrível. Cachorros, gatos e outros animais, alguns mortos, tinham colocado pilhas e pilhas de odores nele. Estiquei a guia para ir até lá para um exame mais próximo, mas Lucas me segurou firme.

— Controle de animais — disse Lucas, preocupado. — Vamos, Bella.

— Ei, Lucas! — chamou Gunter. — Venha cá um minuto.

Um homem saiu do banco da frente do outro veículo. Ele cheirava a cães e gatos. Ele era grande e usava chapéu.

— Garoto, preciso falar com você sobre o seu cachorro — disse ele.

— Para casa, Bella — ordenou Lucas, mas nessa variedade de jogo, fiquei presa à guia e, quando corri, ele correu comigo. Isso foi tão divertido que quis correr cada vez mais, mas parte de "Para casa" era ir até o meu ponto e deitar. Quando fiz isso, Lucas abriu a porta e me puxou para dentro.

Pude sentir que Mãe não estava em casa. Lucas arfava, e havia tensão na respiração e na pele.

— Boa cachorra, Bella. Muito bem.

Balancei a cauda.

A campainha tocou e fiz "Sem latir". Lucas atendeu. Eu podia farejar o homem de chapéu da caminhonete maravilhosa com todos os odores de animais. Lucas encostou o olho na porta por um momento, então, com um suspiro, a abriu.

— Sentada, Bella — ordenou ele, ao mesmo tempo.

Eu estava prestes a saudar o novo convidado, mas conhecia "Sentada" e obedeci na mesma hora.

— Controle de animais — informou o homem de chapéu a Lucas.

— Eu sei.

— Pelo que soube, você tem um pit bull morando aqui.

— Eu... Nós não sabemos de que raça ela é, foi abandonada ao nascer. Nós a encontramos embaixo de uma casa onde uma pessoa do seu departamento diz não haver mais animais morando. Ainda há gatos lá. Mais que nunca, na verdade. Você, no entanto, deve saber disso.

— Não sei se gosto do seu tom de voz — retrucou, com delicadeza, o homem de chapéu.

— Bom, eu não gosto da sua ética — respondeu Lucas.

Ouvi o farfalhar de tecido quando o homem de chapéu se enrijeceu.

— Pit bulls não são permitidos em Denver, alguém já lhe falou isso?

— Bella é especial. Ela é a cachorra terapêutica da minha mãe. Minha mãe é veterana de guerra, serviu no Afeganistão.

— Cachorra terapêutica, hein?

— Você gostaria de ver a carta do médico? — perguntou Lucas, com educação.

— Pode chamar a sua cachorra aqui um minuto?

— Por quê?

— Não vou tentar levá-la, não posso entrar em uma residência para fazer isso.

— Bella. — Lucas parecia relutante, mas estalou os dedos. Fui para o lado dele. Tinha a sensação de que Lucas não gostava do homem de chapéu, por isso não me aproximei para ser acariciada, mas permaneci perto da perna de Lucas, captando um cheiro forte de todos os animais nas roupas do homem.

O homem de chapéu meneou a cabeça de forma simpática.

— É, ela é mesmo uma pit bull.

— Não importa. — Lucas deu de ombros. — Nós temos a carta.

O homem enfiou a mão no bolso e tirou uma coisa de lá. Ele a apertou com o polegar e, com um estalo baixo, um cheiro delicioso encheu o ar. Jogou um petisco no chão, e pulei na sua direção. Apesar do que Lucas podia pensar, vi que gostava do homem de chapéu.

— Na próxima vez, gostaria que perguntasse antes de dar comida à minha cachorra — falou Lucas, friamente.

— A questão é que ela devia conseguir ignorar um petisco no chão. Ela não fez isso, portanto não se qualifica como um cachorro terapêutico.

— Isso não pode ser verdade.

— Se eu pegar esse animal fora do apartamento, vou apreendê-lo. É uma raça ilegal.

— Apreender?

— Você precisa pagar uma multa, aí colocamos um chip nela, e, se alguma vez a pegarmos de novo, nós a destruímos.

— Você não pode estar falando sério.

— É a lei. Só estou fazendo o meu trabalho.

— Do mesmo jeito que fez o seu trabalho dando o certificado de que não há gatos do outro lado da rua? Gunter está pagando você para nos criar problemas? Não fizemos nada de errado! — declarou Lucas, com raiva. Eu me remexi, desconfortável.

— Aí que você se engana. Você está abrigando uma raça proibida. Pit bulls são animais ferozes e perigosos.

— Bella parece feroz e perigosa para você?

— Não importa. Ela pode ser gentil como um cordeiro, mas, se a lei diz que ela é um bicho mau, ela é um bicho mau. Até logo, parceiro. A gente se vê.

Na tarde seguinte, quando Lucas chegou em casa de "Para o trabalho", Olivia estava com ele. Fomos dar um passeio de carro! Enfiei o focinho o mais longe possível no vento e sorvi a mistura incrível de aromas que vinha tão rápido a mim.

Logo estávamos em um prédio parecido com aquele em que Lucas fazia "Para o trabalho" a fim de visitar Olivia. Ficamos em uma salinha com alguns estranhos que quis cumprimentar, mas fui segurada pela guia, uma salinha que zumbia e fez o meu estômago se revirar. Essa era bem mais silenciosa do que aquela onde eu tinha ficado com Ty e Lucas, e toda vez que a sala se abria, os cheiros do outro lado eram completamente diferentes, e as pessoas saíam, talvez aborrecidas por não terem podido brincar comigo. Eu não entendia o que estávamos fazendo na salinha, mas fiquei feliz por estar ali e feliz também por sair.

Seguimos por um corredor silencioso até um lugar com uma mesa e onde o chão era macio com carpete. Um homem chegou segurando papéis.

— Meu nome é Mike Powell — disse ele. Abanei o rabo.

— Obrigado por nos receber. Sou Lucas Ray e essa é a minha... — Ele apontou para Olivia.

— Cuidado — alertou ela.

— Minha amiga Olivia Phillips.

— Sou a motorista dele. — Olivia segurou a mão do homem antes de decidir que não gostava de fazer aquilo e soltar. — Ele me trata de maneira inapropriada.

O homem riu, então se abaixou para me ver. Lambi o rosto dele.

— Essa deve ser Bella. Que gracinha.

Eles conversaram muito enquanto eu procurava o lugar mais macio na sala. Perto de uma mesa estreita havia um tapete em cima do carpete, mas não era grande o bastante para caber o meu corpo inteiro sobre ele. Eu me deitei, grunhindo.

Dormi, mas abri os olhos, sonolenta, quando ouvi o homem dizer o meu nome.

— Bella está contra o governo. Infelizmente, a lei de Denver é irracional em relação a esse tema. Você sabia que pit bull não é nem considerada uma raça canina? É mais como uma classe, como os retrievers. Enfim, há alguns anos, uma criança foi morta pelo que se chamou de pit bull na imprensa, então a câmara municipal aprovou a proibição. Houve diversos testemunhos de que nenhum desses cachorros é mais perigoso que outros. Na verdade, acho que dachshunds mordem as pessoas com mais frequência que qualquer outra raça. Pit bulls são muito protetores em relação aos donos, talvez tudo tenha começado por aí. E vocês sabiam que, desde a proibição, os pit bulls ficaram cada vez mais populares em Denver? Os americanos são um amor. Você diz a eles que não podem ter uma coisa, e eles a querem imediatamente para poderem desobedecer à lei. Enfim, o problema não é que Bella seja uma pit bull, o problema é que o controlador de animais diz que ela é. Ela pode ser apanhada só pela palavra do agente. Se mais dois agentes concordarem que Bella é pit bull, a lei diz que ela é um pit bull. É um sistema doido, mas é o que é.

— E a carta do médico? Não é mentira, Bella realmente dá apoio emocional para a minha mãe — explicou Lucas.

— Infelizmente, a lei é muito dura em relação a isso. Jogar um petisco de cachorro pode parecer um teste grosseiro, mas é um dos muitos que eles costumam aplicar. E, se ela falhar em um deles, acabou. Não há apelação.

— Nenhuma? Sério? — perguntou Olivia.

— Não no sistema de abrigos para animais. Podíamos entrar na justiça, claro, mas isso sairia muito caro — respondeu o homem. — E, enquanto durasse o processo, Bella ia ter que ficar em um abrigo. Isso podia levar meses.

— Então, o que podemos fazer? — perguntou Lucas, desesperado. — O cara diz que se me pegar na rua com Bella vai levá-la embora.

O homem estendeu as mãos.

— Honestamente? Do jeito que as leis são escritas em Denver? Nada. Não há nada que você possa fazer.

Olivia se agitou. Pela primeira vez desde que eu a conheci, senti raiva crescer dentro dela.

— O controle de animais pode entrar na propriedade de Lucas e Terri?

— Não. Eles iam precisar de um mandado judicial para isso.

— E a varanda da frente?

— A mesma coisa, assim como uma entrada de carros ou uma garagem. Se isso faz parte da casa, ela vai ficar bem.

Lucas se abaixou para falar comigo, e balancei o rabo.

— Então é isso, Bella. Se o homem mau aparecer, você precisa ir para casa e *ficar no seu lugar*, está bem? Se fizermos isso, vamos ficar bem.

Fiquei tensa, sem entender. "Para casa" agora?

— Estou preocupada, Lucas — murmurou Olivia.

— É. Eu também.

Capítulo 9

Alguns dias depois, Lucas fez "Para o trabalho", a fim de poder voltar para casa com o cheiro de Olivia, mas não me levou. No entanto, dava para senti-lo lá fora em algum lugar. Eu levava a presença dele comigo como um aroma. Ele era a minha pessoa, e tínhamos que ficar juntos. Nada podia mudar isso. Era tão parte de mim quanto ser uma cachorra.

Mãe prendeu a guia na minha coleira porque íamos passear! Dancei sem paciência em volta dela enquanto ela vestia um casaco, em seguida o tirava com uma risada.

— Está ficando quente demais para usar casaco, Bella — disse para mim. Eu me sentei perto da porta, sendo tão boa quanto uma cachorra pode ser, e saímos. Quando passamos pela toca, senti o cheiro de gatos ali dentro, mas não da Mamãe Gata.

Fiquei feliz, pensando que podíamos estar fazendo "Para o trabalho" e que eu logo veria Ty, Steve, todos os meus outros amigos, Olivia e, é claro, Lucas, mas Mãe seguiu em uma direção diferente. Farejei coisas maravilhosas enquanto caminhávamos por uma rua pela qual nunca tínhamos andado antes — animais vivos e mortos e comidas deliciosas em latões plásticos que ficavam no fim das entradas de carros das pessoas. Flores enchiam o ar de pólen. Um cachorro latiu para mim de trás de uma cerca, então me abaixei na grama verde em frente a ele e deixei educadamente uma lembrança ali.

Mãe quase nunca dava caminhadas longas, mas nesse dia ela estava animada e seguimos em frente, explorando lugares novos. Enquanto fazíamos isso, a caminhonete com todos os cheiros de animais passou por nós — os odores eram tão intensos que tive vontade de correr até lá e cheirar. Quando ela parou, eu estava feliz por causa das fragrâncias que emitia, mas Mãe diminuiu o passo, e senti o desconforto dela.

Havia um cachorro pequeno na traseira em uma gaiola de metal pequena. Era uma fêmea que olhou fixo para mim, mas eu era uma boa cachorra e fiz "Sem latir" mesmo quando a cachorra se ofendeu comigo e latiu.

O homem de chapéu desceu da caminhonete, puxando a calça para cima ao fazer isso. Mãe parou, e percebi que ela estava se sentindo cada vez mais assustada. Olhei para o homem de chapéu, me perguntando se ele era uma ameaça. Eu protegeria Mãe, porque Lucas ia querer que eu fizesse isso.

— Estou apreendendo o cachorro — gritou o homem enquanto fechava a porta da frente. Pelo jeito como ele disse a última palavra, parecia que eu estava sendo uma cachorra má, embora ainda estivesse fazendo "Sem latir".

— Não, não está, não — respondeu Mãe, sem se alterar.

— Propriedade pública. É o meu trabalho. Se criar problema, vou chamar reforços e você vai ser presa. É a lei. — O homem de chapéu levou a mão ao interior da caminhonete e pegou uma vara comprida com um laço de corda na ponta. Olhei para aquilo com curiosidade enquanto ele se aproximava, que tipo de brinquedo era aquele?

— Você não pode levar Bella. Ela é um animal de serviço.

— Não de acordo com a lei. — O homem de chapéu fez uma pausa, e pude sentir que ele estava preocupado, talvez ainda mais preocupado que Mãe. O que quer que estivesse acontecendo, aquilo deixava todo mundo ansioso. — Olhe, não quero causar problema.

— Então sugiro que não comece um.

— Deixe-me fazer o meu trabalho ou você vai para a cadeia.

Mãe se ajoelhou ao meu lado e pôs a mão na minha cara. Lambi a palma da mão dela. Podia sentir gosto de manteiga. Ela soltou a minha guia.

— Bella! Para casa!

Levei um susto: eu só fazia "Para casa" com Lucas, e não sabia que Mãe conhecia o jogo.

— Para casa! — repetiu ela, em voz alta.

Aquele era o lugar mais longe de casa que já tinha ido, mas eu sabia o que fazer. Corri.

Atrás de mim, pude ouvir a pequena cadela latindo na gaiola, e mesmo enquanto a caminhonete desaparecia das minhas narinas, conseguia localizá-la pelos latidos e percebi que ele estava se movendo, fazendo a volta atrás de mim. Corri por jardins, amando a sensação selvagem das minhas pernas a todo galope e a liberdade completa. Cachorros latiram para mim, mas eu os ignorei. Tinha um trabalho a fazer.

Quando cheguei à varanda da frente, me enrosquei no meu ponto perto dos arbustos, arfando. Eu fora uma boa cachorra.

Ouvi uma caminhonete parar e detectei a mistura de odores animais combinada com a da cachorra pequena, que parara de latir. Ouvi uma porta batendo e levantei a cabeça, com curiosidade.

O homem de chapéu estava parado ao lado da caminhonete. Ele tateou os bolsos.

— Ei! Bella! Vem aqui!

Eu estava confusa — não era assim que se brincava de "Para casa". Mas então o homem jogou alguma coisa aos seus pés, e senti cheiro de carne. Ah, eu tinha feito "Para casa" e agora estava sendo recompensada. Era assim que funcionava. Saí correndo da varanda e comi o petisco da calçada.

— *Bella!*

Era Mãe. Ela estava virando a esquina no final da rua, e corria na minha direção. Isso também era diferente; nem Lucas nem Mãe corriam gritando quando eu parava de me esconder.

Eu me perguntei se devia correr na direção dela e fiquei tensa. Quando fiz isso, senti o colar de corda passar pelo meu pescoço e, de repente, estava na pior guia imaginável, rígida e inflexível. Eu me retorci contra ela.

— Não, Bella — disse o homem de chapéu para mim.

— *Bella!* — gritou Mãe de novo, a voz cheia de angústia e desespero.

O homem me levantou com um braço, segurando a guia rígida. Ele me enfiou em uma gaiola ao lado da que continha a cachorra pequena, que se encolheu para longe, não mais disposta a me desafiar agora que eu estava tão perto dela. Ele fechou a porta da gaiola. O que estávamos fazendo? Mãe precisava de mim! Gani quando a caminhonete saiu roncando pela rua. Estava com medo e confusa. Eu não entendia.

Eu estava na gaiola e sabia que devia fazer "Sem latir". A caminhonete foi embora, e Mãe ainda estava correndo, mas, quando viramos a esquina, eu a vi cair de joelhos e levar as mãos ao rosto.

O homem de chapéu levou a caminhonete até um prédio que tinha cheiro forte de cães, gatos e outros animais. Eu podia ouvir ao longe cachorros exprimindo o que eu estava sentindo, que era um medo devastador.

Uma de cada vez, o homem de chapéu levou a cadela pequena e depois a mim para o prédio na ponta da guia rígida. Quando entrei, os latidos eram bem mais altos, e os odores, mais fortes. Dava para localizar onde a cachorra pequena tinha ido, mas fui levada para uma sala diferente, uma com cachorros grandes e tristes, que latiam em gaiolas com paredes altas. Eu não queria estar ali. Queria estar com Lucas.

Minha coleira foi retirada e fui posta dentro de uma gaiola. Era muito grande se comparada a qualquer outra que eu já tinha visto. Havia uma cama macia para mim e uma tigela de água. Bebi, querendo fazer alguma coisa normal e familiar.

O ruído dos outros cachorros não parava nunca, e fui atraída por ele, ansiosa por juntar a minha voz à deles. Mas não fiz isso, porque sabia que precisava fazer "Sem latir". Precisava fazer "Sentada". Precisava ser a melhor cachorra possível para que Lucas fosse me buscar e me soltasse.

Não fiquei ali por muito tempo: uma mulher mais nova logo apareceu para me buscar. Ela tinha uma daquelas guias rígidas — eu não podia entender por que eles iriam querer uma coisa daquelas. Ela impedia que um bom cachorro lambesse e acariciasse com as patas.

Ela me levou para uma sala que fedia a produtos químicos. O homem de chapéu estava ali, assim como a mulher simpática que me tocou com delicadeza, do jeito que a veterinária fazia. A mulher simpática apertou alguma coisa contra o meu peito.

— Não acho que possa chamá-la de pit bull, Chuck. — Abanei um pouco a cauda, torcendo para que, quando aquilo acabasse, Lucas aparecesse para me buscar.

— Eu, Glenn e Alberto dissemos que ela é um pit bull. Oficialmente — respondeu o homem de chapéu.

— Alberto está de férias — respondeu a mulher simpática. Ela parecia irritada.

— Enviei uma foto para ele, e ele mandou a declaração por fax.

— Isso é babaquice — murmurou ela.

— Não, eu já falei para você como funciona. Toda vez que trazemos um pit bull, você quer ter a mesma discussão.

— Porque é errado! Vocês três certificam mais cachorros como pit bulls que os outros agentes de controle de animais reunidos.

— Porque estamos aqui há tempo suficiente para ver o que acontece quando uma criança é mordida por um! — retrucou o homem de chapéu, rispidamente.

A mulher deu um suspiro cansado.

— Essa cachorra não vai morder ninguém. Olhe, dá para botar a mão na sua *boca*.

Os dedos dela tinham gosto de sabão, produtos químicos e cachorros.

— Estou fazendo o meu trabalho. Faça o seu. Ponha o chip nela para que, quando a pegarmos de novo, Denver saiba que é a segunda vez e que ela está fora.

— Sei o que *fazer*, Chuck — respondeu ela, em um tom entrecortado. — E vou protocolar um protesto assim que terminarmos aqui.

— Mais um? Estou me *mijando* de medo — escarneceu o homem de chapéu.

Depois de algum tempo, fui levada de volta à mesma gaiola. Eu não me lembrava de ter estado tão infeliz. O medo, o desespero e a ansiedade que emanavam dos outros cachorros me afetaram até eu começar a andar e arfar de um lado para o outro. Tudo em que podia pensar era Lucas. Lucas viria me buscar. Lucas ia me levar para casa. Eu seria uma boa cachorra.

Toda vez que a porta abria, era outra pessoa, não Lucas. Alguns dos cachorros corriam para a porta das gaiolas para ficar perto dessas pessoas, abanando o rabo, subindo com as patas no alambrado e ganindo, e outros se encolhiam de medo. Abanei a cauda, mas não tive nenhuma outra reação. Em geral, ou alguém saía com um cachorro, ou trazia um.

O que todos nós estávamos fazendo ali?

Depois de algum tempo, um homem apareceu para me buscar, mas não para me levar para Lucas. Em vez disso, ele pôs uma guia muito estranha em mim, uma que envolvia todo o meu focinho.

— Você é uma cachorra carinhosa. É uma boa cachorra — disse ele para mim, enquanto me tocava com delicadeza. Abanei o rabo, empolgada por estar deixando a gaiola. Torci para que estivéssemos indo para casa, para a minha família.

O homem simpático me levou até uma porta de aço, depois saímos para um jardim. A mudança abrupta de cheiros fez com que as minhas narinas se dilatassem. O chão sob os meus pés era duro e irregular, com uma grama raquítica espalhada pela terra seca. Quase todo centímetro do jardim estava marcado por cheiros de cachorro, evidentes a cada inspiração.

— Meu nome é Wayne — falou o homem. — Desculpe pela focinheira. Em teoria, você é uma cachorra má e assassina que vai arrancar os meus membros.

O tom de voz dele era tão agradável quanto as mãos. Ele levou os nós dos dedos até o meu focinho e lambi através da coleira estranha da melhor maneira possível. Demos a volta no jardim, permanecendo em uma trilha que acompanhava uma cerca alta. Era óbvio que muitas, muitas andadas tinham sido dadas antes da minha. Eu me agachei, agradecida, perto da cerca —não quis "fazer as minhas necessidades" na gaiola, embora fosse um lugar grande e outros cachorros na sala não fossem assim tão educados.

O homem não recolheu depois que terminei, como Mãe e Lucas faziam.

— É só mais um monte de sujeira para mim, não se preocupe, Bella. Tenho que voltar daqui a pouco para recolher o de todo mundo. É a parte mais glamourosa do meu trabalho.

Ele era compassivo e me acariciou, mas não me levou para Lucas; em vez disso, ele me levou para a mesma gaiola, embora eu tenha me sentado no chão e resistido enquanto ele puxava a guia.

— Vamos, garota — murmurou ele. — Entre no seu canil.

Eu não queria entrar ali, mas quando o homem me empurrou, deslizei pelo chão escorregadio, e estava de volta. Eu me encolhi com tristeza sobre a cama de cachorro enquanto ele fechava a porta. Coloquei o focinho entre as patas e escutei todos os cachorros maus ignorarem o "Sem latir". Eu estava arrasada. Eu devia ter sido uma cachorra muito, muito má para Lucas ter me mandado para aquele lugar.

Será que aquela era a minha nova vida? Eu era levada para andar no jardim algumas vezes por dia, às vezes, por uma mulher simpática chamada Glynnis, às vezes, pelo homem chamado Wayne, e sempre com a coleira desconfortável que prendia os meus dentes juntos. Cachorros latiam o tempo todo, estivesse claro ou escuro. Às vezes, Wayne aparecia com uma mangueira e a ligava, e aí os cheiros de cocô de cachorro se erguiam no ar e depois diminuíam, o que deixava a sala com todas as gaiolas ainda menos interessante que antes.

Eu tinha saudade de Lucas. Eu era uma boa cachorra que fazia "Sem latir", mas, de vez em quando, chorava. Eu sentia as mãos dele no meu pelo quando dormia, mas, quando acordava, ele não estava ali.

Eu me lembrei do esquilo esmagado que encontramos na rua. Como ele era diferente de um esquilo vivo e vigoroso. Era um "quase esquilo", um esquilo morto.

Era assim que eu me sentia.

Eu não comia. Ficava na minha cama de cachorro e nunca me mexia quando a porta se abria para Wayne ou Glynnis me levarem para passear no jardim com a cerca alta. Eu nem me importava com as marcas maravilhosas deixadas por cachorros machos e fêmeas lá fora. Só queria Lucas.

Quando uma mulher nova apareceu, botou a guia estranha no meu focinho e me levou pelo corredor, eu me esforcei para ficar de pé, sentindo-me rígida e letárgica. Fui de boa vontade, mas não abanei o rabo. Minha cabeça estava baixa e eu registrava todos os cheiros de cachorro e gato no ar sem animação.

Ela me levou para uma salinha.

— Aqui, Bella, vamos colocar isso de volta. — Com um puxão familiar no pescoço, eu estava usando a minha coleira, de modo que eu parecia comigo mesma outra vez. Havia uma almofada macia no chão, então fui até ela, circundei-a e deitei com um suspiro. — Já volto — disse ela para mim. A mulher saiu. Eu não sabia onde estava e não me importava.

Então, a porta se abriu. Lucas! Fiquei de pé e pulei nos seus braços assim que ele entrou na sala.

— Bella! — gritou ele, cambaleando para trás e se sentando.

Eu estava chorando e arfando, tentando lambê-lo através daquela coleira idiota. Esfreguei a cabeça no peito dele e me aninhei no seu colo, botando as patas no peito. Ele passou os braços ao meu redor, e fui tomada por uma sensação de bem-estar. Lucas tinha vindo me buscar! Eu *era* uma boa cachorra! Lucas me *amava*! Nunca mais queria ficar longe dele. Eu estava muito feliz, muito aliviada, muito agradecida. Minha pessoa estava ali para me levar para casa!

A mulher nova também estava ali. Ela tinha encontrado Lucas para mim!

— Posso tirar essa máscara de hóquei dela? — perguntou Lucas.

— Não devemos fazer isso com pit bulls, mas tudo bem. É óbvio que ela não é uma ameaça.

Lucas soltou a coisa de volta do meu focinho, de modo que eu pudesse beijá-lo de maneira apropriada.

A mulher ergueu alguns papéis.

— Está bem, sei que você assinou os formulários, mas preciso reiterar o que dizem. Se a sua cachorra for pega outra vez por qualquer razão dentro dos limites de Denver, ela vai ser mantida por três dias e então morta. São duas vezes com pit bulls. Não há nenhum processo de apelação além dos tribunais, e preciso dizer que os juízes em geral confirmam o que os agentes de controle de animais dizem. A maioria dos agentes aqui são seres humanos incríveis que estão preocupados com o bem-estar animal, mas o que pegou Bella é... Vamos dizer apenas que Chuck não é o meu favorito, e ele tem alguns companheiros de pôquer que cobrem uns aos outros em tudo. Entende o que estou dizendo? É o sistema. Ele está armado contra você.

Lucas se sentiu triste apesar de estarmos juntos de novo.

— Não sei o que fazer.

— Você precisa tirá-la de Denver.

— Não posso. Não posso me mudar nesse momento. Minha mãe... É complicado.

— Então, boa sorte. Não sei mais como ajudá-lo.

Quando deixamos a sala e saímos do prédio, Olivia estava esperando! Lati de excitação, tão feliz que queria sair correndo ao redor sem parar. Ela se ajoelhou e me deu amor, me abraçando e deixando que eu lambesse o seu rosto.

Um homem se aproximou. Era Wayne. Eu me perguntei se todos íamos dar um passeio no jardim.

— Lucas? — perguntou Wayne.

— Wayne? — Eles socaram as mãos um do outro, mas não era uma briga. — Ah, Olivia, este é Wayne Getz. Ele e eu íamos à mesma escola. Wayne, Olivia é a minha motorista.

— Eu sou a namorada dele — disse Olivia.

— Legal — respondeu Wayne, sorrindo — Ei, Bella é a sua cachorra? Ela é incrível.

Abanei o rabo.

— Obrigado. Sim, ela é uma boa cachorra.

Abanei o rabo de novo.

— Você trabalha aqui? — perguntou Lucas.

Wayne deu de ombros.

— Estou prestando serviços comunitários. Fui pego furtando uma loja de novo.

— Ah.

Wayne riu.

— Não, está tudo bem. Estou largando a *vida loka,* juro.

Eu estava impaciente para ver Mãe. Esfreguei o focinho na mão de Lucas.

— Então, o que está fazendo agora? — perguntou Wayne a Lucas.

— Trabalho no hospital dos veteranos. Sou assistente de alguns gerentes de casos. Olivia também trabalha lá, ela grita com as pessoas.

— Só com Lucas — retrucou Olivia.

— Você sempre falou que ia estudar medicina — comentou Wayne.

— Ainda é o plano — assentiu Lucas — Se tudo funcionar, vou começar no outono.

Finalmente, *finalmente*, eles pararam de falar uns com os outros, e entrei no carro de Olivia, me sentei no banco traseiro e enfiei o focinho pela janela.

Eu sabia que nunca ia conseguir entender tudo que tinha acabado de acontecer, e não compreendia por que fui posta na sala com todos as gaiolas e todos os cachorros, nem por que Lucas levou tanto tempo para me buscar. Eu só sabia que éramos uma família e que eu nunca mais ia deixar a nossa casa.

Voltamos a acordar antes de o dia raiar para dar uma volta, depois saíamos mais uma vez quando escurecia.

— É a única hora que dá para ter certeza de que o homem da carrocinha não está na rua — disse Lucas a Mãe.

— Vamos nos mudar para fora dos limites de Denver — declarou ela.

— Para onde? Aurora proíbe pit bulls. Commerce City proíbe pit bulls. Lone Tree proíbe pit bulls — respondeu Lucas, com amargura.

— Tenho certeza de que há algum lugar para onde possamos ir.

— Algum lugar que possamos pagar? Depois de rescindir o aluguel aqui? Onde vamos conseguir o depósito de segurança? Como mudamos as nossas coisas? — perguntou Lucas. — Nós não temos dinheiro nem para comprar um carro.

— Pare com isso! Não quero ouvir você falando desse jeito. As pessoas só estão realmente derrotadas quando desistem — disse Mãe, com seriedade. — Vamos começar a procurar por um apartamento *agora*.

Naquela noite, quando Lucas me levou para uma caminhada tarde da noite, pude sentir o cheiro da caminhonete com todos os odores de animais longe atrás de nós. Lucas não se virou para ver, mas eu sabia que ela estava lá.

Capítulo 10

NA MANHÃ SEGUINTE, QUANDO SAÍMOS, HAVIA NEVE MOLHADA NO CHÃO, E o céu ainda estava escuro. Lucas fez um ruído baixo com a boca.

— Primavera em Denver, Bella.

A ausência de pessoas e carros criava um ambiente pacífico e silencioso. Os cheiros estavam abafados, e as minhas patas ficaram encharcadas na mesma hora. Era maravilhoso. Os modos desanimados de Lucas mudaram quando ele riu enquanto eu rolava no cobertor deliciosamente frio. Eu estava roncando e expirando e queria brincar o dia inteiro, mas depois de "Faça as suas necessidades", voltamos.

Mãe esperava na porta quando subimos a escada até a varanda.

— Algum sinal do controle de animais?

— Não. Eles não vão sair tão cedo — comentou Lucas. — De noite vou esperar até tarde para levá-la na rua outra vez.

— Pobre Bella. É muito tempo para esperar.

— Ela vai ficar bem. Não sei o que mais podemos fazer.

— Vou continuar procurando um lugar novo na internet.

— Tudo bem, mãe.

— Os aluguéis subiram muito. — Ela deu um suspiro.

— Você falou com o seu gerente?

— Sim. Não é um caso perdido, mas vai demorar. Posso entrar com uma apelação assim que alugarmos um lugar.

— Tempo é uma coisa que não temos — observou Lucas, com gravidade.

— Não fique assim. Vamos ficar bem.

Lucas fez um ruído de frustração.

— Nunca vamos encontrar um lugar onde possamos levar Bella, que seja no caminho do ônibus, que possamos pagar e que atenda às exigências do seu subsídio.

— Não diga nunca. Eu prometo que vamos.

Lucas acariciou a minha cabeça.

— Você vai ser uma boa cachorra, Bella. Preciso ir para o trabalho agora.

Mãe e eu passamos o dia juntas. Eu estava bastante satisfeita só de ficar ali deitada, por não estar em uma sala cheia de cachorros latindo, por saber que estava em casa e que Lucas ia voltar com o cheiro de Olivia. Lá fora, o sol esquentava o ar, e o meu focinho me disse que a neve tinha derretido.

Naquela noite, Lucas saiu sem mim, levando comida de gato, e logo voltou.

— Nenhum sinal da polícia dos cachorros — falou Lucas. Ele prendeu a minha guia e saltei ao redor, feliz. Fui até a porta, doida para sair.

Pelo cheiro, podia sentir que a minha mãe estava na toca do outro lado da cerca, e que Lucas dera comida a ela e aos outros gatos.

Podia sentir o cheiro de outra coisa também. A uma rua de distância, aquela caminhonete estava de volta, a com as gaiolas na traseira. Meu humor feliz desapareceu — ela tinha voltado por mim? Eu não queria entrar na caminhonete e voltar para aquele lugar. Olhei para Lucas.

— Está tudo bem, Bella. Estamos em segurança.

Ouvi o som característico do ronco da caminhonete quando ela entrou na nossa rua. Os cheiros ficaram bem mais fortes, mas Lucas, aparentemente, não conseguia senti-los.

Lucas puxou a guia com delicadeza.

— Vamos, Bella. — A caminhonete estava em movimento, se aproximando. Fiz o que Lucas queria, seguindo à frente dele na coleira, então, de repente, ele congelou. A caminhonete roncou alto, chegou à nossa frente e parou. O homem de chapéu saltou.

— Pela autoridade da cidade de Denver, estou apreendendo esse animal — declarou ele.

Lucas se ajoelhou ao meu lado, mexendo com a minha coleira. Fiquei tensa. Era hora de fazer "Para casa"?

O homem de chapéu levantou a mão.

— Se você soltar esse cachorro e eu pegá-lo sem coleira, vou atirar um dardo nele.

Lucas estava com medo e com raiva.

— Não, não vai. — Ele deu um passo na direção de casa.

— Não complique as coisas, garoto — disse com delicadeza o homem de chapéu. — Chamei reforços assim que vi você sair. Se tentar algo, só vai piorar a situação.

— Por que está fazendo isso?

— Estou cumprindo a lei.

— Estamos nos mudando, não é isso que você quer? O que Gunter quer? Vamos nos mudar daqui, e não vamos poder vê-lo derrubar a casa onde você disse que não tem gatos. Só precisamos de tempo para encontrar um lugar, está bem? Vocês ganharam. Só nos deem alguns dias.

— Não posso fazer isso. Você acha que eu nunca ouvi essa antes? Se dermos dias extras para todo mundo com um pit bull, nunca pegaríamos nenhum. O lugar ia ficar infestado.

— *Por favor*.

Um carro parou atrás de nós. Havia luzes fortes e brilhantes no teto. Duas pessoas desceram. Elas tinham trajes pretos e ferramentas de metal nos cintos. As duas eram mulheres. Uma era mais alta que a outra. Polícia.

— Isso é um pit bull. Ele foi apreendido antes. O dono está resistindo — disse o homem de chapéu. — Preciso que o prendam por se recusar a obedecer uma ordem legal.

— Isso é um pit bull? Tem certeza? — perguntou uma das mulheres, a alta.

O homem de chapéu assentiu.

— Foi certificado por três agentes do controle de animais.

— Hum — respondeu ela, com dúvidas.

— Não parece um pit bull para mim — falou a outra mulher.

— O que vocês pensam não importa — disse com raiva o homem de chapéu.

Mas as mulheres olharam para ele sem expressão. Então, a mais alta se voltou para Lucas.

— Qual é o seu nome?

— Lucas Ray.

— Bom, Lucas, você precisa entregar o cachorro para o controle de animais — disse ela, com simpatia.

— Mas eles vão matá-la! Não é justo. Ela saiu do depósito de animais ontem. Isso foi *há um dia* — respondeu Lucas. — Vamos nos mudar de Denver, só precisamos de tempo.

Bocejei ansiosamente, sentindo a irritação de Lucas, a raiva do homem de chapéu, e a tensão nas duas mulheres.

— Você não pode dar a ele alguns dias para se mudar? — perguntou a mulher mais alta. — Parece um pedido razoável.

— Não. Estou fazendo o meu trabalho. Vocês precisam prender o garoto por se recusar a entregar o animal.

— Por favor, não aponte o dedo para mim.

O homem de chapéu abaixou o braço.

— Se uma prisão for necessária, nós vamos fazer. Nossa primeira preocupação é acalmar a situação. Sua retórica não está ajudando.

— O quê?! — bradou o homem.

Esfreguei o focinho em Lucas para me assegurar que nada de mal estava acontecendo.

A outra mulher tinha se afastado e falado em voz baixa com o próprio ombro. Então, voltou.

— O sargento mandou a gente resolver isso — comentou ela para a amiga alta.

A mulher se aproximou de nós. Eu podia sentir bondade; isso era evidente no jeito com que ela tocou no braço de Lucas.

— Talvez você possa conseguir um advogado, ou algo assim, mas, por enquanto, precisa deixar que ele leve o cachorro — falou com delicadeza. — Do contrário, vamos ter que algemá-lo e prendê-lo. Você não quer isso.

— Não podemos pagar por um advogado. *Por favor*.

— Sinto muito, Lucas.

Lucas se ajoelhou e encostou o rosto no meu pelo. Eu lambi as lágrimas salgadas das bochechas dele. Ondas de tristeza profunda emanavam dele.

— Mas ela não vai entender. Vai pensar que eu a estou abandonando — disse ele, angustiado.

— Vamos logo com isso — disse o homem de chapéu.

— O senhor precisa se afastar — pediu a mulher mais alta laconicamente.

— É melhor se despedir. Depois, você vai desejar ter feito isso — sussurrou a mulher mais baixa.

Lucas se abaixou sobre mim.

— Desculpe, Bella. Não consegui protegê-la. Isso é culpa minha. Amo você, Bella.

O homem de chapéu se aproximou, agitando a guia rígida.

— Você não precisa fazer isso! — disse Lucas, com a raiva evidente.

— Então, vocês duas vão deixar que ele fale assim comigo? — perguntou o homem de chapéu.

— Vamos, sim. Algum problema? — respondeu a mulher mais baixa, irritada.

— Deixe que ele leve o cachorro e o coloque na gaiola — ordenou a mulher mais alta.

Lucas me levou a uma das gaiolas do lado de fora. O homem de chapéu abriu a porta e Lucas me ergueu delicadamente para dentro.

— Amo você, Bella — sussurrou ele. — Eu sinto muito mesmo.

Eu sabia que, o que quer que acontecesse seria bom, porque Lucas estava ali, se assegurando que eu estivesse em segurança. Abanei o rabo quando ele soltou a minha guia. Ele beijou o meu focinho. Minha pessoa ainda estava muito triste. Eu queria fazer "Para casa" e me aninhar com ele na cama, como eu fazia em "Para o trabalho" com Mack. Confortá-lo. Fazer "Pedacinho de queijo". Aí, ele não ficaria tão triste.

O homem de chapéu fechou a porta da gaiola.

— Adeus, Bella — disse Lucas para mim com uma voz embargada. — Sempre vou me lembrar de você.

Quando a caminhonete arrancou, Lucas ficou na rua, esfregando os olhos.

Eu sabia que devia fazer "Sem latir", mas, de repente, fiquei com tanto medo que não consegui me segurar. Achei que entendia, agora, o que podia estar acontecendo.

Eu logo estava de volta à sala com gaiolas e cachorros latindo. Eu estava infeliz. Lucas precisava de mim, e eu precisava dele. Por que tinha me mandado para lá? Eu não pertencia àquele lugar.

Eu me enrosquei no tapete macio, enfiei o focinho embaixo do rabo e tentei não ouvir os cachorros que não conheciam "Sem latir". O terror, a solidão e a frustração deles estavam nas suas vozes e nos seus cheiros, e tentei não deixar que isso me afetasse, mas logo estava chorando.

Eu estava consciente da passagem do tempo. A sala ficava mais clara de dia e, à noite, completamente escura. Os cachorros latiam sem parar. Vomitei no canto da minha gaiola, e Wayne limpou com a mangueira. Fui levada para andar em torno da cerca por ele e pela mulher simpática, Glynnis, com a guia que prendia o meu focinho. Dava para ver muitas pegadas de cachorro na terra do jardim.

— É horrível, Bella — disse Glynnis, enquanto me permitia farejadas longas e cuidadosas pela cerca. O cheiro de todos aqueles cachorros me distraía muito. — Você é uma cachorra gentil. Não mordeu ninguém. A maioria dos agentes de controle de animais nem olharia duas vezes para você. Só foi apanhada por um dos maus. Todo mundo acha Chuck um escroto.

Ela não disse o nome de Lucas e não senti o cheiro dele nela.

Voltei para o mesmo lugar, mas tudo parecia pior. Glynnis estava soturna. Os cachorros à minha volta pareciam bastante tristes.

Eu arfava, andava de um lado para o outro e tentava me deitar na cama para, em seguida, tornar a me levantar, várias vezes. E eu não conseguia mais fazer "Sem latir". Latia como uma cachorra má, suplicando, chorando, me lamentando, questionando. Tudo que eu obtinha em resposta eram uivos parecidos de outros cachorros.

Na noite seguinte, algo curioso aconteceu. Senti o cheiro do homem Wayne entrar na sala, embora não o tenha visto. Havia um armário pequeno no fim do corredor e, como ele tinha sido utilizado por muitas pessoas, estava familiarizada com o barulho que fazia quando a porta abria e fechava. Ouvi esse som naquele momento. Em seguida, o cheiro de Wayne mudou — ele permanecia, mas estava abafado, contido. *Wayne estava dentro do armário.* Os outros cachorros o farejaram também — eu podia dizer pelo jeito como latiam que sabiam que ele estava ali.

Ninguém nunca tinha ficado dentro do armário antes, mas então ele ficou ali por tanto tempo que cansei de esperar por qualquer reação. Mergulhei em um sono agitado e perturbado, mas acordei de imediato quando ouvi a porta do armário se abrir com cautela. Wayne se aproximou da minha gaiola e levantou o trinco.

— Bella! — sibilou ele. — Venha!

Os outros cachorros entraram em frenesi, e pode ter sido por isso que Wayne foi até a minha gaiola e não a nenhuma das deles. Ele pôs uma coleira desconhecida no meu pescoço e prendeu uma guia a ela — uma guia normal, não do tipo que prendia a minha boca.

— Vamos!

Passamos pelos outros cachorros, seguimos pelo corredor e saímos no jardim. Eu nunca tinha sido levada para caminhar tão tarde da noite. Eu me agachei, mas nem tive tempo de acabar antes que a guia se esticasse. Wayne estava correndo e precisei galopar para acompanhá-lo. Não era como com Glynnis, que sabia que havia cheiros que eu queria investigar e me dava uma oportunidade de parar e farejar um pouco. Ele estava me puxando depressa demais. Nós corremos até o outro lado do jardim, onde estava escuro.

Ouvi alguém sussurrar:

— Wayne!

Então senti o cheiro: era Lucas!

Wayne e eu fomos direto até a cerca. Eu me joguei sobre ela, tentando chegar até ele, tentando lambê-lo. Lucas e Olivia estavam do outro lado, e ela estendeu a mão para que eu pudesse beijá-la.

— Levante-a! — disse Lucas, com urgência. — Botamos um cobertor por cima do arame farpado.

Grunhindo, Wayne me levantou do chão. Quando me levantou acima da cabeça, ele balançou, as pernas bambas. Eu me senti intimidada e fiquei imóvel.

— Ela é pesada demais! — reclamou ele.

— Segure a escada! — falou Lucas para Olivia. Meu cobertor de cachorro estava na cerca, e Lucas estendia os braços na minha direção. Suas mãos me seguraram, me levantaram e passaram por cima. — Firme, Bella. Peguei você.

Lambi o seu rosto enquanto ele descia por uma escada de metal, me agarrando a ele como fazia quando era filhote. As mãos de Olivia também me tocaram.

— Boa garota, Bella — elogiou ela, em voz baixa.

Enfim eu estava no chão. Minha cauda se agitava furiosamente, sem conseguir impedir que os ganidos escapassem da minha garganta. Eu queria que Lucas deitasse para que eu pudesse subir em cima dele. Ele tocou o meu pescoço.

— Essa não é a coleira dela.

Wayne olhou para mim.

— Ah, sim. Tive que pegar qualquer uma da prateleira.

Olivia puxou a minha coleira com delicadeza.

— Faz diferença?

— Acho que não — respondeu Lucas. — Ela tinha uma plaquinha com o nome e o meu telefone, só isso.

Olivia acariciou as minhas orelhas.

— Depois, vamos comprar joias novas para você, Bella.

Balancei o rabo.

— Ei, Lucas? Estou achando que, talvez, cem dólares seja pouco — sussurrou Wayne. — Precisei usar o cartão de um agente de controle de animais que está de férias. O registro vai mostrar que foi ele que abriu todas as portas. Eles vão perceber que alguma coisa aconteceu.

— Você disse cem. Estou com o dinheiro aqui — respondeu Lucas.

— Foi um risco maior do que pensei, é isso que estou dizendo — retrucou Wayne.

— Você apagou a chegada de Bella do computador? — perguntou Olivia.

— Apaguei. Essa foi a parte fácil, era só sentar na mesa da recepção e apertar o botão. Ela ainda está no sistema, mas não esta visita. Bella não vai aparecer no horário de ninguém.

— Obrigada, Wayne — respondeu Olivia.

— Eu não tenho mais dinheiro. — Lucas tornou a subir a escada e pegou o meu cobertor. Ele o largou no chão, em seguida desceu ao lado dele. — Só trouxe cem. Foi isso que você disse.

— Só estou falando que, se eu for pego, vou estar em problemas sérios.

— Então, não seja pego. Aqui. — Lucas empurrou algo através da cerca, e Wayne pegou.

— Cara... — disse Wayne, com tristeza.

— Obrigada, Wayne. Você salvou a vida dela — comentou Olivia.

— Sim, bom, eu não me importo de botar a culpa disso no babaca que a recolheu. Todo mundo odeia o cara mesmo.

Lucas puxou a minha coleira.

— Vamos, Bella.

Nós demos um passeio no carro de Olivia! Eu estava feliz demais por estar com eles. Eu me sentei na traseira e enfiei a cabeça entre os bancos, e os dois acariciaram as minhas orelhas.

Lucas, porém, parecia triste, embora estivéssemos todos juntos de novo. O que quer que eu tivesse feito de errado, tomaria cuidado para nunca mais fazer. Não queria voltar para a sala cheia de cachorros latindo.

— Você está bem, querido? — perguntou Olivia, com delicadeza. Ela tocou a nuca dele.

— Estou — disse Lucas, a voz rouca.

Olivia deu um suspiro.

— Você sabe que eu ficaria com ela a qualquer momento.

— Claro. Mas ainda seria Denver.

— E você pensou em todo mundo? Não tem ninguém?

— A tia Jules mora em Londres. A minha avó está frágil demais. Praticamente todos os meus amigos vivem dentro dos limites de Denver. Meu amigo Chase já tem dois cachorros, e a namorada disse que não quer mais um.

— Sinto muito.

Mãe estava em casa, e, quando ela se ajoelhou, eu a cumprimentei botando as patas no seu peito e lambendo o seu rosto quando ela caiu de costas.

— Bella! — Ela riu, mas havia algo infeliz nela também.

Havia outra amiga de Lucas lá. Ela tinha um cheiro familiar para mim, mas não me lembrava de quem ela era até que esticou o braço e acariciou o meu focinho.

— Oi, Bella — saudou. O cheiro de gatos se misturava à sua própria fragrância, lembrando-me da vez em que ela entrou rastejando na toca para tentar pegar a Mamãe Gata no dia em que conheci Lucas.

— Algumas boas notícias. Audrey disse que os gatos vão ficar bem — disse Mãe.

— Isso mesmo — afirmou Audrey. — O fato de um dos nossos membros ser vereadora às vezes é muito útil. Eles travaram as autorizações de Gunter até que ele nos deixe entrar e fazer um bom serviço para pegar os gatos que estão lá.

— Isso é ótimo — respondeu Lucas. — Mas não acho que isso vai ajudar Bella.

— Não, não com ela no sistema.

— Obrigada por fazer isso, Audrey — disse Olivia.

— Ah, claro. Fico feliz por ajudar. Acontece o tempo todo. Do jeito que a lei foi escrita, muitos cães que são mortos nunca machucariam ninguém. Quando Bella sair de Denver, vai estar segura.

— Para onde vai levá-la? — perguntou Olivia.

— Para o sul, para Durango — respondeu Audrey. — Tem uma família adotiva por lá, que sempre pega pit bulls condenados.

— Assim que encontrarmos um lugar fora dos limites da cidade, vou direto buscá-la — observou Lucas.

— Ah. Hum, você tem alguma ideia de quanto tempo isso pode levar? — perguntou Audrey.

— Não vai ser rápido — respondeu Mãe. — O lixo burocrático pelo qual temos que passar é ridículo. Além de que muitos apartamentos têm limites de tamanho para cães, o que, é claro, é uma questão aqui.

— Entendo.

Mãe olhou para ela.

— O quê?

— Bom, acho que entendi mal as suas intenções. Achei que estivéssemos encontrando uma família provisória em um lugar seguro, onde cuidariam dela até que uma família permanente pudesse ser encontrada.

— Ah, não — falou Lucas. — Nós só precisamos de um lugar seguro para ela até conseguirmos nos mudar.

— Dá para ver que isso é um problema. Por que não nos conta o que é? — perguntou Mãe.

— Bom, o que vocês estão dizendo... Na verdade, não é esse o objetivo. Quando Bella se mudar para a família provisória, vai ocupar um espaço que podia ser de outro cachorro. Nós precisamos fazer com que os nossos cachorros sejam adotados o mais rápido possível. Esse é o único jeito de salvá-los, o sistema está cheio de animais e pouquíssimas vagas. Se semanas ou meses se passarem com Bella em um lar adotivo, outro cachorro pode ser submetido à eutanásia por não ter para onde ir. Vejam bem, sei que isso é difícil para vocês e, sim, claro, se encontrarem um lugar logo, podem buscá-la. Mas, por favor, levem em consideração o que é certo para todo mundo, inclusive para Bella. Pelo que me disseram, o controle de animais marcou a sua cachorra e não vai desistir. Quase todos eles são pessoas decentes que estão nesse ramo de trabalho porque querem ajudar animais, mas aquele com quem estão lidando tem uma reputação ruim.

— Ela estava no último dos seus três dias detida — falou Lucas.

— Então preciso concordar, não podemos arriscar deixar que ela permaneça nem mais um minuto nos limites da cidade. Estou surpresa por terem liberado ela. Nunca ouvi falar de terem feito isso antes — disse a mulher.

Olivia e Lucas se entreolharam. Desejei que todo mundo pegasse uma bola e alguns petiscos e pudéssemos todos nos divertir em casa em vez de ficarem tão tensos e parados falando.

— Quanto tempo eu tenho? — perguntou Lucas, em voz baixa.

— Poxa, quando você fala assim... Vou dizer ao lar qual é o plano. Tenho certeza que podemos esperar pelo menos uma semana. Você vai me manter informada do seu progresso em encontrar um apartamento novo?

— Eu cuido disso — respondeu Mãe.

Lucas se ajoelhou no chão e passou os braços ao meu redor.

— Prometo que vou fazer o possível para encontrar um lugar novo. Vou arranjar dois empregos, se necessário. Vou pegar você assim que puder, Bella. Desculpe, desculpe mesmo.

Ele, Mãe e Olivia choravam, o que era desconcertante. Senti necessidade de confortá-los, mas não sabia como.

— Ela não vai entender. Vai achar que eu a estou abandonando — falou Lucas. A voz dele estava angustiada.

Após alguns momentos, Audrey prendeu a guia na minha coleira e, para a minha grande surpresa, me levou para um carro. Olivia e Mãe ficaram paradas na varanda, se abraçando.

— Adeus, Bella! — gritaram elas.

Lucas me botou em uma gaiola dentro do carro da mulher e arrumou o meu cobertor de cachorro de modo que eu tivesse algo macio em que me deitar. Ele se inclinou para a frente e enfiou os dedos pela grade. Nós estávamos fazendo "Pedacinho de queijo"! Sem entender, mas muito, muito agradecida por ser uma boa cachorra, peguei o petisco. Quando acabei, ele deixou os dedos ali e eu os lambi, perplexa. Eu podia sentir a tristeza dele. Nada fazia sentido.

— Isso pode ser um adeus para sempre, Bella. Se for, desculpe. Quero que saiba que, no meu coração, você sempre vai ser a minha cachorra. Só não consigo encontrar outro jeito de protegê-la.

Quando ele fechou a porta, pude ver o seu rosto através do vidro. Ele estava contorcido, as bochechas molhadas, e choraminguei quando o carro se afastou.

Eu me senti de novo como uma cachorra má.

Capítulo 11

Audrey era legal. Ela falava comigo, dizendo: "Você é uma boa cachorra, Bella." Mas ela estava me levando embora, para longe de Lucas. Eu podia senti-lo desaparecendo, ficando cada vez mais distante à medida que o veículo fazia curvas e zumbia. Seu cheiro estava fortemente impregnado no meu cobertor, e eu o farejei, respirando fundo, sorvendo-o. Era o meu cobertor de Lucas.

Outro cheiro emergiu para mim enquanto viajávamos. Antes, o buquê feito de carros, pessoas, fumaça e todos os outros odores que se misturavam na atmosfera perto da nossa casa nunca pareceu marcante para mim, era apenas o pano de fundo para o cheiro único da nossa varanda, da nossa porta, dos nossos arbustos e de Mãe, Lucas e eu. Mas agora, enquanto seguíamos, essas fragrâncias aos poucos se aglutinaram em uma presença separada e inteira no vento, uma coleção poderosa de perfumes que se definia para mim como casa. Passamos por outros conjuntos parecidos de cheiros, mas era fácil detectar a forte paleta de odores que havia onde eu morava. Pude até me situar quando a mulher simpática me deixou sair do carro para que eu pudesse "fazer as minhas necessidades" — naquela direção, pensei, apontando o focinho, minha casa está naquela direção.

Lucas estava para lá. Mas nós não fomos ao encontro dele.

Em vez disso, ela me levou para uma casa onde fiquei por muitos dias com uma mulher chamada Loretta e um homem chamado José, e um cachorro grande, um cachorrinho branco, dois gatos e um passarinho. O cachorrinho branco se chamava Malandro e nunca haviam ensinado "Sem latir" a ele. O cachorro grande se chamava Rabugento e era velho, lento e de uma coloração marrom-clara. Ele nunca latia e passava o dia inteiro com sono. Os dois eram menores que eu. Os gatos me ignoravam e o passarinho olhou para mim quando farejei a sua gaiola.

Eu estava infeliz demais para comer no primeiro e no segundo dias. Então, percebi que Lucas tinha me mandado para aquele lugar para eu esperar por ele, então comecei a me alimentar quando os outros cachorros comiam. Eu precisava ser a melhor cachorra possível, para que Lucas fosse me buscar.

Ganhei uma cama impregnada com o cheiro pungente de diversos cães e pelo menos um gato. Puxei o meu cobertor de Lucas para a cama, para poder ter a essência dele comigo enquanto eu dormia.

José ficava a maior parte do tempo sentado na poltrona. Ele gostava de comer comida de uma tigela, e me dava um pedaço de petisco salgado quando Loretta não estava por perto. Passei muito tempo fazendo "Sentada" perto de José. Eu sabia que, se ele me dava petiscos, eu estava sendo boa, do jeito que sabia que era uma boa cachorra quando Lucas fazia "Pedacinho de queijo".

Loretta era muito legal comigo e me dizia que eu era uma boa cachorra. Ela tinha um quintal grande nos fundos de casa com uma cerca feita de madeira. Quando ela nos soltava de manhã, "fazíamos as nossas necessidades", Malandro latia para a cerca, e Rabugento se deitava ao sol. Quando chovia, Rabugento mal saía antes de voltar para deitar em um tapetinho perto da porta, e Malandro levantava a perna rapidamente, depois parava ao lado de Rabugento e latia para a porta até que Loretta a abrisse.

No meio do quintal, havia uma área cheia de lascas soltas de madeira. Eu gostava de "fazer as minhas necessidades" ali. Havia estruturas de madeira de função desconhecida para mim, exceto que uma era um balanço. Também reconheci a rampa com degraus que desciam do alto: era um escorrega.

Nem Loretta nem José jogavam a bola no alto do escorrega para que eu a buscasse enquanto ela quicava pelo outro lado, fazendo com que eu sentisse ainda mais falta de Lucas. Ele ia fazer isso quando fosse me buscar. Brincaríamos no quintal dos fundos e ele jogaria a bola para o alto do escorrega para eu pegá-la.

"Boa cachorra, Bella!", diria ele. Eu podia visualizar o seu sorriso e as suas mãos no meu pelo.

Para mim, as idas ao quintal me davam a oportunidade de explorar com o focinho o que aprendi enquanto Audrey me levava para ficar com Loretta e José: que havia concentrações de casas, cachorros e carros no ar que podiam ser separados uns dos outros com facilidade, e que um desses era muito claramente o cheiro de casa. Quando José dirigia até a "cidade", nós íamos direto para um desses aglomerados de aromas, e foi assim que comecei a pensar nesses lugares: cidades. Toda a terra era povoada por cidades, e uma delas era a minha casa, a cidade onde eu morava.

Experimentei todas essas coisas sabendo que não morava ali com José e Loretta. Morava com Lucas e Mãe, e o meu propósito era fazer "Para o trabalho", ver todas as pessoas que me amavam e dar conforto àqueles com dores e medos. Toda manhã eu farejava o ar assim que era solta, torcendo para captar Lucas chegando para me buscar, do jeito que tinha me encontrado no prédio cheio de gaiolas e cachorros latindo.

— Achei que Bella só fosse ficar conosco por alguns dias antes que o dono viesse buscá-la — comentou José um dia. Eu estava dormindo, mas, é claro, levantei a cabeça ao som do meu nome. Fiquei de pé e fiz "Sentada" como uma boa cachorra que merecia petiscos. — Já faz duas semanas.

— Eu sei. — Loretta deu de ombros. — Eles vêm na semana que vem.

— Ok.

Naquele momento, ele não me deu nenhum petisco salgado, mas, quando Loretta foi para a cozinha, me passou alguns. José e eu tínhamos um entendimento. Às vezes, porém, Loretta nos pegava e dizia:

— Não faça isso! — Eu fugia, mas parecia que a maior parte da insatisfação dela era dirigida a José. Havia vezes em que era melhor ser cachorro.

No quintal dos fundos havia uma cerca e, depois dela, árvores e grama. Quando o vento soprava de uma direção, eu sentia o cheiro de pessoas, cachorros, comidas e carros: uma cidade. Quando a brisa mudava, eu detectava plantas, árvores e água — como um parque, mas com uma extensão bem maior. Às vezes, José e Loretta me levavam para passeios curtos em uma trilha atrás da cerca e não havia outras casas, embora muitas vezes encontrássemos pessoas e cachorros. Eles chamavam esses passeios de "Fazer trilha".

— Eu adoro morar bem ao lado da floresta estadual. Não é fantástico, Bella? — perguntava Loretta quando estávamos "Fazendo trilha". Eu podia sentir que ela estava muito feliz, mas me mantinha na guia, então, o que quer que estivesse acontecendo, não era *tão* maravilhoso.

Nós caminhávamos apenas em dias bonitos. Eu me lembrava de estar com Lucas em dias parecidos, quando flores liberavam as suas fragrâncias, e animais pequenos corriam para dentro do solo ou subiam nas árvores quando eu me aproximava. Ele viria me buscar!

— Vou botar mais serragem na área de brincar — comentou José depois do passeio. — Aquelas estão ficando podres. O verão está chegando, os netos vão querer brincar.

— Boa ideia. Obrigada, José.

Loretta nos deixou no quintal dos fundos e voltou para casa.

— Vamos dar uma geral nesse lugar, Bella — declarou José. — Sabia que o seu dono vem buscá-la amanhã? Vou sentir a sua falta, você foi uma boa companhia.

Bocejei enquanto coçava atrás da orelha e contemplava um cochilo.

José pegou alguma coisa da garagem que tinha rodas. Grunhindo um pouco, ele moveu o balanço, o escorrega e todas as outras estruturas de cima das lascas de madeira para um ponto ao lado da cerca.

— Ufa. Chega por hoje — disse ele para mim — Entre, Bella.

Deitei no travesseiro macio em frente à lareira e fechei os olhos. Pensei em Lucas. Pensei em Olivia. Pensei em "Para o trabalho" e em "Para casa".

Para casa.

Eu era uma boa cachorra, mas Lucas não tinha ido me buscar. Talvez ele não fosse fazer isso nunca.

Talvez eu precisasse fazer "Para casa" sozinha.

Naquela noite, José me soltou sozinha no quintal para que eu "fizesse as minhas necessidades". Eu podia sentir o cheiro de muitas coisas, mas não de Lucas. Porém, eu sabia onde ele estava, podia senti-lo como um puxão na coleira. A sensação dele era mais suave do que quando ele estava chegando pela calçada no fim do dia, mas eu sabia em que direção ir. Para fazer "Para casa".

Não dava para subir a cerca. Era muito alta para pular por cima. Mas eu precisava sair do quintal. José e Loretta me levavam para passear, mas sempre na coleira.

Se Lucas estivesse ali, ele jogaria a bola para mim, e ela subiria pelo escorrega e eu ia persegui-la. O escorrega estava ao lado da cerca. Visualizei Lucas jogando a bola e ela subindo pela rampa e passando por cima da cerca de madeira. Eu a perseguiria e, quando a pegasse, estaria do outro lado.

Eu não precisava da bola. Corri pelo quintal, subi o escorrega, passei por cima da cerca e aterrissei suavemente em cima de terra macia.

Eu agora ia fazer "Para casa". Para Lucas.

Deixei as casas e os cachorros para trás e fui na direção das árvores e dos cheiros de pedras, terra e água. Eu me sentia forte, bem e viva com um propósito.

Naquela noite não dormi e, durante o dia, também não. Encontrei uma trilha que cheirava a muitas pessoas, mas, quando ouvia alguém se aproximar, desviava e corria uma boa distância da trilha até que tivessem passado. Havia um riacho próximo, onde bebi água várias vezes.

Comecei a sentir fome, fome de um jeito que não era familiar para mim. Meu estômago estava vazio e doía um pouco. Eu me lembrei de Lucas me alimentando com "Pedacinho de queijo", e minha boca ficou cheia d'água. Lambi os lábios, pensando nisso.

Quando o dia começou a refrescar e ficar escuro, estava exausta e sabia que precisava dormir. Cavei um buraco perto de uma pedra e, enquanto fazia isso, pensei na toca da Mamãe Gata, a que ficava embaixo do deque.

Só então percebi que tinha deixado para trás algo muito importante, muito querido: o meu cobertor de Lucas.

Eu me enrosquei com frio, triste e sozinha.

Um grito chocante me acordou pouco depois de eu fechar os olhos. Pulei de pé. O que quer que tinha feito aquele barulho estava perto.

Congelei quando o ruído rompeu o silêncio de novo. O que tinha parecido uma voz humana na primeira vez era cru e feroz, mas que tipo de animal faria aquele som? Quando o grito cortou o ar mais uma vez, não ouvi dor ou medo, mas, mesmo assim, fiquei assustada. Hesitei, me perguntando o que fazer. Fugir? Investigar?

Na quarta vez que o ouvi, era um grito bruto e alto, como um cachorro dando um único latido, fazendo uma pausa e então latindo de novo — embora não fosse um cachorro. Eu queria saber o que estava fazendo aquele barulho, estilhaçando a penumbra com o som penetrante, então saí andando para descobrir.

Reduzi a velocidade quando os meus ouvidos me disseram que eu estava perto, embora a brisa soprasse para longe de mim, e eu não conseguisse farejar o local de onde estava me aproximando.

Então vi: uma raposa grande, sentada em uma pedra. Sua boca se escancarou, seu peito se contraiu, e um chamado agudo encheu a noite. Momentos depois, ela fez aquilo de novo. Então, se virou e olhou para mim.

Senti o pelo se eriçar na minha nuca. Eu sabia o que era uma raposa de "Fazer trilha" com Lucas e Olivia. Elas pareciam um pouco com esquilos — animais que corriam baixo, perto do chão. Algo nela, porém, fez com que eu não quisesse persegui-la. Olhamos uma para a outra, cachorra e animal selvagem, e inalei a selvageria dela. O que ela pensava de mim, maior, uma boa cachorra com uma coleira e que vivia com pessoas?

Ela saltou em silêncio para o chão e saiu correndo para o interior das árvores. Enquanto eu a observava ir, pensei na primeira vez em que vi uma raposa, como eu estava confiante, pronta para persegui-la se Lucas quisesse. No entanto, tudo era diferente agora. Sem pessoas comigo, eu estava no mundo da raposa, e não o contrário. De repente, me senti muito vulnerável.

Que outras criaturas estavam esperando ali na floresta que ficava cada vez mais escura?

Na manhã seguinte, estava ansiosa, com fome e com um pouco de medo. Eu sabia que estava sendo uma boa cachorra por fazer "Para casa", mas a trilha que eu seguia não ia diretamente na direção de onde eu sentia que Lucas estaria. Se eu saía da trilha, o solo às vezes se tornava rochoso, e, às vezes, era coberto de plantas, tornando a viagem difícil. Parecia mais fácil ficar na trilha.

Depois de algum tempo, a trilha desceu, e o cheiro das pessoas ficou mais forte. Eu sabia que devia correr, mas fui atraída pela sensação de que logo estaria com humanos. Lembrei-me de uma sensação parecida quando os gatos estavam com medo e havia homens e mulheres na toca, esse desejo de ficar com eles. Talvez as pessoas me reconhecessem, como Ty e os outros sempre faziam, e me levassem para Lucas.

Ouvi as vozes de dois garotos. Hesitei por um momento antes de seguir nessa direção.

Farejei os garotos, com o vento no rosto, bem antes de vê-los. Enquanto corria até eles, ouvi um estrondo alto e repentino. Parecia uma porta batendo — mas era um barulho que eu nunca tinha ouvido antes. Um cheiro de fumaça cáustica chegou ao meu focinho.

— Belo tiro! — disse um dos garotos.

O barulho me assustou, mas a atração de ver humanos era forte demais para me manter afastada. Fui até o alto de uma pequena elevação e vi os dois parados lado a lado, sem olhar na minha direção. Um deles segurava uma coisa comprida, uma espécie de cano, e era dali que subiam os odores acres. O outro usava uma bolsa nas costas parecida com a que Lucas pegava quando saíamos para "Fazer trilha". Eles olhavam para algumas garrafas em cima de uma árvore caída, e delas pude sentir os odores remanescentes fracos do que José gostava de beber quando me dava petiscos. Minha boca encheu de água ao pensar nisso.

Com uma pequena nuvem de fumaça pungente e uma repetição do barulho alto, uma das garrafas se estilhaçou.

— Cara! — vibrou o garoto que usava a bolsa, o que não estava segurando o cano. Então ele ergueu os olhos e me viu. Abanei o rabo. — Ei! Um cachorro!

O outro garoto se virou para olhar.

— Opa — disse ele. Então, levou o cano até o ombro e apontou para mim.

Capítulo 12

O GAROTO COM A BOLSA EMPURROU O CANO, FORÇANDO-O PARA CIMA E para longe de mim.

— Ei! O que está fazendo? — perguntou ele.

O menino com o cano o apontou para o céu.

— É só um vira-lata.

— Não vamos *atirar* nele. Isso é ilegal.

— Cara, o que estamos fazendo *já é* ilegal.

— Você não atira no cachorro de alguém só porque ele está perdido. Você não ia fazer isso, ia?

Algo naquela situação me fez hesitar em me aproximar mais. Os garotos não pareciam com raiva, mas estavam tensos um com o outro. O cano abaixou.

— Mas que droga, Warren. Sei lá. Acho que não — resmungou ele.

— Quero dizer, meu Deus. Viemos aqui para atirar em garrafas.

— Você atirou naquele corvo — argumentou o garoto com o cano.

— É, um corvo, não um cachorro. E eu errei.

— Como sabe que eu não ia errar o cachorro?

— Aqui, garoto! Aqui! — O menino com a mochila bateu nas pernas.

— É fêmea — comentou o outro. O travo acre do cano estava presente nas suas mãos e na sua roupa.

— Certo, estou vendo, cara — respondeu o garoto da bolsa. — Como vai você, garota, hein? O que está fazendo por aqui? Está perdida? — Farejei as mãos dele com cautela. Ele não tinha comida nos bolsos, mas os dedos cheiravam como se tivessem segurado uma carne recentemente. Eu os lambi para confirmar. Sim! Esse garoto tinha acesso a bons petiscos!

— E agora, o que a gente faz? — perguntou o garoto com o cano.

— Tenho um pouco de carne-seca no carro.

— Espere.

O garoto levou o cano ao ombro e apoiou a cabeça nele. Observei com curiosidade, então pulei quando um estrondo explodiu da ponta do cano, enchendo o ar com o mesmo fedor cáustico.

— Está tudo bem, garota — disse para mim o garoto da bolsa. — Ei, bom tiro.

Ele saiu andando, mas eu estava sem guia e fui correndo na frente, com o focinho perto do chão enquanto pegava o rastro de algum roedor pequeno. Eu ouvia os garotos falando e andando atrás de mim. Entendi que, naquele momento, eu estava com eles, assim como tinha ficado um tempo com José e Loretta. Talvez até voltar para Lucas, eu passasse períodos curtos com outras pessoas.

O garoto da bolsa era Warren, e o outro se chamava Cara. Às vezes, porém, Cara chamava Warren de "Cara", o que era confuso para mim. Nós andamos através de capins quentes e verdes até um carro, e, quando Warren o abriu, um odor delicioso emanou dele. Nós tínhamos encontrado os petiscos de cachorro, eles estavam no carro.

— Quer um pouco de carne-seca, garota?

Eu estava tão animada que girava em círculos, mas então me sentei para mostrar que podia ser uma boa cachorra. Warren me deu um pedaço de carne com sabor defumado para mastigar que engoli rapidamente.

— Ela está mesmo com fome — observou Cara. — Tem que estar, para comer essa porcaria.

— Eu já vi você comer isso — disse Warren.

— Não comi porque era *bom*, comi porque era o que tinha.

— Quer um pouco agora?

— Sim.

Os dois garotos comeram alguns petiscos de cachorro, o que achei ao mesmo tempo estranho e perturbador. Com todos os alimentos maravilhosos que as pessoas podem escolher, porque iam querer os petiscos de uma boa cachorra merecedora?

— Que tipo de cachorro você acha que ela é? — perguntou Warren.

— Cara, não faço ideia — respondeu Cara. — Então, você é dono de um cachorro agora?

— Não, claro que não — respondeu Warren. — Minha mãe nunca ia me deixar ter um.

Eu olhei para Warren. Mãe? Ele conhecia Mãe?

— O que fazemos, então? — perguntou Cara. Ele apertou os olhos na direção do sol.

— Bom, não podemos deixá-la aqui — respondeu Warren. — Ela deve pertencer a alguém. Quero dizer, está de coleira. Pode ter se separado dos seus donos.

— Então, o quê? Vamos levá-la conosco?

— Será que podemos ligar para alguém?

— Tipo: "A gente estava na trilha do Colorado atirando em garrafas e encontramos essa cadela gigante, podem vir buscá-la?"

— Está bem. Não.

— Qual parte?

Warren deu um sorriso enviesado.

— Deixamos de fora a parte do tiro. Olhe, talvez haja até uma recompensa, ou algo assim. Podemos cobrar.

— Mas quanto tempo isso vai demorar?

— Não sei, cara, só estou tentando encontrar um jeito.

— Porque eu preciso chegar ao trabalho às 16h30.

— De qualquer forma, nem sei se eles mandariam alguém até aqui. Que tal isso? Vamos botá-la no banco de trás e levá-la para o posto do xerife Silverton. Eles vão saber o que fazer.

— Você quer que eu procure o xerife por vontade própria? — observou Cara, seco.

Os dois riram. Minha atenção estava concentrada no pacote amarrotado na mão de Warren. Ainda havia um pedacinho de petisco de cachorro ali dentro. Eu me perguntei se ele sabia disso. Eu estava fazendo "Sentada", e então mudei o peso de uma pata dianteira para a outra para sinalizar que esse comportamento excelente merecia aquele último fragmento de carne.

— Vamos, garota! — chamou Warren. Ele segurava a porta traseira do carro aberta. Eu hesitei — adorava passear de carro, mas isso parecia estranho. Para onde ele estava me levando? Mas então Warren mexeu no saco e jogou o último pedaço no carro, e eu soube qual seria a decisão certa. Entrei no banco traseiro, os garotos entraram na frente, e pronto: saímos em um passeio de carro.

Nós estávamos bem longe de Lucas. Eu podia sentir o cheiro de casa, e ele estava muito, muito distante. Mas talvez os garotos estivessem me levando para lá.

Levantei o focinho até a fresta da janela e atraí as fragrâncias limpas do lado de fora. Eu sabia que estávamos indo na direção de uma cidade, porque a combinação de aromas ficava cada vez mais forte, mas também senti o cheiro de diversos animais, a maioria deles completamente estranha para mim.

Eu não estava aproveitando tanto o passeio de carro como quando Olivia dirigia. Nenhum dos garotos tinha repetido o nome de Mãe, nem tinham mencionado mais ninguém que reconheci. Isso era o que algumas pessoas faziam — levavam cachorros para passear de carro porque ter a companhia de um cachorro tornava as coisas mais divertidas. Mas eu tinha sido levada a lugares antes que, ao chegar, eram novos, e não a minha casa.

— Bom, você sabe que eu não tenho exatamente a melhor das relações com o Departamento do Xerife de San Juan — comentou Cara.

— Eles não vão tirar as nossas digitais. Só estamos deixando um cachorro.

— E se encontrarem o rifle na mala?

— Cara, por que olhariam a mala? Para de ser tão paranoico. E, de qualquer forma, não tem lei contra ter uma arma, é a nossa emenda constitucional.

— Mas não devíamos estar atirando na floresta nacional — retrucou Cara, preocupado. Captei a ansiedade na voz e olhei para ele com curiosidade.

— Como eles poderiam saber disso? Dá um tempo. Meu Deus — resfolegou Warren, de um jeito debochado. — Você acha que vão encontrar as garrafas e fazer uma perícia ou algo assim?

— É só que nós estávamos fazendo uma coisa, e agora estamos indo ver os canas.

— Se quiser, pode esperar no carro com a cachorra.

Seguimos em silêncio por algum tempo. Havia um cheiro envelhecido de cinzas no interior do automóvel, então mantive o focinho na janela. Por fim, reduzimos a velocidade, fizemos algumas curvas, e então paramos. O motor deixou de funcionar, e todas as vibrações e ruídos cessaram. Fui de uma janela para a outra no banco de trás, mas não conseguia entender a razão para estarmos estacionados ali com alguns outros carros e nenhum cachorro.

— Então, entramos com ela? — perguntou Cara.

— Não sei. Não, vamos entrar e contar para eles, ver o que vão dizer. Talvez alguém tenha oferecido uma recompensa.

— É. Você falou isso.

— Coisas mais estranhas já aconteceram.

A janela de repente desceu, de modo que eu pude botar toda a cabeça para fora!

— Por que fez isso? — perguntou Cara.

— Porque está sol. É claro que não vamos trazer um policial aqui fora com a cachorra toda fechada no carro — respondeu Warren, com paciência. — É um tipo de abuso contra animais conhecido. Mesmo em um dia fresco como esse, eles podem superaquecer. — Warren estendeu a mão e acariciou a minha cabeça, e lambi o gosto de carne da palma da mão dele. — Certo, garota, fique aqui, tá? Você vai ficar bem, já voltamos. Vamos ajudá-la a encontrar a sua casa, certo? Tudo vai ficar bem.

Eu não entendi as palavras, mas o tom era familiar. Quando as pessoas deixavam os seus cachorros, as vozes frequentemente tinham aquela entonação. Quando Lucas fazia "Para o trabalho", ele falava assim. Senti uma pontada de dor ao me lembrar.

— E se ninguém vier procurá-la? — perguntou Cara.

— Tenho certeza que alguém vai fazer isso. É uma cachorra bonita.

— Mesmo assim. O que a gente faz nesse caso?

— Eu acho... Não sei. Talvez ela seja adotada? — respondeu Warren, esperançoso.

— Ou sacrificada. Tipo, nós a estamos levando para a câmara de gás.

— Bom, tem uma ideia melhor? Você ia *atirar* nela.

— Na verdade, eu nunca teria feito isso.

Os garotos saíram do carro.

— Nós voltamos, prometo — disse Warren para mim.

Observei pela janela da frente enquanto eles se aproximavam de um prédio grande, abriam uma porta e entravam. Eu me lembrei das portas de vidro do lugar com as gaiolas de cachorros latindo; aquelas eram parecidas.

Eu agora entendia uma coisa. Muitas pessoas eram legais, mas isso não significava que iam me levar para Lucas. Na verdade, algumas delas podiam me *tirar* dele. Elas podiam me alimentar e sair para um passeio de carro, mas eu precisava fazer "Para casa".

Enfiei a cabeça pela janela, em seguida as patas da frente, deixando-as penduradas na direção do chão. Agitei o meu traseiro, fazendo força para a frente, até que as minhas patas traseiras começaram a se mover no ar, e caí de focinho no chão. Eu estava fora do carro e sem guia. Eu me sacudi, levantei o focinho e saí trotando na direção do cheiro de comida.

Havia automóveis, pessoas e prédios, então soube que estava em uma cidade, mas era uma cidade diferente daquela para onde José e Loretta me levavam. Enquanto eu seguia o meu nariz, algumas pessoas gritavam para mim de janelas de carros e portas abertas — elas pareciam amigáveis, mas não acreditei que fossem me levar para Lucas, então não me aproximei. Porém, farejei algo doce e grudento na calçada. Comi-o rapidamente, mastigando um pouco de pão seco que havia ao lado. Que belo lugar era aquele, que deixava petiscos para um cachorro merecedor!

Meu estômago vazio me mantinha concentrada em encontrar uma refeição, apesar da minha necessidade de fazer "Para casa". Segui aromas, torcendo para me deparar com mais petiscos.

Captei o cheiro de muitos cachorros, em geral separados uns dos outros, ouvi latidos e vi um cachorro em uma corrente, mas então mudei de rumo porque senti vários cães se movimentando juntos. Segui na direção deles e, quando virei uma esquina, me deparei com uma matilha.

Havia dois machos, os dois de cor muito escura, um grande e um pequeno, além de uma fêmea baixa com pelo longo. Eles estavam sentados atrás de uma loja de onde emanava um odor delicioso, olhando com atenção para ela, mas, quando sentiram a minha aproximação, viraram a cabeça.

Macho Pequeno correu direto na minha direção, então parou e ergueu o focinho. Virei e nos cheiramos. Macho Grande também examinou atrás da minha cauda. Eu me movimentei rigidamente, não estava preparada para esticar as patas da frente junto ao chão com os dois machos me cercando, mas abanei a cauda em uma saudação amigável. Macho Grande levantou a perna em um poste, e Macho Pequeno fez o mesmo, e eu avaliei educadamente as suas marcas, percebendo que a fêmea não tinha se mexido da porta dos fundos da loja.

Macho Pequeno se abaixou, e rolamos pelo chão por um momento enquanto Macho Grande continuava a marcar território, então Macho Grande se aproximou de nós e paramos de brincar, porque a presença dele mudou a situação.

Quando a porta dos fundos se abriu, exalou uma nuvem de carne cozinhando, e vi uma mulher parada na soleira.

— Olá, cachorros lindos! — cantarolou ela.

Os machos correram até os pés da mulher para sentar, então fiz o mesmo, embora tenha ficado um pouco para trás, com cuidado para não tomar o espaço dos outros cachorros. Eu não sabia ao certo o que estava prestes a acontecer. Eu podia sentir a fêmea canina tensa com a minha presença, mas os olhos dela estavam focados na mulher, que tinha um papel deliciosamente gorduroso nas mãos. O papel farfalhou e liberou aromas suculentos quando ela botou os dedos dentro deles e pegou pedaços gordurosos de carne cozida. Começando com a fêmea, ela percorreu a fileira de cachorros, dando a cada um de nós um pedaço grande. Todos nós estávamos lambendo os lábios em antecipação, mal conseguindo conter a excitação.

— Você é um amigo novo? Qual é o seu nome? — perguntou ela, quando me estendeu uma fatia de carne deliciosa. Eu peguei com prazer o petisco dos seus dedos e mastiguei rapidamente para que nenhum dos outros cachorros tentasse tomá-lo de mim. — Isso é tudo o que tenho esta noite, queridos. Sejam bonzinhos!

A mulher fechou a porta. Todos farejamos o chão para ver se tínhamos deixado cair algum pedaço sem perceber. Fêmea se aproximou e me investigou, desconfiada, e Macho Pequeno se abaixou, abanando o rabo. Nós ficamos andando ali por um momento, apreciando os cheiros de carne nos lábios uns dos outros e então a matilha foi embora. Eu fazia parte dela, por isso fui atrás. Era bom estar com outros cachorros.

Estávamos andando por uma rua estreita atrás dos prédios. Não havia carros, embora houvesse vários recipientes de metal grandes que, com certeza, continham restos de coisas comestíveis que eu teria gostado de explorar, mas a matilha não parou, exceto quando os machos levantavam as pernas para marcar o território.

Acabamos parando em um latão quadrado de plástico do qual se erguia um tumulto de odores sedutores. Macho Grande conseguiu derrubar a tampa, e inalei profundamente, com uma consciência faminta do queijo, da gordura e dos doces.

Fêmea, então, me surpreendeu quando saltou com agilidade do chão, e as patas traseiras arranharam as laterais do barril enquanto o seu focinho se enfiava dentro dele. Ela caiu para trás, puxando com ela uma caixa da qual se derramaram carnes envoltas em pão. Cada cachorro pegou uma refeição e saiu correndo da matilha para comê-la logo. A minha estava embalada em plástico, mas, quando consegui rasgá-los e havia comida coberta com um molho de cheiro forte e amargo que me fez espirrar.

Fêmea mergulhou várias vezes para tirar mais papel. Às vezes, o que ela pegava não tinha valor — pedacinhos de hortaliças ou mais do molho de cheiro forte —, mas quase sempre havia mais para comer. Eu era a mais nova ali, por isso esperava, sem botar a cabeça para a frente quando os dois machos mergulhavam sobre o que Fêmea tinha tirado. Eu esperava até que ela tivesse descido e pegado a parte dela também. Era a regra daquela matilha.

Então, após um sinal desconhecido, os dois machos foram embora. Fêmea estava lambendo um papel, e o jeito que me olhava deixava claro que, se eu me aproximasse, ela ia me morder, por isso dei a ela bastante espaço enquanto seguia os seus companheiros.

Fomos até outra porta com fragrâncias fantásticas. Embora estivesse fechada, era feita de uma substância metálica através da qual eu podia ver pessoas se movimentando no interior do prédio. De certa forma, isso me lembrou das cobertas finas que

Lucas usava para pegar gatos na toca — o material encobria, mas não bloqueava a luz do interior.

Mantive distância de Fêmea. Macho Pequeno e eu brincamos juntos enquanto Macho Grande deixava a sua marca. Aí, veio um barulho de dentro do prédio, e todos nós corremos com expectativa para a porta e sentamos. Eu estava ao lado de Macho Grande e ele lambeu os lábios, então fiz isso também.

A porta se abriu.

— Ora, olá, estão aqui para um donativo? — disse um homem. Diferente da mulher, ele não nos entregou os petiscos, mas jogou coisas para nós, um cachorro de cada vez. O pedaço de carne salgada maravilhosa que ele atirou para mim bateu no meu focinho, mas pulei e o engoli antes que os outros pudessem reagir. Bacon! Cada um de nós teve a sua chance com vários outros petiscos e, embora eu tentasse pegá-los no ar como os meus companheiros, eu deixava todos cair.

O homem fechou a porta, embora ainda pudéssemos ouvi-lo e vê-lo através dela.

— Isso é tudo o que eu tenho hoje. Vão para casa, agora. Para casa.

Olhei para ele, surpresa. Como ele conhecia "Para casa"?

A matilha saiu andando e fui atrás, embora ainda levasse a voz do homem na cabeça. Eu estava muito longe de Lucas, mas tinha acabado de receber a ordem de ir "Para casa".

Subimos uma rua com casas. Luzes brilhavam pelas janelas, e senti cheiro de comida, pessoas, alguns cachorros e gatos.

Fêmea nos deixou. Em um momento ela estava com a matilha, no outro deu a volta e saiu trotando por uma entrada de carros na direção de uma varanda. Eu parei e a observei, mas, quando os machos não esperaram, corri para alcançá-los.

Então Macho Grande se separou também. Macho Pequeno marcou uma árvore enquanto Macho Grande foi direto para uma porta de metal. Ouvi um som alto e arrastado quando ele esfregou as unhas na superfície da porta. Depois de um momento, um garotinho a abriu, permitindo a saída de um breve clarão de luz para a rua antes que Macho Grande entrasse e a porta fosse fechada.

Macho Pequeno me cheirou e, quando virou na direção de uma casa e olhou para trás abanando o rabo, soube que ele queria que eu o seguisse.

Agora entendia uma coisa. A matilha estava fazendo o que o homem disse. Eles estavam fazendo "Para casa". Cada um deles tinha uma casa para a qual ir, com pessoas dentro que iriam amá-los. Eles eram uma matilha temporária, do jeito que alguns grupos às vezes se formavam entre cães em um parque para cachorros. Quando cada humano chamava um nome, um cachorro ia embora do parque, e se Lucas e eu ficássemos ali por tempo suficiente, a matilha diminuía até restar apenas a mim. Um cachorro sozinho não forma uma matilha.

Macho Pequeno queria me manter na sua família, mas eu não podia ir com ele, porque minha pessoa não estava ali. Minha pessoa era Lucas.

Eu tinha aprendido algumas coisas que não sabia. Onde havia prédios havia pessoas legais que distribuíam petiscos, e havia barris e latões cheios de comida que era fácil de conseguir. Uma cidade tinha comida.

Mas eu não podia fazer "Para casa" e ficar ali.

Virei o focinho na direção que eu sabia que me levaria a Lucas. Nesse caminho, não havia cidades nem prédios. Havia morros, riachos e árvores, e eu podia farejar o travo pronunciado de neve lá em cima também. Se eu quisesse fazer "Para casa", teria que ir sem matilha, em morros altos onde não havia pessoas.

Macho Pequeno estava a meio caminho do gramado até uma casa, observando. Parte de mim desejava se juntar a ele — ele tinha o cheiro de mais de uma mão humana no pelo, e seria muito bom dormir em uma cama macia e ser alimentada e acariciada pelas pessoas de Macho Pequeno.

Eu me sentia em segurança ali, naquele lugar com carros e humanos que alimentavam bons cachorros. Meus poucos dias na trilha me levaram a acreditar que havia perigos lá em cima que eu não conhecia, animais que nunca tinha visto, e áreas onde eu não encontraria comida. Ali, com Macho Pequeno, eu seria cuidada. Lá, sozinha, enfrentaria perigos.

Eu não podia ficar com a minha pessoa e também com Macho Pequeno. Dei a volta, inalei fundo o ar da noite, e fui procurar o meu Lucas.

Capítulo 13

FIQUEI INQUIETA QUANDO AS LUZES E OS CHEIROS DA CIDADE DESAPARECERAM atrás de mim. A lua iluminava o caminho, mas eu me sentia vulnerável ali sozinha, como se ter estado em uma matilha tivesse me lembrado do quanto um cachorro fica mais seguro quando viaja na companhia de outros. Eu agora também entendia que estava em uma viagem de muitos dias — quando usei o escorrega para pular por cima da cerca, estava motivada pela crença de que logo estaria em casa. Nesse momento, porém, sabia que podia andar muito e o cheiro da minha cidade ainda estaria distante.

Passei a noite junto o rio, em um lugar onde uma área escavada no chão tinha a forma de uma cama de cachorro. Acordei várias vezes com o som ou o cheiro de animais pequenos, mas eles não se aproximaram de mim, e nenhum deles era familiar ao meu focinho.

A trilha em que eu estava nem sempre me levava na direção que eu precisava ir, mas fazia uma curva de volta com frequência, e, se ficasse nela, ia fazer progressos em relação ao meu objetivo. O chão firme resultava em um caminho bem mais rápido do que quando eu pegava uma rota mais direta e tentava subir por cima das pedras e dos outros obstáculos que bloqueavam a passagem. O cheiro de gente e animais era bastante presente na trilha, então eu podia encontrá-la com facilidade.

Pessoas anunciavam a sua aproximação com os seus passos e as suas vozes altos, por isso eu sempre sabia quando desviar para deixá-las passar. Não queria fazer outro passeio de carro.

Quando estava escurecendo, encontrei uma área plana cheia de cheiros humanos. Havia algumas mesas de madeira espalhadas, e perto delas, algumas estacas de metal, em cima das quais havia baldes de cinzas e a promessa sedutora de carne queimada. Mas, quando fiquei de pé nas patas traseiras para investigar, só consegui lamber um traço de comida das barras acima das cinzas.

Bem mais promissor era um barril redondo parecido com aquele no qual Fêmea tinha subido, embora esse fosse de metal. Tentei repetir a sua façanha, mas enquanto ela tinha conseguido subir com um pulo, enganchando as patas da frente na borda, e depois subindo com as patas traseiras, o meu próprio salto e a tentativa de me segurar só conseguiram derrubar a coisa toda. Sentindo-me culpada, lembrei-me de Lucas me chamando de cachorra má quando fiz uma coisa parecida na nossa cozinha, mas isso não me impediu de localizar pedaços de galinha, um pedaço grande de um petisco doce e alguns biscoitos secos que não eram tão gostosos. A galinha foi triturada quando mastiguei os ossos, e lambi sucos deliciosos do recipiente de plástico que tirei do barril. Eu estava mais cheia do que tinha ficado em dias, e me enrosquei satisfeita embaixo da mesa para passar a noite. Ter um estômago satisfeito fez com que eu me sentisse segura.

No dia seguinte, a trilha morro acima ficou íngreme, e eu estava cansada. Em pouco tempo percebi que estava com fome de novo. Lamentei nunca ter gostado de fazer exercício, o jogo no qual Mãe ou Lucas jogavam petiscos pela escada para eu correr atrás eles, comê-los, e então subir de volta para a cozinha. Naquela hora, se eles quisessem, eu teria feito a brincadeira o dia inteiro.

Quando ouvi um barulho duro e alto, virei na mesma hora para o lado do qual ele veio e corri na sua direção. Eu sabia o que significava o estrondo — Cara e Warren estavam usando o seu cano. Embora eu não fosse entrar no carro deles, aceitaria de bom grado mais pedaços de carne.

Logo ouvi vozes. Eram homens, e eles pareciam animados.

— Deve ter uns 25 quilos! — gritou alguém.

Emergi cautelosamente das árvores. À frente havia um espinhaço. Eu agora podia sentir o cheiro dos homens, e não eram Cara e Warren. Andei até o cume e olhei para baixo.

Eu estava em um morro pequeno e, abaixo de mim, descendo a encosta, um riacho corria entre as pedras. Do outro lado do desfiladeiro estreito, havia um morro mais alto, coberto, em algumas partes, por um mato ralo. Ergui o olhar e vi dois homens descendo aos tropeções o morro mais alto. Eles estavam em terreno íngreme, e não olharam para mim, ou teriam me visto com facilidade. Os dois carregavam canos, e o ar estava cheio com o fedor que eu associava ao estrondo alto que aqueles canos faziam.

— Eu disse para você que íamos pegar alguma coisa hoje! — disse um deles, ofegante, para o outro.

Arfando e tropeçando, os homens corriam na direção do riacho. Eu segui pelo espinhaço, curiosa, observando o avanço deles, e foi então que uma mudança delicada no vento trouxe a mim o cheiro forte de um animal e mais alguma coisa.

Sangue.

Eu me virei na direção do aroma de sangue, com os homens esquecidos.

— Pelo menos quinhentos dólares! — disse um deles, mas eu estava rastreando com o meu faro. Não precisei andar muito, dei apenas alguns passos e vi uma criatura deitada imóvel nas pedras. Eu me aproximei com cautela, embora a imobilidade do seu corpo me dissesse que ela não estava viva. Era como o esquilo que Lucas me mostrou na beira da estrada em um de nossos passeios: quente, imóvel e morto.

Farejei o sangue no peito. Esse bicho tinha um cheiro parecido com o um de gato, embora não fosse como nenhum outro que eu já tivesse visto — era enorme, maior que eu. Era uma fêmea, e um odor leitoso das suas tetas me fez lembrar da Mamãe Gata. Impregnado no seu sangue havia um fedor forte e enfumaçado, do tipo que vinha dos canos que homens como Cara e os dois no morro carregavam.

Eu não entendi o que estava vendo.

Atrás de mim, pude ouvir os homens respirando alto. A mudança no som me disse que eles tinham chegado ao fundo do desfiladeiro e agora estavam subindo pelo lado mais próximo.

— Preciso de um tempo! — disse um deles, arfando.

— Nós precisamos pegar o animal e dar o fora daqui — disse o outro de forma tensa, mas deu para perceber que eles tinham parado de subir.

— Não tem ninguém por perto. Está tudo bem.

— Droga, não está tudo bem. Você sabe o que acontece se pegarem a gente caçando um puma?

— Sei que podemos conseguir uns mil dólares por ele, isso eu sei.

Decidi que não queria conhecer os homens e tive certeza que eles não me dariam nenhum petisco se eu fizesse isso.

Então, um movimento nos arbustos captou o meu olhar, e virei a cabeça. Havia alguma coisa ali, um animal, mas o vento soprava na direção errada para que eu sentisse o cheiro dele. Olhei e vi olhos e orelhas pontudas. Então, embora estivesse quase escondido, reconheci o que estava vendo: um gato imenso, maior que muitos cachorros, o maior que já tinha visto. Seus olhos estavam fixos nos meus e, quando ele percebeu que eu o tinha visto, abaixou um pouco a cabeça, como se quisesse se esconder. Eu sabia que ele estava ali, e podia separar o seu cheiro do animal enorme que estava imóvel sobre as pedras. Era uma fêmea.

O jeito como ela se portava me lembrou dos gatos na toca quando havia humanos chegando pelo buraco: o mesmo corpo rígido, o mesmo olhar arregalado, lábios um pouco contraídos. Ela estava aterrorizada.

Houve um grito alto de um dos homens:

— Droga!

Ela se encolheu, recuou para os arbustos e saiu correndo. Reconheci o movimento, o jeito agitado como ela corria, e percebi que, apesar do seu tamanho, ela não era um gato, era um *filhote*, um filhote grande como um cachorro.

Ela só se afastou um pouco antes de parar. Eu não sabia o que tinha acontecido, mas podia dizer, pelos seus movimentos tensos, que ela queria fugir. Apesar disso, não fugiu — seria por causa do felino morto aos meus pés? Aquela era a mãe dela?

Os sons e cheiros me disseram que os homens com canos estavam quase no alto do morro, então eu também precisava ir. Fiz a volta e saí andando em silêncio para o interior da vegetação rasteira.

O filhote grande me seguiu.

O caminho que peguei seguia grosseiramente os cheiros misturados de Filhote Grande e da enorme gata mãe morta, refazendo os seus passos. O avanço não era fácil, mas a trilha seguia em uma linha razoavelmente reta para longe dos homens com raiva. Eu podia sentir o cheiro deles e do sangue, com a brisa mais fria embaixo da minha cauda do que no meu focinho.

Eu me sentia perturbada pelo que tinha acabado de testemunhar. Não entendia a conexão entre a morte da mãe de Filhote Grande e os humanos com os canos fedorentos, mas acreditava que havia uma. Eu me lembrei da vez em que Mãe convidou um amigo para entrar em casa e ele ficou furioso, e aí ela bateu nele e ele caiu. A conclusão assustadora era que tinha pessoas más no mundo. Eu sabia que havia aqueles que impediriam que eu ficasse com Lucas, mas isso era uma coisa muito diferente.

Se um cachorro não podia confiar em humanos, como a vida era possível?

Filhote Grande estava em silêncio atrás de mim; eu podia farejá-la, farejar o seu medo e o seu desespero ansioso. Quando parei para olhá-la, ela logo se moveu tentando se esconder, com o passo flexível exatamente igual ao de qualquer gato de tamanho normal.

Depois de algum tempo, senti Filhote Grande parar. Eu virei e a estudei. Ela estava sentada, me admirando com olhos de cor clara. Embora estivéssemos longe dos homens raivosos, queria continuar andando, continuar avançando na direção de Lucas. Quando dei alguns passos e me virei, ela trotou em uma direção um pouco diferente e parou. Olhou na direção para onde parecia querer ir, em seguida virou-se para mim com o que pareceu expectativa.

Filhote Grande era uma gatinha assustada. Ela precisava da minha ajuda. Quando eu estava em perigo, a Mamãe Gata me protegeu, e agora eu sentia uma enorme vontade de proteger aquele filhote.

Ela pareceu sentir que eu ia segui-la, então saiu andando. Fui atrás dela, surpresa pela maneira ágil como avançava por rochas e outras barreiras.

Em pouco tempo chegamos a um lugar embaixo de algumas árvores que estava cheirando fortemente ao odor da grande gata mãe. E havia outra coisa chegando ao meu nariz: sangue e carne. Os restos quase intactos de um veado, um veado com os odores de Filhote Grande e da mãe morta, estavam enterrados sob a terra e a grama.

Não entendi nada, mas sabia que estava com fome, e mordi avidamente a caça. Depois de algum tempo, sem fazer barulho, Filhote Grande também começou a se alimentar.

Naquela noite, quando deitei sobre a grama, Filhote Grande chegou ao meu lado e cheirou a minha cara. Eu a lambi, o que a deixou tensa, mas, quando botei a cabeça no chão, ela relaxou, com cuidado, ainda cheirando e me conhecendo. Eu me segurei imóvel, permitindo o exame. Ela começou a ronronar, e eu sabia o que ela ia fazer isso antes mesmo de começar: esfregar o alto da cabeça contra mim, como os meus irmãos gatinhos faziam. Depois de algum tempo, ela se enroscou ao meu lado, e senti o medo deixar o seu corpo.

Isso parecia com dormir com a cabeça no peito de Mack quando fazíamos "Para o trabalho". Eu estava fornecendo conforto, não para uma pessoa, mas para um gato bebê com uma mãe morta.

Lucas cuidava de gatos. Ele os alimentava. Eu ia cuidar daquele filhote.

Eu acreditava que isso era algo que Lucas ia querer que eu fizesse.

Filhote Grande e eu passamos vários dias com a caça, comendo o máximo dela que podíamos. Quando não estávamos comendo, brincávamos. Filhote Grande gostava de me atacar, e eu gostava de derrubá-la de costas e segurar a sua cabeça na boca até que ela se contorcesse e saísse correndo. Ela também dormia grande parte do dia, mas ficava estranhamente alerta e acordada quando o sol se punha e eu sentia vontade de me enroscar para a noite. Ela saía andando em silêncio para as árvores e uma vez me surpreendeu voltando com um pequeno roedor, que dividimos.

Quando fui tomada por uma vontade impaciente de ir em frente, Filhote Grande me seguiu. Ela não parecia gostar dos cheiros humanos na trilha e preferia seguir sob qualquer cobertura que pudesse encontrar, desaparecendo de vista por grandes partes do dia. Eu, porém, conseguia sentir o cheiro dela, e sabia que Filhote Grande nunca estava muito longe. Quando não conseguia mais detectar com precisão onde ela estava, eu esperava e ela acabava me alcançando.

Eu sabia que conseguiria cobrir uma distância maior se não estivesse tão preocupada com o bem-estar de Filhote Grande, mas me sentia obrigada a garantir a sua segurança.

Quando estávamos a apenas dois dias do local da caça, senti a fome atormentar as minhas entranhas. Eu estava preocupada com Filhote Grande — como ia alimentá-la?

Na tarde do terceiro dia, eu tinha parado para beber água e decidi deitar e esperar que Filhote Grande se juntasse a mim. Ela acabou emergindo de trás de algumas pedras alguns momentos depois que a farejei escondida ali. Ela abaixou a cabeça até o poço pequeno e bebeu em silêncio. Gatos, aparentemente, não gostam muito de beber água. Um cachorro procura a água com alegria, fazendo muito barulho.

O cheiro de sangue tocou o meu focinho e levantei a cabeça, assustada. Comecei a babar e segui sem hesitação na direção da fragrância deliciosa. Filhote Grande me seguiu, mas não parecia sentir o mesmo cheiro que eu.

Então, vi uma raposa. Ela se movimentava em silêncio, mas na boca levava um coelho imóvel — a fonte do sangue. A raposa parecia não saber que eu estava atrás dela. Ela corria, mas o peso da caça a deixava mais lenta.

A raposa me viu ao mesmo tempo que Filhote Grande foi alertada da sua presença. Por um momento, nós três ficamos congeladas. Então, com uma explosão de velocidade que me surpreendeu, Filhote Grande avançou. Nós dois perseguimos a raposa, mas ela logo se afastou de mim. A raposa saltou com agilidade por cima de árvores caídas e mudou de direção abruptamente, tentando escapar. Mas Filhote Grande logo a alcançou, e a raposa deixou o corpo do coelho cair e fugiu.

Filhote Grande parou a perseguição para cheirar a presa abandonada, e me juntei a ela. Nós nos alimentamos juntas da caça da raposa, como se fôssemos uma matilha, Filhote Grande e eu.

A fome estava sempre conosco enquanto seguíamos na direção de Lucas. Eu sabia que isso significava que precisávamos de humanos, que tinham toda a comida boa. Felizmente, o verão parecia atrair pessoas para as montanhas e, onde elas paravam, comiam. Eu podia seguir o meu focinho com facilidade até esses locais, embora Filhote Grande se escondesse no momento em que sentia cheiro de gente.

Um dia, uma família estava sentada a uma mesa de madeira enquanto um fogo queimava em uma peça de metal erguida do chão por pernas finas. Um homem botou um pedaço grande de carne nessa peça, e a explosão imediata de aromas me encantou. Ele se virou na direção das pessoas à mesa, sem me ver, quando saí correndo da mata, peguei a carne sem me queimar e voltei depressa. O único humano que me viu foi um bebê em uma cadeira plástica que movimentava as pernas, mas não dizia nada.

Eu esperava me sentir como uma cachorra má, mas não me senti. Estava caçando. Dividi a refeição com a minha companheira filhote.

Outro dia, um homem estava parado dentro de um rio e, na margem, havia um saco cheio de peixes molhados. Peguei a bolsa inteira. Ele gritou comigo, sem dizer cachorra má, mas usando palavras que, apesar de eu não entender, comunicavam muita raiva. Ele também me perseguiu, com as botas pisando terra e pedras. Eu mal conseguia erguer a bolsa cheia de peixes, mas segui em frente e, após algum tempo, o homem, arfando, ficou para trás e parou. Ele ainda gritava.

Filhote Grande e eu comemos todos os peixes.

Na maior parte do tempo em que o meu nariz me levava até pessoas, elas já tinham partido do local. Aprendi que, quanto mais perto uma mesa de piquenique ficava da estrada, mais provavelmente eu encontraria um latão de metal com comida. Eu me tornei muito boa em subir no barril ou derrubá-lo, procurando no meio do papel e do plástico a comida que as pessoas tinham deixado ali. Frequentemente, isso significava deixar a trilha muito para trás e ir escondida dos carros até encontrar um lugar onde eu pudesse conseguir alimento. Filhote Grande nunca me acompanhava, mas sempre estava esperando quando eu voltava.

Na primeira vez que consegui localizar pedaços de sanduíche em um latão, eu os engoli, deixando que o meu estômago faminto tomasse as minhas decisões por mim. Também comi outras coisas, mas não encontrei nada para levar de volta para Filhote Grande.

Quando me aproximei dela, sentindo-me culpada, ela veio até mim e farejou minha boca. Então, fez algo inesperado: lambeu os meus lábios e, depois de algum tempo, eu regurgitei uma parte do que tinha devorado.

Isso determinou a forma como compartilhávamos as refeições que as pessoas botavam nos latões. Quase nunca encontrava algo grande o bastante para levar de volta intacto, como na vez em que encontrei um filhote de cervo morto na beira da estrada, com o corpo imóvel e ainda quente. De algum modo, Filhote Grande sentiu a minha luta para arrastá-lo de volta e se juntou a mim, me surpreendendo ao praticamente levantar a carcaça do chão com as mandíbulas.

Devagar, estávamos fazendo progresso na direção de Lucas. As trilhas eram curvas e sinuosas, e, durante o dia, eu escutava humanos, então nós duas nos escondíamos. Filhote Grande, assim como eu, não queria dar um passeio de carro.

Na maioria das vezes, eu sentia o cheiro de cachorros, e não achava que Filhote Grande fosse querer se encontrar com eles também. Tinha vontade de cumprimentá-los, mas eles sempre estavam com as suas pessoas, assim como eu um dia estaria com Lucas.

Quando senti cachorros sem humanos, porém, o pelo no meu pescoço se eriçou. Havia algo errado naquele cheiro, um componente feroz oculto no ar que me alarmava. Dava para farejar que eles nunca tinham tomado um banho ou comido comida de cachorro nos últimos dias. Eu também podia dizer que estavam nos seguindo e que estavam chegando mais perto. Filhote Grande não parecia perceber isso — ela queria dormir, como sempre, mas me seguia, pois éramos uma matilha.

Estávamos em uma área plana com rochas e algumas árvores pequenas quando percebi o que nos perseguia. Eu havia encontrado aquele tipo de criatura antes: eram coiotes — os cachorros pequenos e maus que via quando caminhava com Lucas. Havia quatro deles, uma fêmea e três machos jovens, e eles não nos perseguiam por curiosidade: estavam nos caçando.

Eu parei, e Filhote Grande tomou consciência deles quando chegaram em terreno aberto. Seus olhos ficaram escuros, e os lábios se afastaram, revelando os dentes. Ela agora estava quase tão grande quanto eu, mas soube por instinto que uma matilha de quatro era mais poderosa que duas criaturas maiores.

Nós precisávamos correr, mas não podíamos. Atrás uma parede íngreme de pedra se projetava da superfície da terra, e não tínhamos condições de escalá-la. As poucas árvores diante do morro não eram largas o bastante para se esconder atrás delas.

Soltei um rosnado baixo. Isso seria uma luta.

Os coiotes se espalharam, avançando aos poucos, parecendo astutos e cautelosos. Não havia dúvida das suas intenções: eles iam nos matar e nos comer. Rosnei de novo, encarando o perigo.

Capítulo 14

Fui tomada por uma fúria que não entendi, uma raiva instintiva que vinha do fundo do meu ser. Minha mente se encheu com o que pareciam memórias de coisas que nunca tinham acontecido, de batalhas perversas com aquelas criaturas. Elas eram inimigas, e eu era compelida a matá-las, rasgá-las com os meus dentes e fechar as mandíbulas nos seus pescoços.

Ainda assim, mesmo enquanto o ódio abrasador me tomava em um turbilhão, eu podia sentir o terror de Filhote Grande irradiando da sua pele e do seu hálito, os músculos tensos, a cara rígida. Ela ia correr — isso estava evidente nos músculos contraídos das patas.

Mas correr não adiantaria. Aquilo era uma matilha, e uma matilha ia perseguir a sua caça. O cume às nossas costas era impossível de subir, por isso a corrida ia levá-la ao longo da parede rochosa em uma ou em outra direção, e os coiotes acabariam a alcançando.

Apesar disso, ela correu, disparando ao longo da base do morro. Os quatro predadores reagiram se virando ao mesmo tempo para persegui-la. Os coiotes ainda estavam a alguma distância, mas se movimentando rapidamente a caminho de interceptá-la.

Sentindo-me impotente, corri atrás da minha companheira em fuga. Quando eles a alcançassem, ela não estaria mais sozinha.

No entanto, eles estavam se aproximando muito rápido e *chegaram*, quase bem em cima dela. Filhote Grande saiu correndo de baixo deles, subiu em uma árvore com um salto impressionante, agarrou-a com agilidade e escalou o tronco, com as garras fazendo um som audível de arranhar quando se cravavam na madeira.

Os coiotes pararam desordenadamente, parecendo desconfiados e perplexos. Tirei vantagem da confusão deles para me aproximar da árvore de Filhote Grande, pensando em fazer uma resistência ali para protegê-la. Suas línguas pendiam enquanto eles olhavam para os galhos. Eles se mantiveram bem afastados da base, como se estivessem preocupados que a minha companheira pudesse pular do alto em cima deles. Os bichos tinham caudas grossas, orelhas pontudas e caras frias e feias. Registraram os meus movimentos e se viraram para olhar para mim em um único giro coordenado de cabeças, os olhos astutos ao me avaliarem. Eu era uma cachorra solitária, e eles eram uma matilha.

Eu me aproximei do tronco e pude sentir o cheiro de Filhote Grande acima de mim. Sabia que ela estava com medo, mas eu estava bem. Queria aquela briga.

Os três machos partiram na minha direção, cortando o meu caminho até a árvore, até estarem perto o suficiente para que eu pudesse alcançá-los em apenas alguns saltos, mas então recuaram. A fêmea permaneceu na árvore, olhando com malícia para Filhote Grande.

Os machos pareciam intimidados. Apesar disso, estavam me caçando, e eu sabia que aquela covardia fingida tinha a finalidade de me atrair até eles, para que pudessem me atacar por todos os lados.

Eu estava de costas para as pedras. Meu rosnado se transformou em latidos, com a raiva encontrando caminho na minha voz. Quando avancei, todos pularam para longe, mas um saltou para o lado. Eu me virei para encarar essa ameaça, e outro coiote veio pelo lado oposto enquanto o que estava na frente correu irresistivelmente para perto das minhas mandíbulas antes de recuar.

Eu não sabia o que eles estavam fazendo, por que chegavam pelos dois lados em vez de atacarem de frente, mas desejei perseguir o que estava mais perto. Ainda assim, sentia que devia proteger Filhote Grande. Não queria deixá-la encolhida em uma árvore, de onde ela ia acabar tendo que descer. Lucas ia querer que eu a salvasse.

Eu ia precisar enfrentar os machos primeiro, depois a fêmea que estava à espreita.

Os coiotes faziam silêncio, mas eu latia ferozmente, com os lábios esticados para trás, e fechava os dentes ao menor movimento na minha direção. Eles pareciam estar detidos pela parede de pedra às minhas costas.

Um deles veio correndo de um lado, eu me virei e o ataquei com as minhas presas, pegando apenas ar, então girei e fui direto para o macho pequeno que chegou do outro lado e mordeu a minha cauda. Dessa vez, tirei sangue com os dentes da frente, e o predador gritou e se afastou.

Eu parei, desafiando-os, ainda latindo a minha fúria, enquanto os três coiotes andavam de um lado para outro à minha frente.

Então, farejei algo que podia mudar a situação: pessoas. Os coiotes não pareciam perceber, mas eu sentia o cheiro de pessoas chegando.

Vi que o coiote que eu tinha mordido estava mais afastado, deitado no chão, com a cauda e as orelhas abaixadas, mas os outros dois ainda estavam na caçada. Eles me atacaram e, ao tentar morder o mais próximo, arranquei um tufo de pelos. Quando ele pulou para trás, o outro saltou adiante, e as suas presas se fecharam com um estalo perto da minha orelha.

De repente, todos os quatro coiotes congelaram e viraram a cabeça para trás. Eles puderam sentir, então, o cheiro de humanos e ouvir as suas vozes.

— Ei! — gritou um homem.

Quando vários homens surgiram das árvores, correndo na nossa direção pelo terreno plano, os coiotes deram a volta e saíram correndo, a sede de sangue esquecida. A fêmea foi a última a partir e corri atrás dela, perseguindo-a por apenas alguns passos: eu ainda sentia que não podia abandonar Filhote Grande. Voltei para a árvore.

Os homens respiravam de forma ofegante e reduziram a velocidade ao se aproximar. Eles tinham grandes bolsas nas costas como a que Lucas usava quando "Fazíamos trilha".

— Ela está machucada? — disse um deles, arquejando. Enquanto falava, ele reduziu o passo. Usava uma camisa colorida na qual limpou o rosto suado.

— Ei! Aqui, cachorro, aqui, cachorrinho! — chamou outro. Seu rosto era peludo e me lembrou o do meu amigo Ty.

Houve um som arranhado e baixo acima de mim, e soube que Filhote Grande tinha apertado ansiosamente suas garras no galho de árvore.

Os homens chegaram esfalfados ao final da corrida, andando devagar, dois com as mãos nos quadris enquanto respiravam ruidosamente. Observei com cautela a aproximação deles. Eu tinha feito muito esforço para evitar contato com humanos, e agora todo um grupo deles estava caminhando até mim. Filhote Grande ia ficar com medo deles, mesmo se tivessem comida.

Mas eram pessoas, e eu abanava sem querer a cauda ao antecipar as suas mãos no meu pelo.

— Olhem! Olhem na árvore, na árvore! — gritou o homem de camisa colorida, animado. Ele ergueu a mão e apontou um dedo no ar.

— É um lince? — perguntou o homem com pelo no rosto.

— Não, é um puma, um puma novinho!

Outro homem pegou o telefone e o segurou diante do nariz. Ouvi Filhote Grande se mexer e observei os galhos acima. Seus olhos estavam arregalados e as orelhas achatadas enquanto observava os homens.

Eu conhecia um gatinho assustado quando via um. Alguns gatos têm medo de humanos e correm quando eles se aproximam, e, naquele momento, eles estavam perto o suficiente para que, se um deles tivesse uma bola, pudesse jogar para mim.

— Você está filmando? — perguntou o homem com a camisa colorida.

— Estou! — respondeu o homem com o telefone perto do nariz. Eu não entendia o que eles estavam fazendo, mas ainda se aproximavam, embora bem mais devagar, todos olhando para Filhote Grande.

— Meu Deus, que lindo — sussurrou o homem de rosto peludo.

— Nunca tinha visto um. Vocês já? Nunca tinha visto um na natureza.

— Ele está assustado.

O medo de Filhote Grande era tão pronunciado que fazia com que o próprio ar ficasse tenso. Seus músculos se contraíram por baixo do seu pelo, então, de repente, ela pulou da árvore e pareceu voar. Quase não fez barulho ao aterrissar no alto da parede de pedra e desapareceu na mesma hora, correndo morro acima por trás das pedras.

Filhote Grande! Corri até as pedras, mas não consegui subir a barreira; era íngreme demais. Eu me lembrei da Mamãe Gata fugindo de Lucas e achei que Filhote Grande estava provavelmente indo se esconder em algum lugar.

— Cara! Isso foi incrível! — gritou o homem de camisa colorida.

— Aqui, garota, está machucada? Você está bem? — perguntou outro homem, que usava um gorro macio na cabeça. Ele era quem estava mais perto de mim, a mão estendida de maneira amigável.

Por um momento, fiquei dividida. O convívio com Filhote Grande tinha introduzido a vida selvagem em mim, e a atração do seu cheiro quase me fez sair correndo e tentar alcançá-la. Mas ouvi a bondade na voz do homem de gorro. Quando a mão estava ao meu alcance, eu a lambi, sentindo o gosto de óleo de peixe e terra.

— Ela é carinhosa.

O homem me deu petiscos para comer: pedacinhos de carne de um pacote. Fiz "Sentada" para que ele não parasse.

— O que está fazendo aqui, menina? — perguntou o homem com o rosto peludo de Ty, enquanto acariciava as minhas orelhas. Eu me encostei nele e fechei os olhos.

— Acho que alguém estava caçando pumas, e este deve ser um dos cachorros desse pessoal.

— Isso é permitido?

— Droga, não, não é *permitido*. Eles estão ameaçados de extinção. Mas alguns doentes pagam um bom dinheiro por um. Eles empalham e botam nas suas bibliotecas e se gabam de os terem matado, ou querem apenas as patas, os dentes ou algo assim.

— Então, a cachorra fez o gato subir na árvore? Uma cachorra?

— Parecia ser um puma muito jovem.

— Aí os coiotes apareceram.

— Exatamente.

— Eles teriam matado a pobrezinha.

— Eu sei. Ainda bem que você falou para a gente verificar os latidos.

— Eu podia dizer pelo som que ela estava em agonia.

— Qual é o seu nome, garota?

Agitei a cauda enquanto o homem de camisa colorida acariciava a minha cabeça.

— Você quer esperar, para ver se os caras aparecem atrás da cachorra?

Os homens olharam uns para os outros por um longo momento. Eu podia sentir o cheiro de petiscos nas suas bolsas e torci para que eles estivessem falando sobre me dar mais.

— Não sei. Não consigo imaginar um caçador ilegal muito feliz em nos ver, mesmo que tenhamos salvado a cachorra dele.

— Uma pessoa que esteja caçando pumas vai estar armada.

— Isso também é ilegal, né?

— Acho que sim.

— Alguma coisa me diz que esse cara, na verdade, não se importa com as leis.

— Ótimo. E se algum babaca com uma arma estiver puto com a gente por espantar o seu troféu?

Fui até lá e farejei uma das bolsas no chão, lembrando aos homens que havia petiscos ali dentro que podiam ser compartilhados com uma boa cachorra. Fiz "Sentada" outra vez, sendo boazinha, para ajudá-los a tomar aquela decisão.

— Então, o que fazemos em relação à cachorra? Nós a soltamos?

— Quer vir conosco, garota? — O homem de gorro enfiou a mão na bolsa e pegou mais um petisco.

— Talvez devêssemos cancelar isso tudo.

— Você quer voltar para San Luis? Havia aquele casal acampado lá. Dá uma segurança ter gente por perto.

— Na verdade, não.

— Vamos *embora*.

— E a cachorra?

— Vamos ver se ela nos segue.

— E se não seguir?

— Então ela vai atrás do dono.

— Eu acho que devíamos denunciar o sujeito.

— Certo, claro, se nós o virmos, você pode dar a ele voz de prisão.

— Ela parece estar com fome.

— Você quer dar a ela um daqueles pacotes de atum?

— Quero.

O homem com a camisa colorida se ajoelhou ao lado da bolsa e dei toda a minha atenção a ele. Ele pegou um pequeno pacote que se abriu com um ruído baixo e encheu o ar com uma fragrância deliciosa de peixe, o mesmo aroma que cheirei nos dados do homem de gorro. Ele pôs pedaços de peixe em uma pedra para mim e eu os comi logo, lambendo o óleo nos lábios quando terminei.

— Vocês acham que estamos a que distância da estrada 149? — perguntou o homem com o rosto peludo.

— Talvez uns quinze quilômetros.

— É melhor irmos andando, então.

Os homens pegaram as suas bolsas e as botaram nas costas, o que me indicou que não haveria mais peixe. Humanos são maravilhosos e sempre conseguem encontrar comida, mas, às vezes, eles interrompem o jantar antes que uma boa cachorra tenha ficado satisfeita.

Eles não me botaram em uma guia nem me chamaram, mas o jeito que me olharam sugeria que queriam que eu os seguisse. Entrei em fila atrás deles, e logo estávamos de volta à trilha. Os homens, porém, iam na direção errada, para longe de onde eu precisava ir. Para longe de Lucas.

Eu estava dividida. Precisava fazer "Para casa". Mas aquele peixe era muito gostoso.

Cruzamos um riacho e, quando fizemos isso, as correntes que flutuavam na superfície da água trouxeram o cheiro de Filhote Grande. Os homens não reagiram, mas as pessoas não parecem saber quando algo com o odor forte está perto e passam andando pelas fragrâncias mais maravilhosas sem nem mesmo parar. É por isso que todo mundo devia ter um cachorro, porque não deixamos essas coisas passar e, quando estamos na guia, podemos parar o passeio para saborear o que quer que precise de atenção.

Nesse caso, eu sabia que Filhote Grande tinha parado de correr e nos seguia, no alto da encosta, longe da trilha onde estávamos. Também sabia que ela não ia se aproximar mais.

— Acho que o melhor que podemos fazer é levar a cachorra conosco quando voltarmos para Durango — disse um dos homens.

— E entregá-la ao controle de animais?

— Isso.

— Mas aí eles não vão botá-la para dormir?

— Não sei, ela é uma cachorra bonita. Tipo uma mistura de pastor com rottweiler.

Ergui os olhos ao ouvir a palavra "cachorra", mas estávamos andando e ninguém levou a mão à bolsa para pegar um petisco.

— Sério? Você acha que tem rottweiler? Eu estava pensando mais em bull terrier. Não a cara, mas o corpo.

— Ela pode dormir na sua barraca, Mitch! — respondeu o homem de gorro com uma risada.

Quando o dia começou a cair, os homens armaram casinhas de pano e pegaram uma caixa pequena de metal com chamas e cozinharam alguma comida, que dividiram comigo. Gostei mais do molho de queijo, mas comi tudo, até as hortaliças para as quais não ligava só para encorajar o comportamento deles.

— Será que a vagem vai fazê-la peidar muito? — perguntou um deles.

— Como eu disse... ela fica na sua barraca.

Enquanto estávamos ali sentados, a tarde escureceu. Dava para sentir o cheiro de Filhote Grande mais forte e eu sabia que ela estava perto. O que ela achava daquela mudança, agora que eu estava deitada aos pés de tantos humanos? Essa era a hora do dia em que Filhote Grande ficava mais inquieta — eu queria dormir, e ela queria me atacar e brincar. Se eu estava cansada demais, ela saía pela noite de forma tão silenciosa que apenas o meu focinho me dizia que direção tinha tomado.

Eu escutava os homens conversarem, torcendo para ouvir palavras que entendesse e fossem relacionadas com comida, quando o travo forte de sangue chegou até mim. Na mesma hora, percebi que Filhote Grande tinha caçado alguma coisa, embora eu não estivesse lá para ajudá-la. Visualizei um dos pequenos roedores que ela tinha conseguido apanhar nos últimos dias — era esse o cheiro.

Filhote Grande ia querer voltar até mim com a caça, e eu não estaria lá.

Fiquei de pé. Balançando o rabo, fui até todos os homens, um de cada vez, e os saudei e deixei que eles me acariciassem. Era isso o que eu fazia em "Para o trabalho". As pessoas se sentiam melhor com um cachorro, e esses homens não eram exceção — todos se animavam com a atenção individual.

Eles eram legais e tinham me alimentado, mas pertenciam à categoria de pessoas prestativas que estavam me levando para longe de Lucas. Andei com eles porque senti uma forte vontade de fazer isso, de estar com pessoas e jantar, mas naquele momento precisava ir embora. Precisava fazer "Para casa".

— Boa cachorra — disse para mim o homem do gorro, coçando o meu peito. Lambi o rosto dele.

Enquanto os homens estavam ocupados tirando coisas das bolsas, dei a volta e saí pela noite para encontrar Filhote Grande.

Capítulo 15

DURANTE OS VÁRIOS DIAS SEGUINTES, FILHOTE GRANDE E EU NÃO ENCONtramos nenhum humano para nos alimentar, embora tenhamos atravessado diversos riachos e poços e conseguido evitar a sede. A fome se tornou uma dor constante, e eu inalava em vão, procurando inspirar o aroma intoxicante de carne cozinhando, embora soubesse que onde não havia pessoas não havia comida sendo preparada.

Filhote Grande me seguia, mas sempre queria parar e dormir à sombra. Com cada vez mais frequência, o estômago vazio drenava a minha força e eu me juntava a ela, incapaz de continuar sem dormir.

Nós caçávamos, mas Filhote Grande era péssima nisso. Ela não parecia ter a capacidade farejar o odor óbvio de animais pequenos, embora aprendesse a identificar quando eu estava rastreando uma presa e me seguisse de perto. Sempre, porém, que eu encontrava alguma coisa, Filhote Grande não me ajudava a persegui-la. Ela apenas se agachava e observava eu me exaurir, quase invisível, enquanto se escondia nas pedras. Além de irritante, aquele não era um bom comportamento de matilha. Precisávamos trabalhar juntas para pegar comida, mas ela não entendia isso.

Ela também tinha medo de água. Um riacho raso parecia promissor para nós duas — peixes nadavam logo abaixo da superfície —, mas, depois de pular atrás deles repetidas vezes, tudo que conseguimos foi nos molhar todas, e percebi que isso aborrecia Filhote Grande. Então, quando ela mergulhou longe demais na corrente e ficou submersa por um segundo, voltou em um pânico cego, subiu a margem e correu, e esse foi o fim da caçada.

Eu podia sentir o cheiro de cidades, mas elas pareciam distantes, distantes demais para nos servir de qualquer maneira. Tudo em que eu podia pensar eram latões de carne jogada fora e portas dos fundos se abrindo para que as pessoas pudessem distribuir bacon e petiscos de sacos ou tigelas de comida. E a minha casa ficava muito mais longe. Mesmo quando a fragrância característica dela não estava se misturando no meu focinho, eu tinha marcado a sua direção tão profundamente que podia dizer quando estávamos seguindo para ela ou quando a trilha dava outra volta.

Eu estava ficando fraca. Tirava cochilos frequentes e dormia a noite inteira, sem perceber quando Filhote Grande saía ou voltava.

Estava tão cansada que, quando vi um coelho pular, quase não reagi. Então parti atrás dele, e o bicho fugiu, mudou de direção, disparou e foi parar direto no mesmo lugar de Filhote Grande, que avançou com a pata esticada e o pegou!

Nós nos alimentamos com entusiasmo, lado a lado.

O coelho me revigorou, embora a pequena refeição tenha parecido tornar a fome pior, mais dolorosa. No início da manhã seguinte, acordei com alguma energia, então me surpreendi quando sangue fresco chegou a mim pela brisa, sangue misturado com o cheiro de Filhote Grande.

Ao retornar para onde estávamos alojadas, estava carregando um animal estranho, um roedor grande de um tipo que eu nunca tinha visto antes. Na manhã seguinte, ela fez a mesma coisa e, algumas manhãs depois, trouxe outro coelho.

Eu não sabia onde ela encontrava presas nem como conseguia capturá-las, mas fiquei agradecida pela ajuda. Tinha certeza de que Lucas ia querer que eu providenciasse refeições para Filhote Grande, do mesmo jeito que ele alimentava os gatos na toca. No entanto, sem as pessoas, eu estava impotente.

Quando Filhote Grande vinha brincar de rolar comigo, mesmo mais pesada e maior que eu, ela ainda me respeitava. Eu era a líder da nossa matilha. Ela era tão rápida e ágil, tão capaz de escapar e me atacar com as patas que, às vezes, eu ficava irritada com ela e botava os meus dentes na sua garganta enquanto ela estava deitada de costas — sem morder, mas para que ela soubesse que, apesar de ser maior, eu era a líder ali. Ela ficava deitada de forma submissa até que eu a deixasse levantar, então ela *me* derrubava de costas.

Filhotes de gato, pela minha experiência, não sabiam brincar direito.

Mesmo com a pequena refeição, minha fome era constante e debilitante. Certos dias era uma luta ficar de pé. Em uma dessas manhãs, o ar estava frio, parado e seco. Filhote Grande estava me seguindo e, de repente, parou em uma depressão entre duas árvores caídas. Virei para trás, não para apressá-la, mas para me deitar ao seu lado. Eu me ajeitei com um gemido, preparada para dormir o restante do dia.

O cheiro forte de sangue me acordou, um rastro instantaneamente reconhecível no ar. Algo por perto estava sangrando. Olhei para Filhote Grande, que sentiu a minha agitação e me lançou um olhar sonolento. Pulei de pé e levantei o focinho no vento. O que quer que estivesse produzindo aquele cheiro estava se aproximando. Filhote Grande também levantou a cabeça, alerta.

Seguimos o sangue até uma área com árvores e grama. Em pouco tempo, chegamos a uma corça grande que estava deitada imóvel na grama, na base de uma árvore. Do seu pescoço se projetava uma vara comprida, e o cheiro de humanos era forte nesse objeto estranho. A corça tinha sangrado de onde a vara penetrara na sua carne, mas não estava mais se mexendo nem respirando. Ela estava morta — não havia muito tempo, mas, quando fugiu para aquela área, não conseguiu correr mais.

A reação de Filhote Grande foi inesperada: em vez de se alimentar, o que achei que fôssemos fazer, ela pegou o pescoço da corça com as mandíbulas e começou a arrastá-la dali. Aquilo era alguma espécie de brincadeira? Eu a segui, intrigada por aquelas ações.

Filhote Grande não parou até chegar a uma faixa de solo arenoso perto de um rochedo. Ela largou a corça e enfim comemos, mas o comportamento estranho continuou — depois da nossa refeição, ela escavou a terra e, após algum tempo, cobriu a caça com areia, folha e grama.

Parecendo satisfeita com o seu trabalho, Filhote Grande foi até um rochedo maior e se deitou ao lado dele, escondida no capim seco. Sentindo-me cheia e preguiçosa, me estiquei ao seu lado e peguei no sono, escutando-a ronronar.

Ficamos com aquela corça por vários dias, nos alimentando, dormindo, indo até um riacho para beber água, e mais nada. Eu me sentia inquieta, querendo andar e fazer "Para casa", mas o luxo de ter o suficiente para comer era um atrativo muito sedutor.

Finalmente, partimos. Filhote Grande permanecia longe da trilha, mas eu podia sentir o cheiro dela com a mesma certeza que sentia o cheiro dos humanos que tinham andado por ali, embora os aromas de pessoas tivessem muitos dias de idade. Eu sempre sabia quando ela tinha parado, e em geral saía da trilha e a encontrava estirada sonolenta em uma área escondida. Em dias em que não tínhamos comido, eu me enroscava ao lado dela.

O tempo era medido pela fome. Não se passavam muitas noites sem que a minha companheira felina trouxesse para casa um animal grande o suficiente para nos saciar. Por um ou dois dias, fazíamos bom progresso, mas a fome ia de um incômodo leve à dor, e depois se tornava uma obsessão absoluta. Eu deixava que Filhote Grande me afastasse do caminho para Lucas, às vezes até voltando pela trilha, para que ela conseguisse caçar algo. Depois, eu voltava à minha busca.

Quando eu farejava raposa, saía para investigar, embora nunca tivéssemos encontrado outra com um coelho para roubar. Quando captava o fedor de coiotes, eu levava Filhote Grande para longe, para que ela permanecesse segura.

Então um dia aconteceu uma coisa que mudou tudo.

Neve.

O céu só estava um pouco mais claro que a escuridão completa quando acordei, consciente do frio no lugar onde Filhote Grande estava deitada quando eu dormi. Tentei localizá-la, respirando fundo — o cheiro esmaecido me disse que ela tinha deixado a nossa toca havia algum tempo e não estava por perto.

O que farejei em vez da minha companheira foi a transformação da paisagem. Havia pelo chão uma camada pesada de neve, mais grossa que uma cama de cachorro, e flocos molhados continuavam a cair do céu com um ronco abafado. As fragrâncias deliciosas de terra, insetos e animais foram apagadas pela presença nítida e limpa do inverno. Reforçado pelo amortecimento do caos de aromas que encheu o meu focinho por todo o verão estava o meu senso de direção de casa, que se erguia agora como uma força poderosa no vento.

Quando entrei nesse mundo novo, minhas patas afundaram, desaparecendo de vista, e, para avançar, eu precisava abrir caminho com as patas dianteiras. Eu me lembrei de rolar na neve com Lucas, perseguir uma bola com ele na neve, mas o que antes era pura alegria agora parecia um obstáculo. Caminhando pela neve, meu progresso era lento e entediante. Frustrada, olhei para a distância invisível, onde os morros tinham ficado borrados até uma quase invisibilidade pela queda contínua de neve. Aquele era o caminho para Lucas, mas como eu chegaria até a minha pessoa através disso?

Quando o sol havia emergido totalmente, e a luz brincava na paisagem nevada, senti Filhote Grande vindo na minha direção. Sua aproximação era ainda mais silenciosa com a camada de branco no chão, que abafava o som. Eu tinha voltado para o lugar onde passara a noite e, quando ela apareceu, surgindo de trás de uma pequena elevação, me assustei. Observei sem compreender enquanto ela deslizava na minha direção, com as patas mal afundando na neve. Seu passo estava estranho, com as patas traseiras pousando nas depressões deixadas pelas dianteiras com uma exatidão graciosa. Eu nunca tinha visto outro gato caminhar assim.

Ela me farejou com cuidado, como se sentisse a minha confusão, antes de me cumprimentar com a esfregada habitual de cabeça no meu pescoço. Ela podia não saber que estávamos fazendo o nosso caminho de volta a Lucas, e que um dia no futuro ela ia viver conosco ou com a Mamãe Gata na toca do outro lado da rua, mas ela me seguira até ali, então ou devia saber que eu estava fazendo "Para casa", ou tinha alguma razão própria para seguir naquela direção.

Nesse dia, não tentei lutar contra a inclinação de Filhote Grande de dormir até anoitecer, não com a neve caindo. Aquecemos uma à outra enquanto flocos brancos caíam sobre nós e acabaram por cobrir as duas com uma capa grossa.

Quando Filhote Grande bocejou, sacudiu a neve do pelo e deixou tranquilamente o ponto onde estávamos dormindo enquanto a luz desaparecia do céu nublado. Eu a segui por um tempo bem curto. Não consegui acompanhar, mesmo quando seguia pela trilha que ela fazia na neve. Onde ela parecia afundar muito pouco, eu ficava com neve até o peito.

Eu me senti aprisionada.

Naquela noite, quando ela voltou, cheirava a uma caçada bem-sucedida, embora não tivesse levado nada para mim. Ela virou e saiu andando de um jeito que, eu sabia, significava que ela queria que a seguisse. Aos saltos e com dificuldade, me esforcei para ir atrás dela, abrindo sem muito jeito um caminho até um jovem alce enterrado na neve. Por mais incrível que parecesse, ela havia abatido uma criatura maior que nós duas. Eu não conseguia imaginar como.

Nós nos alimentamos com entusiasmo, então voltamos para a toca temporária. Eu teria preferido permanecer com o alce morto, mas Filhote Grande me levou para outro lugar, e eu a segui, porque não sabia mais o que fazer. Era como se a chegada da neve tivesse reordenado a matilha, e agora ela estivesse no comando.

Essa ruptura estranha na estrutura estabelecida continuou. De algum modo, Filhote Grande conseguia encontrar presas à noite — não toda noite, mas com frequência suficiente para não passarmos fome. Comíamos os veados e os alces que ela enterrava na neve ou os coelhos e outros mamíferos pequenos que eram levados para a toca.

Meu nariz me dizia que Filhote Grande não estava caçando em terreno aberto, mas se mantendo em faixas de floresta e lugares onde o sol e a exposição ao vento removiam grande parte da neve. Quando eu estava nessas áreas, sentia como se Lucas tivesse acabado de soltar a minha guia. Entre as árvores, a neve era de uma espessura variável, e aprendi a encontrar os locais onde era mais fina e eu podia correr. Filhote Grande passeava por essas áreas, pisando com elegância sobre troncos caídos, o que eu achava impossível. E, é claro, ela resistia a ir muito longe durante o dia. Eu não entendia por que ela queria gastar toda a energia à noite, quando era impossível ver qualquer coisa.

Praticamente não fazíamos avanços na direção de Lucas. As caçadas de Filhote Grande nos levavam a qualquer direção em que ela sentisse uma presa, que não era para onde eu queria que fôssemos. Na maioria das vezes, seguíamos por uma trilha de veado com cheiro forte, onde a neve pisada tornava mais fácil para mim segui-la — mas também sinuosa e sem rumo, fora de curso. Eu sentia falta de Lucas e desejava ficar com ele, e estava infeliz com saudade do seu toque. Eu queria ouvi-lo dizer "boa cachorra". Queria "Pedacinho de queijo". Eu precisava tanto da minha pessoa que não conseguia dormir.

Muitas vezes, o terreno pelo qual andávamos era íngreme. Às vezes, eu conseguia sentir o cheiro de pessoas e máquinas, fumaça e comida morro abaixo. Podia ser uma cidade no vento, ou apenas algumas pessoas encolhidas perto de uma fogueira.

Morro abaixo significava humanos. Para cima, havia apenas o cheiro puro e feroz de rochas e gelo. Filhote Grande sempre escolhia subir, e eu ia atrás.

Ficava ainda mais frustrada quando sentia o *nosso* cheiro. Filhote Grande e eu estávamos cruzando o nosso próprio caminho, não fazendo "Para casa", mas apenas à procura de presa, mesmo que aquilo significasse andar em círculos.

As tempestades, por alguma razão, pareciam tornar a caça mais fácil para ela. Com o estômago cheio, avaliei onde estávamos, um lugar tão alto na montanha que as árvores eram esparsas, e o terreno descia íngreme do lugar onde eu estava até onde podia ver. Filhote Grande tinha voltado para o lugar em que dormíamos para passar o dia, mas eu estava fora, andando pelo branco ininterrupto, mantendo-me entre as árvores, dedicada a provar que podia ser uma caçadora tão eficiente quanto ela se a situação fosse mais favorável.

Então, congelei com uma leve sugestão de cheiro no ar frio.

Cachorro.

Sem hesitar, me virei naquela direção, embora isso significasse me esforçar para subir. Os sinais, no início, eram fugidios e, enquanto procurava por eles, captei outra coisa: humanos.

Isso me fez parar e pensar. Eu não via uma pessoa há muito tempo, desde antes da primeira neve. A cautela de Filhote Grande perto até do mais leve indício de humanos tinha me dado uma sensação instintiva de que não devia me aproximar deles, uma sensação reforçada pela tendência que até mesmo pessoas boas que me davam comida acabariam me levando para longe de Lucas.

Porém, para ver o cachorro eu ia ter que me aproximar do humano, porque o buquê misturado de canino e humano estava descendo até mim. Eu podia farejar dois outros humanos, também machos, mais para o lado.

Quando saí das árvores e ergui os olhos, vi uma parede branca escarpada que se erguia íngreme na direção do céu. Bem lá no alto, um homem e um cachorro estavam caminhando pela neve pesada pouco abaixo de onde o morro terminava em um espinhaço. Havia uma parede pesada de neve em cima do cume, dobrada em uma saliência gigantesca. O homem estava usando sapatos muito compridos e segurava bastões nas mãos, e eu podia sentir que o cachorro, cuja cabeça estava acima dos quadris do homem, era macho. Não sabia por que alguém levaria o seu cachorro para passear tão alto em uma montanha, mas humanos estão no comando, e eu tinha certeza que o cão estava feliz — na verdade, podia ver certa alegria no seu passo contido.

— Pare! Ei! — gritou alguém. Assustada, girei a cabeça para olhar para o outro lado da encosta, onde não havia um espinhaço, apenas um cume ondeado. Os dois outros homens, tão longe que pareciam bem pequenos, estavam com as mãos na boca.

— Saia daí! — gritou um.

— Não é seguro! — berrou o outro.

— Zona de avalanche!

— Pare!

Os homens pareciam assustados e com raiva. O homem no alto do morro continuou a andar, mas o cachorro parou e virou, e eu soube que ele tinha escutado as vozes. Então olhou para mim, porque tinha captado a minha presença também.

Embora estivesse muito longe, essa interação canina fez com que eu abanasse o rabo. Eu brincava com Filhote Grande todo dia, mas, naquele momento, queria brincar com um cachorro.

— Saia daí! — gritaram, ao mesmo tempo, os dois homens que estavam ao meu lado.

O cachorro latiu e deu alguns passos morro abaixo na minha direção. Quase sem querer, abri caminho pela neve grossa na direção dele, abanando o rabo ainda mais.

— Dutch! — gritou o homem com o cachorro. — Volte aqui!

O cachorro olhou para a sua pessoa, então saltou à frente de novo. A inclinação era tão íngreme que ele conseguiu viajar uma distância considerável em apenas alguns pulos. Ele também balançava o rabo. O homem levantou o sapato comprido e pisou com ele sobre a neve.

— Dutch! Venha cá! — ordenou.

— Cuidado!

Houve um barulho estranho e baixo, como quando Lucas jogava um travesseiro em mim e ele acertava a parede. A saliência de neve no alto do espinhaço se fragmentou e caiu. O homem abaixo dela virou a cabeça para olhar quando um ronco, alto como um caminhão, abalou o ar. Ele caiu, rolando, quando o chão deslizou embaixo dele, quase como água em um riacho. A onda pegou o cachorro e o derrubou, e os dois estavam em apuros quando despencaram na minha direção, se movendo mais rápido do que eu já tinha visto qualquer outra coisa se mover, até Filhote Grande.

O ronco trovejante e a visão estranha da terra *deslizando* de repente me encheram de terror. Eu precisava sair dali. Dei meia-volta e corri na direção das árvores, seguindo em saltos longos, com o ruído ribombante atrás de mim cada vez mais alto. Então, uma coisa me atingiu e me jogou no ar. Perdi todo senso de direção, sem saber se estava para cima ou para baixo. Eu rolava e caía, não conseguia ver nada, minhas patas não conseguiam encontrar o chão, e eu tinha apenas um pensamento quando algo atingiu a minha cabeça.

Lucas.

Capítulo 16

CAÍ, ME SENTINDO DORMENTE, SEM CONSEGUIR SENTIR CHEIROS NEM VER nada. Resfoleguei, e o ar me deixou. Então, de repente, o barulho acabou. Sacudi a cabeça para limpá-la e tentei entender o que tinha acabado de acontecer, mas não consegui. Eu estava no meio das árvores, mas não sabia como tinha chegado ali.

Minhas patas traseiras estavam presas sob uma neve tão pesada que parecia que Lucas estava deitado em cima delas. Se ele estivesse ali, se Lucas estivesse ali, ele saberia o que fazer. Arfando, me esforcei para me soltar. Eu me lembrei dele me levantando dos braços de Wayne por cima da cerca. Era disso que eu precisava, da minha pessoa me tomando nos braços e me tirando dali. Choraminguei. Não conseguia mexer a parte de mim que estava enterrada, então fiz mais força com as patas dianteiras para me arrastar para a frente. Senti a neve ceder, mas só um pouco. Puxei e consegui mexer de leve uma das pernas e depois a outra. Agora, eu podia empurrar com as duas patas traseiras, e após uma tentativa final de me manter prisioneira, a neve me soltou, e eu me sacudi, exausta.

Apenas momentos antes o ar estava cheio de um barulho tão poderoso que apagava tudo, embora, naquele momento, houvesse um silêncio estranho. Olhei ao redor, tentando entender aquilo tudo.

O cachorro. Ele estava morro acima, e estava soluçando, exalando um medo frenético. Embora não fôssemos uma matilha, o instinto de ajudá-lo surgiu dentro de mim e, sem hesitar, corri na direção dele, o chão aos meus pés estranhamente firme, como se o barulho de algum modo tivesse compactado tudo.

O cachorro estava na linha das árvores, cavando, com neve voando atrás dele. Era um cachorro grande, maior que eu, com pelo escuro e grosso. Ele não olhou para mim quando me aproximei nem deu sinal de reconhecer a minha presença. Mas seus uivos de agonia enquanto cavava eram fáceis de interpretar. Alguma coisa estava errada. Mas o quê? Por que ele estava atacando a neve de maneira tão frenética?

Não sei exatamente o motivo, mas, no instante seguinte, eu estava cavando ao lado do cachorro macho, com o mesmo frenesi nos movimentos. Alguma coisa estava errada, e escavávamos, mas eu não sabia nada além disso.

Pouco tempo depois, senti o cheiro de humanos — os dois homens que estavam com raiva antes.

— Ali! Ali! — gritou um deles. — Viu? Eles estão cavando!

Continuei a cavar, removendo gelo duro e denso da melhor maneira possível. Meu focinho, então, me disse o que estava ali — um homem, o mesmo homem cujo cheiro estava presente no cachorro macho. Estávamos cavando para salvar o homem.

Dedicada à minha missão, só olhei para os dois homens quando eles subiram deslizando sobre os sapatos compridos. Um era mais alto e tinha pele mais escura que o outro. Eles tiraram os sapatos estranhos.

— Esses devem ser os cachorros dele!

Os homens se ajoelharam ao nosso lado, e agora havia dois cachorros e dois humanos cavando. Eles enfiavam as mãos enluvadas ali dentro, e os braços compridos os ajudavam a remover mãos cheias de neve.

— Peguei a camisa dele! — Os dois homens se aproximaram do lugar onde o cachorro macho cavava, e o cachorro macho se afastou, mas não parou de cavar.

— A boca dele está congelada. Meu Deus.

— Está vivo?

Um dos homens tirou a luva.

— Ainda tem pulsação!

— Mas não está respirando!

Os homens tiraram o monte de neve sobre o rosto do homem enterrado. Eu podia sentir o medo frenético que sentiam. Logo eles tinham exposto o seu ombro. Os dois se levantaram, cada um segurou um braço, e puxaram para trás.

— Meu Deus!

— Continue puxando!

Os homens caíram, e o homem enterrado agora estava em parte fora do buraco. O cachorro macho lambeu o rosto dele, chorando.

O homem mais alto ergueu um telefone.

— Sem sinal. Vou voltar para a cabana e pedir ajuda. Consegue fazer boca a boca? Gavin?

— Sim! — O homem mais baixo começou a beijar a pessoa do cachorro macho.

O outro homem calçou de novo os sapatos grandes e saiu andando com movimentos rápidos e entrecortados.

— Volto assim que puder!

O homem que estava beijando assentiu, mas continuou a respirar fundo e a botar a boca sobre a do homem inconsciente.

— Ainda tem pulsação!

O homem alto usando os sapatos grandes pegou varas e tomou impulso com elas, movendo-se com agilidade pela neve em um passo deslizado que eu nunca tinha visto antes.

O cachorro macho pareceu me perceber pela primeira vez, embora tenha dado apenas uma olhada na minha direção. Sua língua estava para fora, o corpo tremia e os olhos estavam bem abertos. Ele não levantou a perna nem farejou embaixo da minha cauda — só andou para a frente, quase em cima do homem enterrado, ainda ganindo.

Não houve som por várias respirações profundas do homem que beijava, então o que estava deitado na neve começou a gemer.

— Ah, graças a Deus, graças a Deus — disse o homem, ajoelhado. Ele se virou para olhar para mim. — Ele vai ficar bem, acho. Agora está conseguindo respirar sozinho.

O outro homem não abriu os olhos, mas tossiu e emitiu um silvo, e o cachorro macho lambeu o seu rosto.

Fiquei com o homem que gemia, com o cachorro e o outro homem, que foi legal o bastante para nos alimentar com um pedaço de pão. Depois de algum tempo, ouvi máquinas barulhentas se aproximarem de algum lugar distante abaixo, mas, ainda assim, fiquei onde estava — não apenas por causa do pão, mas porque sentia que precisava estar ali, do mesmo jeito que tinha que ajudar Ty e alguns dos meus amigos que ficavam tristes de vez em quando e precisavam de um cachorro. Era o meu trabalho. O homem do pão estava agitado e aflito, enquanto o homem que gemia parecia não ter consciência de muita coisa.

— Dutch, esse é o seu nome? — perguntou o homem do pão, olhando para a coleira do cachorro macho. — Oi, Dutch!

Pela reação do cachorro, pude ver que era assim que as pessoas o chamavam.

O homem do pão estendeu a mão e tocou a minha coleira. Eu farejei a mão dele, sentindo o cheiro de Dutch, do pão e pouca coisa mais.

— Qual é o seu nome? Por que a sua coleira não tem placa?

Abanei o rabo. Sim, eu ia ganhar mais pão.

Quando as máquinas barulhentas chegaram, cada uma delas carregava duas pessoas nas costas e arrastavam um trenó. Havia três mulheres e um homem nas máquinas, e eles levantaram com cuidado a pessoa do cachorro macho sobre o trenó e o prenderam. O homem gemeu alto quando eles o moveram, mas não acordou.

— Ele vai ficar bem? — perguntou o homem do pão a uma das mulheres.

— Depende de quanto tempo o cérebro ficou sem oxigênio. É um bom sinal que o coração não tenha parado de bater. Você fez a coisa certa.

— Nunca tinha feito isso. Quero dizer, respiração boca a boca — respondeu ele. — Caramba.

— Você está bem? — perguntou ela, de forma simpática.

— Para falar a verdade, não. Ainda estou tremendo.

— Você salvou a vida de um homem, devia estar se sentindo bem.

— Preciso de um martíni. Depois disso, vou me sentir bem.

A mulher riu. Abanei o rabo com o som, mas Dutch estava observando com ansiedade as pessoas prenderem a sua pessoa ao trenó. Eu o farejei, praticamente conseguindo sentir o gosto da ansiedade que se derramava dele.

— E os cachorros? — perguntou o homem do pão.

— Hã? — respondeu a mulher.

— Vocês mandam alguém para buscá-los?

— Isso não... Na verdade, não temos equipamento para cuidar de cachorros.

— Ah... — O homem baixou uma luva para acariciar a minha cabeça, e eu me esfreguei nele da mesma forma que Filhote Grande me cumprimentava. — Bom, eles pertencem ao cara que vocês estão levando para o hospital.

— Isso é um problema. Somos resgate de montanha. Nunca tivemos uma situação em que a vítima tivesse um cachorro.

— Entendi. — Ele acariciou a minha cabeça de novo, e abanei o rabo. — Então, o que vai acontecer com eles?

A mulher bateu as mãos, levantou um borrifo de neve e limpou os flocos do casaco.

— Isso, eu acho, depende de você.

* * *

Observamos enquanto as pessoas subiam nas máquinas, que começaram a fazer um ronco trovejante. Então, com um movimento brusco, elas foram embora, arrastando o homem da neve atrás deles no trenó. Dutch soltou um grito e foi atrás, levado pelo pânico desesperado em uma corrida aos tropeções pela neve.

— Dutch! Aqui, garoto! — gritou Homem do Pão para ele. As máquinas pararam, e Homem do Pão botou os sapatos compridos e deslizou até eles. Dutch circundou com ansiedade as máquinas, botando uma pata no trenó onde a pessoa dele estava deitada.

Observei isso acontecer sem me mover. Homem do Pão não tinha me chamado de Bella. Ele não me conhecia. Mas conhecia Dutch. Dutch ficaria bem com ele. Inspirei — embora não conseguisse sentir o cheiro de Filhote Grande, sabia que ela estava lá em algum lugar. Acabaríamos nos encontrando. Mais importante: pude captar o cheiro de casa, e pude sentir a atração de Lucas.

Era hora de fazer "Para casa".

Homem do Pão olhou para mim. Ele ergueu a mão até a boca e assoviou, um ruído estridente quase igual ao que Lucas conseguia fazer. Levei um susto: como ele sabia fazer aquilo?

— Vamos, garota!

Hesitei. Homem do Pão estava batendo nas coxas em um gesto que eu sabia significar "venha". E reconheci "garota", pois era algo que Lucas dizia para mim. Será que eu devia correr até ele?

Eu sabia, bem no fundo, que ele podia ser um daqueles humanos que ia me manter afastada da minha pessoa, mas podia sentir a sua bondade, e fazia tanto tempo que eu não ouvia uma voz humana, que não tinha alguém para me dizer que eu era uma boa cachorra, que a vontade de correr até ele foi esmagadora. Então, corri.

Homem do Pão tirou a bolsa dos ombros, e me perguntei se ele tinha outro pedaço de pão. Ele tinha! Eu me sentei obediente enquanto ele me jogava um pedaço, concentrada nos petiscos que restavam na sua mão. Dutch ainda estava focado no homem no trenó, então eu ficaria com toda a comida para mim.

Quando Homem do Pão estendeu o braço na minha direção, tinha outra coisa na mão. Engoli o petisco de sua luva enquanto ele usava a mão nua para prender alguma coisa à minha coleira. Era, percebi, com uma sensação triste, uma corda. Eu estava em uma guia.

Não queria estar em uma guia.

A mulher segurou a coleira de Dutch enquanto uma segunda corda saiu da bolsa. Homem do Pão a amarrou à coleira de Dutch e deu a ele um dos meus petiscos, que Dutch engoliu sem parecer se importar. Era um desperdício dar comida a um cachorro apático quando eu estava bem ali, sendo atenciosa.

— Obrigado — disse Homem do Pão.

— Boa sorte! — retribuiu a mulher. E, com isso, as máquinas saíram roncando.

Na mesma hora, Dutch ficou frenético, com as orelhas para trás, a boca babando, os olhos mostrando bordas brancas. Ele saltou à frente, esticou a corda, e Homem do Pão quase caiu.

— Pare! Espere! Dutch! Sentado! Quieto!

Eu fiz "Sentada" porque era uma boa cachorra que podia farejar que ainda havia petiscos de pão na bolsa.

Dutch reclamou, se retorceu e puxou, enquanto Homem do Pão falava de maneira tranquilizadora.

— Está tudo bem, Dutch. Você está bem.

Quando Dutch encarou Homem do Pão, seus olhos não tinham nada, apenas desespero.

— Está bem, vamos, garota — disse ele. Eu podia sentir o cheiro das máquinas barulhentas mesmo quando elas fizeram uma curva e desapareceram por cima de uma elevação, com os trovões combinados sumindo bruscamente no ar.

Homem do Pão segurava em cada mão varas que eram compridas o bastante para tocar o chão. Ele ainda usava os sapatos enormes. Pôs as alças da bolsa nos ombros. Olhei para Dutch, cuja guia estava esticada para mantê-lo exatamente ao meu lado. Eu não sabia o que estávamos fazendo, nem Dutch, que tentava ser um bom cachorro e tremia com o esforço. O que ele queria fazer, eu sabia, era correr atrás daquele trenó.

— Está bem, vamos tentar isso, mas devagar. Estão prontos? Está bem. Vamos!

Levei um susto quando, com um puxão na minha corda e um som sussurrado, Homem do Pão de repente passou deslizando por nós com os sapatos compridos. Dutch e eu entramos em movimento de uma hora para a outra. Tentei ficar perto o bastante do humano para manter a guia frouxa, mas Dutch correu, a galope.

— Ei! — gritou Homem do Pão. Ele girou e caiu pesadamente na neve. Fui até ele, abanando o rabo, pensando que, se fôssemos parar, podia ser hora de mais pão. Dutch puxou e forçou a ponta da guia.

— Dutch! Não! Pare!

Depois de escavar um pouco a neve, Homem do Pão conseguiu se levantar. Ele olhou para nós. Balancei o rabo. Dutch ganiu.

— Isso vai ser mais difícil do que pensei. Não puxem com tanta força, está bem? Não esquio há algum tempo. Prontos? Vamos? Vamos!

Desconfiada, comecei a caminhar adiante. Íamos passear? A neve ali ainda estava estranhamente compactada, proporcionando um bom apoio. Dutch saiu correndo outra vez.

— Dutch! Devagar! — gritou o homem. Ele abaixou a cabeça, e percebi que estava se sentindo um cachorro mau. — Ei! — disse Homem do Pão depois de um momento. — Está funcionando!

Quando chegamos a uma encosta ascendente, de repente a neve voltou a ficar funda e pesada, o que dificultou para todos nós. Minha guia e a de Dutch foram puxadas quando o homem usou as varas para atingir o chão, e ele respirava com dificuldade.

Logo senti o cheiro do amigo de Homem do Pão se aproximando.

— Gavin! — chamou o amigo, escondido por uma pequena elevação.

Homem do Pão levantou a cabeça.

— Taylor! Aqui!

Homem do Pão parou, se dobrou, arfando, e o outro homem, o alto, chegou ao topo da elevação e desceu deslizando até nós. Ele também respirava com dificuldade.

— O que aconteceu? — perguntou Homem Alto, depois de um momento em que apenas inspirou e expirou.

— Ele desceu com o resgate de montanha — respondeu Homem do Pão.

— Você acha que ele vai ficar bem?

— Não faço ideia. Ele não recuperou a consciência em momento algum. Disseram que era uma coisa boa o coração não ter parado. Salvamos a vida dele, Taylor.

Homem Alto sacudiu a cabeça.

— O que ele estava pensando? Havia avisos de avalanche por toda parte!

— Eu sei. Ele devia estar caminhando com sapatos para neve logo abaixo da corda limítrofe.

— Podemos ter interferido em um importante processo darwiniano — comentou Homem Alto, de forma especulativa. Ele sorriu. Os dentes brilharam em contraste com a pele, que era muito escura. Então, ele olhou para mim. Abanei o rabo. — Então. Acho que não posso deixar de perceber que você está com dois cachorros enormes.

— É. Eles me disseram para chamar o controle de animais.

— E a razão por que eles não vão chamar o controle de animais é...

— Eles precisavam levar o cara para baixo, para ser transportado por helicóptero até o hospital. — Homem do Pão deu de ombros.

— Então a parte que você não quer me contar é...

— Eu ainda tenho a comida de cachorro de quando Nick veio visitar.

— Ah... — falou Homem Alto. — Então, damos a eles um pouco de comida, e depois?

— Bom, vamos levá-los para Grand Junction conosco amanhã, então descobrimos o que fazer.

— Por que "descobrimos o que fazer" parece suspeitosamente com "cuidar desses cachorros na nossa casa"? — perguntou Homem Alto.

— Bom, o que acontece se o cara morrer? Não quero deixá-los no abrigo até sabermos se vão ficar bem.

Homem Alto esfregou o rosto com a luva.

— Tem umas duas toneladas de cachorro aqui.

Homem do Pão riu.

Homem Alto tirou a luva e se abaixou para acariciar Dutch, que lambeu ansiosamente a mão oferecida.

— Então, esse é uma mistura de boiadeiro-bernês com o quê, urso? Urso-pardo?

— O nome dele é Dutch.

Homem Alto estendeu a mão na minha direção, e farejei o cheiro de Dutch nos seus dedos, captando a agonia do cão. Eu sabia que Dutch queria, acima de tudo, se soltar da guia e correr atrás da sua pessoa. É o que um cachorro perdido precisa fazer.

— E essa é uma mistura de mastim e pit bull com, sei lá, vaca. Ela é do tamanho de uma vaca, Gavin.

— Mas olhe para as costelas dela. Ela está magrinha.

— O irmão dela é bem alimentado. Ele precisa entrar em uma dieta.

— Certo, então é isso que nós vamos fazer.

— Que nós vamos fazer — repetiu o homem alto. — *Nós*. Vamos botar esse cachorro, que não é nosso, de dieta.

— O cara da avalanche dá toda a comida para o irmão, mas não para a irmã. Aqui, pegue o macho, você é um esquiador melhor. Ele puxa como uma lancha a motor.

Dutch e eu logo aprendemos que o homem do pão se chamava Gavin, e o homem alto de pele escura era Taylor. Bom, *eu* aprendi isso — Dutch não parecia se importar com nada além de voltar para a sua pessoa. Os dois homens nos levaram de volta para uma casa muito pequena que tinha um buraco na parede com um fogo queimando nele, enchendo o lugar com o cheiro pungente de fumaça. Gavin botou comida seca em duas tigelas, que eu comi, e Dutch não, então comi a dele.

Fiquei agradecida pela comida, mas sabia de algo que os humanos aparentemente não entendiam: eles tinham dois cachorros em casa, e nenhum deles queria estar ali. Eu sabia que, na primeira oportunidade, ia partir.

Dutch se sentou à porta e a olhava com expectativa, torcendo para que ela se abrisse e a sua pessoa entrasse. Eu sabia, porém, que a vida nunca era tão fácil, que, em vez de portas se abrirem, para chegar a qualquer lugar você precisava pular cercas.

Capítulo 17

NA TARDE SEGUINTE, TAYLOR NOS LEVOU EM UM PASSEIO DE CARRO MUITO longo. Reconheci a palavra "casa", mas sabia que não estávamos indo na direção certa, que a minha casa estava, na verdade, atrás de nós.

Eu não conseguia sentir o cheiro de Filhote Grande. Se eu soubesse que investigar o cheiro de Dutch significaria me afastar dela, teria deixado passar a oportunidade de ver outro cachorro, por mais tentadora que fosse. Eu sentia falta de Filhote Grande e me preocupava de ela estar sozinha.

— Vocês dois estão bem aí atrás? — perguntou Gavin, olhando por cima do ombro. Dutch e eu dividíamos o banco de trás, que, na verdade, não era grande o suficiente para nos acomodar. — Meu Deus, Taylor, olhe para ela. Dá para contar todas as costelas. Como alguém pôde fazer isso? Dutch é obeso, e ela está faminta.

— Talvez ele apenas goste mais de garotos. Com certeza, eu me identifico com isso. — Taylor riu.

— Estou falando sério. Isso é abuso contra animais.

Dutch e eu acabamos decidindo por um sistema no qual um de nós se sentava e o outro deitava, então quando ficava desconfortável, trocávamos de lugar. Depois de uma longa viagem, chegamos a uma casa grande com pisos duros e vários aposentos. Em um deles, um buraco escancarado na parede estava cheio de pedaços queimados de madeira que farejei com cuidado, mas que Dutch ignorou. Havia um grande jardim nos fundos com uma cerca de metal onde não encontrei neve nem escorregas, apenas grama e plantas. Senti o cheiro de cachorros e de um gato distante no vento, mas nenhum outro animal.

Taylor botou travesseiros e cobertores no chão, e entendi: Dutch e eu devíamos dormir ali. Devíamos ficar com Taylor e Gavin, do jeito que antes eu tinha ficado com José e Loretta.

Não sabia por que as pessoas não me deixavam encontrar o meu caminho de casa.

Assim que chegamos na casa, Taylor e Gavin se sentaram comigo e fizeram um jogo que não entendi.

— Molly? Carly? Missy? — perguntaram para mim. Eu não sabia o que devia fazer. Abanei a cauda, pensando que com toda aquela atenção talvez houvesse um petisco no fim.

— Daisy? Chloe? Bailey? Blanche? — perguntou Gavin.

— Blanche! Ah, meu Deus! — Taylor se encostou no sofá e levou um travesseiro ao rosto.

— O quê?

Os dois homens estavam rindo.

— Quem ia chamar uma cachorra de Blanche? — perguntou Taylor.

— A cachorra da minha mãe se chamava Blanche — respondeu Gavin, na defensiva.

— Bom, isso explica *tudo*.

— Ei!

Os dois homens lutaram um com o outro. Captei o olhar de Dutch e afastei os olhos. Aparentemente, qualquer petisco para nós tinha sido esquecido.

Mais tarde, porém, eles recomeçaram.

— Aqui está a lista de nomes de cachorro mais populares — comentou Taylor. Ele estava sentado a uma mesa, emitindo estalidos com os dedos em um brinquedo, mas sem fazer nada.

Lucas e Mãe faziam a mesma coisa, e isso me fez ter vontade de estar em casa de novo com eles.

— Dutch está nela? — perguntou Gavin.

— Ah... parece que não — respondeu Taylor.

— Então o cara talvez não tenha consultado a lista quando escolheu o nome dos cachorros — observou Gavin. — Isso pode ser perda de tempo.

— Esses são os nomes mais populares. Isso significa que, quando as pessoas pensam em nomes, frequentemente escolhem esses. Elas não precisam ler a lista. As pessoas criam nomes populares de forma aleatória — disse Taylor.

— Certo, vá em frente.

— Está bem. — Taylor olhou para mim com atenção. — Número um. Lucy?

Olhei para ele. Era algum tipo de petisco?

— Próximo — disse Gavin.

— Max?

— Max não é um nome feminino.

— E Maxine?

— Ah, por favor. — Gavin fungou. — Isso não faz sentido.

— Diz o homem cuja mãe batizou uma cadela de *Blanche* — respondeu Taylor, seco.

— É você que gosta de nomes aleatórios.

— Bailey?

— Nós tentamos Bailey.

— Bella?

Inclinei a cabeça para o lado. Era a primeira vez que um deles dizia o meu nome.

— Maggie?

— Espere — disse Gavin. — Volte. Aconteceu alguma coisa.

— Bella?

Por que ele estava dizendo o meu nome? Bocejei.

— Bella? — chamou Gavin.

Eu me virei e olhei para ele.

— Sim! — Ele deu um pulo. — Uhuuul! É Bella! Bella!

Não consegui me segurar e pulei também, e, quando Gavin correu ao redor da mesa gritando o meu nome, eu o segui, latindo. Dutch nos observava da cama de cachorro, sem gostar nada daquilo.

No dia seguinte, Taylor brincou com a minha coleira e, quando me mexi, fiz um ruído tilintado.

— Agora vocês dois têm placas com os nomes — disse ele para nós.

Desse momento em diante, éramos Bella e Dutch, dois cachorros vivendo com Gavin e Taylor, os dois ansiosos para voltar para as nossas pessoas.

Toda noite quando eu me enroscava para dormir, pensava em Filhote Grande. Me perguntava o que ela estava fazendo, se sentia a minha falta. Torci para que nenhum coiote a estivesse caçando, torci para que não estivesse com frio.

Esperei com paciência pela oportunidade de fazer "Para casa", achando que talvez visse Filhote Grande na trilha. Fui levada para diversos passeios, em geral à noite, e sempre com a guia. Eu começava a farejar sempre que Dutch deixava a sua marca, mas ele fazia isso com tanta frequência que, depois de um tempo, eu me concentrava em outros cheiros. Nós estávamos em um desses passeios, com Gavin segurando a guia de Dutch e Taylor segurando a minha, quando Gavin disse o meu nome.

— Bella ganhou um pouco de peso. Ela parece bem.

Olhei para ele, ouvindo aprovação.

— Então, como vai a editora nova? — perguntou Taylor.

— Acho que bem. Ela gostou do manuscrito. Mas isso não significa que não vou receber um monte de bilhetes — respondeu Gavin.

— Não acredito que você não fique puto. Eu sei que sempre fico quando eles querem mudar um monte coisas. Você é um autor de sucesso!

Eles ficaram em silêncio por um tempo. Eu podia farejar que um esquilo passara recentemente na área, e permaneci alerta para a sua aparição.

— Então, quanto tempo? — perguntou Gavin, em voz baixa.

— Desculpe?

— Percebi que você sempre começa me perguntando sobre os meus livros antes de partir em uma viagem longa. É como se você estivesse me lembrando que não é o único que viaja.

Taylor deu um suspiro.

— Parece que vão ser umas duas semanas. Os sistemas são menos compatíveis do que pensávamos. Muitos códigos-fonte antigos precisam ser reescritos. Minha equipe é boa, mas precisam de mim lá.

— O que quer que isso signifique, ouvi duas semanas, o que normalmente significam quatro.

— Vou sentir saudade — falou Taylor.

Eles pararam embaixo de uma árvore e se abraçaram. Dutch e eu, confusos, caminhamos em torno deles até que as nossas guias nos deixaram focinho a focinho.

Alguns dias depois, fui apresentada ao termo “mala”, que era uma caixa com uma alça e as roupas de Taylor dentro dela. Dutch e eu a farejamos enquanto estava aberta no chão, e eu podia dizer que o cachorro tentava decidir se devia levantar a perna sobre ela, já que o objeto tinha aromas de espaços ao ar livre. Ele decidiu deixar uma marca muito leve, um jato pequeno que nenhum dos homens percebeu.

Gavin e Taylor saíram juntos e depois Gavin voltou sozinho. Algumas regras mudaram. Tínhamos permissão de dormir na cama! Eu dormia ao lado de Gavin. Dutch subia na cama quando Gavin insistia, mas isso o deixava inquieto, e ele sempre descia durante a noite.

Dutch estava triste. Ele passava muito tempo com o focinho na fresta embaixo da porta, farejando e suspirando. Ele não queria muito brincar comigo. Às vezes, Gavin ia para o chão com Dutch e passava os braços em volta dele.

— Você está bem, garoto? Vai ficar bem? — perguntava Gavin, com delicadeza. Quando ele fazia isso, eu podia sentir o nó de dor no interior de Dutch se afrouxar um pouco. Gavin estava confortando o cão.

Ele também nos deu brinquedos — brinquedos que faziam barulhos, brinquedos macios, ossos de borracha e bolas. Tudo, desde os petiscos de frango aos brinquedos macios que Dutch e eu destruíamos, me lembrava de Lucas. Gavin era um bom homem, mas não era a minha pessoa.

Então, Taylor chegou em casa e nos deu petiscos!

— Uau, Bella, você ganhou peso mesmo! — comentou ele, feliz, enquanto me dava um pedaço de carne para mastigar. — Você está ótima. Dutch, você ainda está um pouco... redondo.

— Não posso dar comida a Bella e não dar para ele. Não seria justo — disse Gavin, na defensiva.

Com os dois homens juntos de novo, saíamos para mais passeios.

— Sabe de uma coisa, acho que devíamos subir até a cabana uma última vez antes de irmos para a China — sugeriu Taylor, em um passeio.

— Ainda tem neve lá em cima. Gosto mais do verão — respondeu Gavin.

— Você vai pegar o jeito do esqui cross-country, só precisa praticar.

— Eu não *quero* fazer isso.

— O que está incomodando você? — perguntou Taylor.

— Quando ia me contar que estava em contato com o resgate da montanha sobre o dono deles? Havia uma mensagem no nosso correio de voz.

Os dois homens ficaram em silêncio. Dutch e eu olhamos na direção de um cachorro que latia ao longe. Dutch respondeu levantando a perna em um poste.

— Eles deixaram o nome? — perguntou Taylor, por fim.

— Não, só disseram que você queria a informação de contato dele, mas precisavam saber por quê. E eu, Taylor, também gostaria de saber por quê.

— Porque eles não são nossos! Precisamos devolvê-los.

— Se ele os quisesse de volta, não teria ligado a essa altura? — perguntou Gavin.

— Não sei por que ele não ligou. Era isso que queria perguntar a ele. Você está em negação em relação a tudo isso. *Não podemos ficar com os cachorros.*

Gavin virou de repente, e Dutch trotou para acompanhar, olhando para trás, confuso, para Taylor e para mim. Ficamos parados. Eu me sentei, sem saber ao certo o que estava acontecendo.

— Gavin! — chamou Taylor.

Ele continuou andando.

Pouco tempo depois, os homens puseram coisas no carro e foram para a "cabana". Eu soube de imediato onde estávamos — no mesmo lugar pequeno para onde fomos levados para a nossa primeira refeição depois de escavarmos e retirarmos o homem da neve. Quando chegamos, Dutch estava tão animado que tremia, mas depois de correr pelo quintal parou de repente. Ele marcou alguns lugares, é claro, mas fez isso sem muito entusiasmo. Ele sabia que a pessoa dele não estava lá.

Ali, na cabana, estávamos bem mais perto de Lucas; eu podia sentir. Farejei em torno da cerca, procurando um escorrega, mas não havia nenhum, e a cerca era alta demais para eu pular por cima dela.

Na primeira noite que passamos na cabana, Dutch e eu fomos soltos no quintal dos fundos para "Fazer as nossas necessidades" pouco antes de os homens irem para a cama. Dutch levantou a perna várias vezes, mas, depois que me agachei uma vez, fui para o canto da cerca e ergui o focinho, excitada com um cheiro familiar.

Filhote Grande estava por perto.

Esperei com expectativa, mas ela não se aproximou. Depois de algum tempo, me lembrei de como Mamãe Gata sempre se aproximava de Lucas, mas nunca permitia ser tocada. Percebi que ela não ia chegar para me ver, não com humanos tão perto. Mesmo um gato enorme quanto Filhote Grande tinha medo deles. Alguns gatos eram assim.

Nós estávamos de volta à casa quando aconteceu alguma coisa que fez Gavin se levantar — Dutch e eu reparamos também. Dutch foi até Gavin, preocupado, e Gavin acariciou as suas orelhas.

— Está tudo bem, Dutch — murmurou ele, com delicadeza. — Taylor está conversando com o seu dono.

Taylor estava segurando o telefone. Quando terminou, aproximou-se e entregou a Gavin um copo com um líquido de cheiro forte.

— Então? — perguntou Gavin.

— Kurch não pode atender ao telefone. Falei com a irmã dele — respondeu Taylor.

— Espere. Kurch?

— Acho que esse é o nome dele.

— E isso rima com *church*?

— Sim.

— É assim que se escreve? — perguntou Gavin. — C-U-R-C-H?

— Está bem, posso sentir a sua fúria de escritor crescer, mas não é culpa minha, esse é o nome dele, e não, se escreve com K.

— Kurch.

— Eu sei, Gavin.

— Não acredito que vamos dar os nossos cachorros para um homem chamado Kurch.

— Nossos cachorros? Mas sim, deve ser o nome mais idiota da história.

— Então, o que a irmã de Kurch disse? Ah, e qual o nome dela? Húmus? Corpúsculo?

— Não. Prepare-se. É Susan.

— Eles chamaram o filho de Kurch e a filha de Susan?

— O cara ainda está bem mal — falou Taylor. — Acho que ele quebrou todos os ossos do corpo. Por isso, está tomando analgésicos. Ela ficou surpresa ao saber o motivo de eu ter ligado. A mulher nem sabia que o irmão tinha cachorros.

— Família próxima.

— Tenho a sensação de que ela vê Kurch mais como um fardo do que como uma bênção.

— Talvez se escreva K-I-R-S-C-H — observou Gavin, esperançoso.

— Não, ela soletrou para mim quando expressei as minhas... dúvidas.

— Talvez ela não saiba soletrar.

— Olha, pode até ser — respondeu Taylor de forma agradável.

— Então, quando vamos levá-los?

— Eu disse a ela que vamos entregá-los na semana que vem.

— Vou sentir falta deles, Taylor. Essa vai ser a coisa mais difícil que já fiz.

— Eu sei. Mas eles não são nossos.

— Talvez ela possa vendê-los para a gente.

— Bom, essa não é uma boa ideia — disse Taylor, com delicadeza. — O que faríamos com eles quando fôssemos para a China?

Dutch deu o tipo de gemido que só um cachorro muito entediado consegue fazer. Isso me lembrou do quanto eu estava cansada, e me enrosquei na minha própria cama de cachorro.

— Podíamos arranjar um lugar para hospedá-los — declarou Gavin.

— Por seis meses? Você ia mesmo querer fazer isso com eles?

— Não. Você tem razão. Eu só... acho que Dutch está começando a nos aceitar. Devia ver como ele sentiu a sua falta quando você estava viajando.

— Mas você não deixou ele subir na cama, certo? — perguntou Taylor.

— Claro que não. Deixei a *Bella* subir na cama. — Gavin suspirou. — Bom, tudo bem. Acho que é o único jeito. Na terça-feira que vem?

— Terça-feira. Isso.

— Terça-feira, Bella — disse Gavin em um tom de voz que, de algum modo, soava alegre e pesaroso. — Nós vamos levá-la de volta para o seu dono!

Capítulo 18

Alguma coisa estava diferente. Houve uma mudança nas regras. Taylor não queria cachorros no sofá. Gavin gostava disso. Tínhamos aprendido que, quando Gavin estava em casa sozinho, podíamos deitar nas almofadas, mas, quando Taylor estava, ele batia palmas e gritava:

— Fora!

Eu sabia que isso significava sair dali, mas Dutch sempre parecia acreditar que Taylor, na verdade, não estava falando sério, e ficava ali deitado até o homem puxá-lo para o chão. Então, Dutch andava até onde eu já estava deitada na cama de cachorro e me farejava tristemente antes de decidir onde desabar com um gemido exagerado.

Se estivéssemos no sofá quando Taylor chegava em casa, eu sempre levava um susto, me sentindo culpada, mas nunca parecia conseguir reunir energia suficiente para pular dali até que ele gritasse "Fora".

Mas então as coisas ficaram diferentes. Taylor e Gavin estavam sentados no sofá, e Taylor chamou Dutch, dando tapinhas na almofada ao seu lado. Sem parecer entender que aquilo era uma gigantesca mudança de política, Dutch foi até lá, pulou para cima sem hesitar, deitou e botou a cabeça no colo de Gavin.

— Venha, Bella. Você também — disse Gavin. — Venha! Bella, venha!

Sério?

Consegui me enroscar no sofá ao lado de Taylor, embora o espaço fosse apertado. Eu me perguntei o que todos estávamos fazendo.

Os dois homens estavam tristes — eu podia sentir isso na forma como acariciavam o meu pelo.

— Essa vai ser a coisa mais difícil que já fiz — murmurou Gavin com um suspiro.

— A gente sabia que ia ser temporário.

— Acho que eu não me permiti admitir isso.

— Eles sentem falta do dono deles — disse Taylor, com delicadeza. — Dá para perceber. Principalmente Dutch. Eles só querem estar com Kurch.

Os olhos de Dutch brilharam com essa informação, como se ele entendesse algo que eu não entendia, o que era impossível.

— Eu sei — respondeu Gavin.

— Posso adiar a minha viagem por alguns dias.

— Isso é gentil, mas sei que você precisa ir para Seattle. Vou ficar bem.

— Vai ser estranho, chegar em casa e não ser recebido por um par de cachorros enormes — observou Taylor.

— É quase como se parte de mim estivesse morrendo. Ainda bem que daqui a pouco tempo vamos para a China, um lugar diferente. Assim, não vou sentir tanta falta deles.

Outra coisa completamente diferente: naquela noite, Taylor nos chamou para ir para a cama com eles. Nós tentamos dormir, mas ficamos com muito calor, então descemos dali logo depois de sermos convidados a subir.

É difícil entender as pessoas: elas criam regras e depois as mudam. Fiquei feliz por podermos dormir no sofá, mas desejei que, quando fizéssemos isso, não deixássemos Gavin e Taylor tão tristes.

Taylor partiu na manhã seguinte com a sua mala. Gavin nos serviu café da manhã com bacon! Então, nos levou para um passeio muito longo nas guias. Dutch marcava território por toda parte, e Gavin esperava sem apressá-lo. Foi o passeio mais relaxado que fizemos juntos.

Gavin estava tão triste que achei que ele devia deitar para que eu pudesse me aninhar ao seu lado e fazer o meu trabalho, dando-lhe conforto. Em vez disso, ele foi primeiro até Dutch no sofá e a mim na minha cama de cachorro e nos deu dois abraços apertados e demorados.

— Vou sentir muito a sua falta — sussurrou ele para mim. Abanei o rabo e lambi o rosto dele, que estava molhado e salgado. Eu não entendia o que significavam todas aquelas mudanças no comportamento das pessoas, e tive a sensação desconfortável de que algo ruim estava prestes a acontecer.

— Certo, gente. É hora de ir. — Gavin deu um suspiro.

Passeio de carro! Dutch se sentou na frente e fui atrás. Gavin deixou espaço no alto da janela para que puséssemos os nossos focinhos no vento, e Dutch e eu espirrávamos um de cada vez. Gavin continuava a acariciar o pelo de Dutch com uma das mãos.

Então, de repente, Dutch ficou imóvel. Olhei para ele, sentindo a sua animação crescer, embora não soubesse ao certo por quê. Ele bocejou, arfando um pouco, e, quando Gavin estendeu a mão, Dutch lambeu os seus dedos. O cão girou no seu assento e olhou pela janela, como se pudesse ver um esquilo. Eu não conseguia ver nada, embora tenha ficado alerta só porque ele estava.

— Isso mesmo, gente. Estamos quase lá — falou Gavin com tristeza.

Quando paramos, Dutch apoiou as patas na janela e deu um ganido baixo e animado. Nitidamente, ele achava que alguma coisa estava acontecendo — eu não tinha ideia do quê. Quando Gavin estendeu a mão para deixar que ele saísse, Dutch correu direto para a porta da frente de uma casa pequena. Gavin fez a volta para me pegar, e pulei do carro, me estiquei e me sacudi.

Era um lugar estranho. Havia máquinas no jardim, paradas sobre lama seca misturada com papéis e alguns recipientes de plástico que farejei com interesse, detectando alguma coisa doce em alguns. Gavin parou por um momento enquanto eu me agachava e observava Dutch, que abanava a cauda e andava em círculos diante da porta.

— Que lugar horrível — murmurou Gavin, em voz baixa.

Eu o segui até onde Dutch estava esperando com tanta agitação. Onde estávamos? O que fazíamos ali? Gavin bateu na madeira, então esperou. Dutch pôs uma das patas no joelho de Gavin.

— Está tudo bem, Dutch — disse Gavin, de modo tranquilizador. Ele bateu de novo. — Olá? — Ele empurrou e abriu um pouco a porta. — Kurch? Olá?

— Aqui atrás! — gritou um homem de algum lugar na casa.

Dutch farejou a porta, passou por nós e correu para o interior da casa.

— Você está em casa, Bella — disse para mim Gavin.

— Ah, meu Deus! Desça daí, Dutch! — gritou um homem do fim de um corredor.

A casa estava escura. Havia meias, camisas, papéis e caixas com restos de comida espalhados pelo chão e pelos móveis, e eu os examinei com curiosidade. Gavin seguiu na direção que Dutch tinha tomado, então fiz o mesmo.

— Kurch? Você está aí nos fundos? — perguntou Gavin.

— Pode tirar essa droga de cachorro de cima de mim?

Em um quarto nos fundos, havia um homem deitado na cama, e Dutch estava em cima dele, abanando a cauda e lambendo-o. O homem usava calças brancas pesadas e duras, e um braço e metade do seu peito estavam envoltos no mesmo material rígido. Ele tinha um pano branco enrolado em torno de uma das mãos. Estava azedo com suor velho, mas eu tinha certeza de que era alguém que eu havia conhecido antes.

— Dutch! No chão! — ordenou Gavin.

Ele desceu com grande relutância. Aparentemente, o cachorro achava que a mudança de regras de Taylor se aplicava a todas as camas que encontrássemos.

— Meu Deus, que bicho burro — disse o homem. — Quer me mandar de volta para o hospital?

Dutch se sentou, observando o homem de cheiro azedo com uma atenção extasiada.

Gavin olhou ao redor.

— Sou Gavin — disse ele, por fim. Eu me aproximei e farejei um sanduíche parcialmente comido em um prato em cima de uma cadeira, me perguntando se as leis naquele lugar estranho permitiriam que eu comesse um pouquinho dele. — Falei com a sua irmã.

— É. Ela disse que você podia aparecer — respondeu o homem com um grunhido.

— Fomos eu e o meu marido que, hã, cavamos e tiramos você.

— Não me lembro de nada disso. — O homem acenou com a mão envolvida em branco.

— Ah. Bem. É bom vê-lo. Nem sabíamos ao certo se ia sobreviver.

— Sim, verdade, quase não consegui, tive onze fraturas. Então, a droga da minha irmã sai pela porta ontem à noite, dizendo que "precisa de uma folga". Que família é essa? Como se eu pudesse cuidar de mim mesmo nesse momento!

Dutch ainda estava sentado, prestando muita atenção, observando o homem na cama. observava o sanduíche com o mesmo foco.

— Sinto muito por saber das suas dificuldades — comentou Gavin, após um momento.

— Ela só pensa nela mesma.

— Ah.

Os dois homens ficaram em silêncio por algum tempo. Desisti do sanduíche e me deitei no chão com um suspiro.

— De qualquer forma, trouxe os seus cachorros de volta.

— É. Ei, Dutch. — O homem abaixou a mão, a que estava enrolada com o pano, e a pôs na cabeça de Dutch. Ele se inclinou na direção do toque, com os olhos semicerrados, e senti mais falta de Lucas naquele momento do que sentia em muito tempo. Eu me levantei de novo, querendo sair dali, voltar para as montanhas, para a trilha. Fazer "Para casa". — Espere um momento. Você disse cachorros. Cachorros?

— Sim. Trouxe os seus cachorros de volta — concordou Gavin, falando de maneira uniforme. Eu podia ouvir uma impaciência crescente no seu tom de voz.

— Esse aí não é meu.

Gavin olhou para mim e olhei para ele. Passeio de carro? Então, ele se virou para olhar para o homem.

— Não é *seu*? — repetiu ele, chocado.

— É, nunca o vi antes — disse o homem, sem interesse.

— Mas... Bella estava com Dutch quando o encontramos. Os dois estavam cavando a neve atrás de você. Foi assim que conseguimos achá-lo.

— Ah. Bom, deve ter sido coincidência. — O homem fez um movimento de dar de ombros, em seguida se encolheu.

— Uma o quê? Coincidência? Então, Bella não é sua?

Abanei um pouco a cauda, ouvindo o meu nome tantas vezes. Olhei esperançosa para o sanduíche.

— Não.

Houve um longo silêncio.

— Não entendo — comentou Gavin, por fim. — Achei que fosse deixar aqui os seus cachorros. Nunca ocorreu à gente que você não fosse dono dos dois.

— *Deixar aqui*? O que quer dizer com deixar aqui? — perguntou o homem.

Gavin piscou.

— Bom... nós... Você está dizendo que não quer o seu cachorro de volta?

— Eu pareço ter condições de cuidar de um cachorro de cinquenta quilos? Não consigo nem comer sozinho. Levo uma hora para ir ao banheiro e dar uma mijada.

— O que está dizendo?

— Estou dizendo que não tenho como ficar com Dutch. Desculpe.

— Desculpe? *Desculpe?* Dutch é *seu*.

— Que parte de metade do meu corpo está na droga do gesso você não entendeu? Eu estava dentro de uma *avalanche*.

— Porque ficou andando pela neve em uma área proibida! Havia placas por toda parte! — Gavin estava gritando. Fui até ele e esfreguei o focinho na sua mão.

— Ah, tudo bem. Culpe a vítima. Ninguém dá a mínima para mim. Vou ter que ir morar com o meu irmão e a mulher carola dele no mês que vem. Você não tem ideia de como é. Eles vivem na droga de Oklahoma. Vão à igreja todo domingo. Eu disse: "Caramba, não, eu não vou para a igreja, não dá para ver que estou de ressaca?" Depois disso, quando percebi, meu próprio irmão estava me mandando ir. Ele é completamente dominado...

— Você está dizendo... — declarou Gavin em uma voz baixa e raivosa — ... que está recusando qualquer responsabilidade?

— Ei, você é o cara que quer jogar dois cachorros enormes para cima de mim.

— Meu marido e eu vamos para a China por seis meses. Não podemos cuidar de Dutch. Ele é seu. Vou descobrir o que fazer com Bella, é claro, mas o lugar de Dutch é aqui, com você.

O homem deu um suspiro. Dutch se coçou atrás da orelha, então, de repente, ficou alerta pelo sanduíche. Ele olhou para mim, depois para o homem na cama, e enfim para Gavin. Eu podia dizer pela expressão dele que Dutch achava que estava sendo um cachorro mau por ter vontade de comê-lo, mas, fora isso, eu não fazia ideia do que ele estava pensando nem do que estava acontecendo. Só sabia que Gavin e o homem estavam ficando mais furiosos um com o outro, as vozes mais tensas e o suor brilhando nas suas peles.

— Achei que você não pudesse ficar com um cachorro por causa da China, então tem um pouco de hipocrisia aqui, não acha? Parece que qualquer coisa que você vá fazer com Bella, poderia fazer com Dutch. Você e o seu *marido* — escarneceu o homem.

Gavin ficou imóvel.

— Eu disse antes que não entendia você, mas estava errado. Agora, entendo você completamente, Kurch. Vamos, Bella. Venha, Dutch.

Dutch olhou para Gavin, esquecendo o sanduíche. Então, olhou para o homem na cama.

— Vá, Dutch. Dê o fora daqui, você está fazendo com que eu me sinta culpado, e não é culpa minha. Vá! — disse o homem, com rispidez.

Segui Gavin pelo corredor e saímos, com Dutch bem atrás de nós. Ele não parava de se virar e olhar pelo corredor, querendo ficar naquele lugar estranho e escuro. O homem irritado na cama era a pessoa de Dutch. Mas ele estava com raiva e não o amava mais.

Dutch estava perplexo. Quando entramos no carro, Gavin passou os braços em torno dele. Senti o cheiro de lágrima no rosto de Gavin, mas não consegui dar conforto do banco de trás.

— Sinto muito, Dutch. Isso foi horrível. Mas prometo que vou amá-lo, Taylor e eu vamos ser os seus pais, vamos cuidar de você. — Gavin esfregou o rosto com um pano que tirou do bolso. Sua mão se estendeu para trás por cima do encosto do banco e eu a lambi. — Você também, Bella. Amo você, e vamos ser uma família juntos.

Dutch não botou o focinho na janela nenhuma vez durante todo o caminho para casa.

* * *

Naquela noite, Dutch e eu estávamos deitados no sofá com Gavin enquanto ele segurava o telefone junto do rosto. Dutch estava esfregando o focinho na mão de Gavin desde que voltamos do lugar estranho com o sanduíche, e Gavin o acariciava e falava com ele de forma tranquilizadora.

— Foi horrível. O cara era um babaca — disse Gavin. Ele parecia com raiva de novo. — Não deu a mínima para Dutch. Tratou o próprio cachorro como lixo. Ele pareceu muito incomodado com o fato de *ter sido tirado da neve* por nós. Coisa que, preciso lhe dizer, estou repensando se deveríamos ter feito. Toda a humanidade teria se beneficiado se tivéssemos esperado até a primavera. — Gavin esfregou as orelhas de Dutch. — Não, isso é mesmo estranho. Não fazia ideia de quem era Bella. Se Deus a mandou, foi um desperdício de milagre.

À menção do meu nome, olhei preguiçosamente para ele.

— Claro que ainda vamos para a China. Não. Não sei o que vamos fazer com os cachorros, ainda estou pensando.

Gavin ficou em silêncio por um momento.

— Obrigado — disse ele, com a voz tensa. — Agradeço que diga isso, Taylor. Sei que essa situação é mais difícil para você do que talvez seja para mim, e o fato de estar disposto a fazer o que quer que eu queira... significa muito para mim. Amo você.

Depois de um tempo, Gavin largou o telefone. Ele tocou os olhos molhados com o mesmo pano que tirou do bolso.

— Certo, gente. Nós temos um problema de verdade — disse ele para nós.

Na manhã seguinte, Dutch pulou da cama e foi até a porta com um entusiasmo incomum, ficando avidamente imóvel à espera da guia que Gavin prendeu nas nossas coleiras. Ele nos empurrou para fora e nos arrastou para o carro.

— Não, Dutch. Vamos dar um passeio. Não, não de carro. Não vamos voltar àquele lugar.

Caminhamos pela calçada. Dutch marcava cuidadosamente por cima do cheiro dos outros machos. À frente, vi um gato. Ele estava caminhando por um jardim, uma fêmea preta pesada. Quis cumprimentá-la, por isso puxei a guia, o que atraiu a atenção de Dutch.

O gato e Dutch se viram no mesmo momento. Gavin estava abaixado porque Dutch tinha "Feito as necessidades" em um jardim, e Gavin estava pegando a coisa com um saco plástico. Dutch saltou para a frente e me juntei a ele, correndo para ver o gato.

— Ei! — gritou Gavin, aos tropeções. — Parem! Não!

Eu conhecia aquela palavra. Parei e olhei para Gavin para ver o que tinha feito de errado. Dutch, por outro lado, estava tão fixado no gato que não ouviu a ordem. De repente, Gavin caiu, puxando a minha coleira com força e deixando a de Dutch escapar.

Dutch correu atrás do gato. Fiquei sentada, como uma boa cachorra.

— Dutch! Não! — chamou Gavin.

O gato congelou observando Dutch se aproximar. Achei que ele ia arquear as costas e arranhar o focinho com as garras, mas então ele saiu correndo na direção de uma árvore, subiu pelo tronco e voou para os galhos como um esquilo.

Achei que Filhote Grande fosse o único gato capaz de subir em árvores porque só tinha visto ela fazendo isso. Dutch ficou ainda mais mistificado: ele foi até a árvore e pôs as patas da frente sobre ela, olhando para cima e latindo.

Eu era uma boa cachorra e fiz "Sem latir".

— Vamos, Bella, boa cachorra — elogiou Gavin, embora não me tenha me dado um petisco apesar de carregar um saco deles no bolso.

Dutch olhava para o gato, que ainda o encarava.

— Dutch! Venha cá! — gritou Gavin.

Dutch olhou para nós de maneira selvagem, como se tivesse se esquecido de tudo exceto da caçada.

— Venha cá, Dutch!

Então, ocorreu uma mudança em Dutch. Vi as orelhas caírem, os olhos se semicerrarem, um cálculo na sua expressão.

— Dutch! — repetiu Gavin, em tom de alerta.

Dutch deu a volta e saiu andando na direção oposta a nós. Ele estava sendo um cachorro mau!

— Venha, Dutch! Venha cá! — berrou Gavin.

Dutch saiu correndo.

Capítulo 19

Gavin me levou de volta para casa a passos rápidos. Entramos no carro e fiquei no banco da frente. Ele abaixou a minha janela e botei a cabeça para fora, absorvendo os cheiros.

A janela do próprio Gavin estava abaixada.

— Dutch! Dutch! — chamava ele.

Estávamos seguindo ruas de cima a baixo. Eu não entendia nada daquela brincadeira. Às vezes, estávamos nitidamente seguindo Dutch e, às vezes, o cheiro dele estava na direção oposta. Gavin estava chateado.

— Sei que você nunca fugiria assim, Bella — disse ele para mim. Abanei a cauda.

Eu estava fazendo "Sem latir", mas Gavin estava tão ansioso e Dutch estava sendo um cachorro tão mau que, quando estávamos praticamente em cima do cheiro dele, não consegui evitar e lati pela janela. Gavin parou o carro, e lá estava Dutch, passando entre as casas!

— Peguei você — exclamou Gavin, em triunfo. Fui pressionada contra o assento quando o carro fez a curva.

Lá estava Dutch, à frente, trotando, arrastando a guia atrás de si. Estava de cabeça e cauda baixas, e na mesma hora eu soube o que era aquilo: ele estava fazendo uma versão dele de "Para casa". Ele ia voltar para o lugar escuro com o sanduíche e o homem com calça pesada.

Gavin se aproximou de carro de Dutch, que ergueu a cabeça quando sentiu o meu cheiro.

— Dutch! — chamou Gavin de um jeito sério.

O carro parou. Dutch se deitou no chão, com a ponta da cauda em movimento, os olhos piscando. Gavin saiu do carro.

— Venha cá, Dutch — ordenou ele em voz baixa.

O cão quase rastejou, parecendo estar sentindo como se, dentre todos os cachorros, ele fosse o pior.

— Agora eu sou o seu pai, Dutch. Você entende isso? — Gavin se ajoelhou e passou os braços em torno de Dutch. — Aquela não é mais a sua casa. Sua casa é conosco agora. Você, eu, Taylor e Bella, nós somos uma família.

Ele segurou Dutch e o balançou um pouco, e percebi o que Gavin estava fazendo.

Ele estava fornecendo conforto.

Gavin nos deu atenção especial e muitos petiscos e abraços por vários dias, e a tristeza pareceu aos poucos deixar Dutch.

— Acho que ele está se acostumando com a ideia — disse Gavin para mim, o telefone junto do rosto. Abanei o rabo. — É quase como se, quando ele voltou para o carro comigo, soubesse que estava fazendo uma escolha. Eles são nossos agora, Taylor, para o que der e vier. — Gavin ficou em silêncio, então riu. — Está bem, mas veja as coisas desse jeito: se eles destruírem o sofá, você vai poder comprar outro, e provavelmente vai querer cadeiras novas e uma mesa de centro nova também. Não finja que isso não parece uma proposta atraente! — Ele ficou em silêncio por algum tempo, esfregando os pés em Dutch, que estava deitado na outra ponta do sofá. Dutch deu um gemido de contentamento.

— Certo. China. Pensei nisso e acho que tenho uma ideia. Então, antes de contar a você, promete que vai manter a mente aberta? Está bem. — Gavin respirou fundo. — O que você acha de Sylvia?

Gavin ficou em silêncio por um bom tempo, antes de começar a falar comigo outra vez.

— Certo, concordo com tudo. Mas temos outra escolha? Não consigo imaginar deixá-los em um canil por seis meses. — Ele ficou em silêncio por um tempo. — Espere, espere, você está mesmo se opondo a deixar os cachorros com a minha mãe porque não gosta da *decoração* dela? — Gavin riu. — Ah, isso era outra coisa sobre aquele sujeito, Kurch. Ele tinha um snowmobile e um cortador de grama e mais um monte de tranqueira no jardim, e a casa era um chiqueiro. Claro. Bom, não crueldade com animais, mas perto. Está bem, entendo, estou tentando deixar para lá. Então, o que acha? Não, não é perfeito, mas talvez nesse caso a perfeição não seja tão boa quanto o prático. Obrigado, Taylor. Vou ligar para a minha mãe amanhã. Também amo você.

Gavin largou o telefone. Eu bocejei.

— Está bem, gente — disse ele para nós. — A vida vai começar a ficar bem interessante.

Alguns dias depois que Taylor chegou em casa com a mala na mão, ele e Gavin nos levaram para um longo passeio de carro. Passamos tanto tempo no carro que ficamos entediados de farejar a janela. Os humanos, então, levantaram o vidro, e Dutch e eu deitamos esparramados um sobre o outro no banco de trás.

Depois de algum tempo, porém, eu me sentei, consciente de uma mudança. Desde que as pessoas começaram a me levar para longe de Lucas, eu não apenas o havia sentido, mas podia também sentir o cheiro do lugar em que ele vivia, a cidade. O jeito como os odores se juntavam até serem uma presença singular no vento criava uma marca identificável, diferente de outras fragrâncias e cidades. Mas para onde quer que estivéssemos indo naquele momento, era longe o suficiente para que a presença diminuísse até ficar impossível de detectar.

Eu tinha perdido o cheiro de casa.

O ar estava seco e empoeirado, e farejei animais grandes e extensões de água, mas só isso. Eu não sabia se conseguiria fazer "Para casa" dali.

Paramos para "Fazer as nossas necessidades", com Taylor segurando a minha guia e Gavin, a de Dutch.

— Este não é o meu lugar favorito — disse Taylor a Gavin.

— Você vai ficar o tempo todo de mau humor? — perguntou Gavin.

— A cidade de Farmington produz o quê mesmo? Esterco?

— Carvão e gás. Ela tem seu charme. Você gosta dos rios — comentou Gavin.

Voltamos para o carro. Por mais que eu gostasse de passeios de carro, torci para que agora fôssemos voltar para a casa deles ou para a cabana.

— Está bem — declarou Taylor, de cara fechada. — Vamos ver Sylvia.

Enquanto seguíamos, Taylor e Gavin ficaram ansiosos, tocando um ao outro para se tranquilizarem. Dutch e eu fomos afetados pelo estado de ânimo deles, e circulávamos pelo banco de trás, com os focinhos para a janela.

Finalmente, o carro parou, e nós saltamos em um jardim que era quase todo de cimento. Dutch marcou a pouca folhagem que conseguiu encontrar. A porta se abriu e havia uma mulher ali parada.

— Oi, mãe — cumprimentou Gavin. Olhei para ele, me perguntando por que ele disse o nome de Mãe. Mas os humanos fazem essa coisa de mencionar outras pessoas, e acho que os cachorros não vão entender nunca. Gavin e Taylor também falavam de vez em quando sobre Cara, um dos garotos que me deu carne salgada para comer e me levou para um passeio de carro. Gavin foi até a porta e beijou a mulher no rosto. Dutch foi atrás, e eu também.

— Olá, Sylvia — falou Taylor, da traseira do carro. Ele estava pegando a mala. Ele gostava mesmo de arrastar aquela coisa.

— Quanto tempo, garotos — observou a mulher, com uma tosse. O nome dela era Sylvia e ela vivia com uma gata chamada Chloe. O interior tinha um cheiro seco e de fumaça, e as janelas estavam quase todas cobertas por cobertores, por isso estava escuro. Dutch farejou o local, animado pela promessa de um gato, cujo nome nós só aprenderíamos depois.

O quintal dos fundos era fechado por uma cerca alta feita de tábuas. Não havia muita coisa crescendo ali, exceto ao longo da cerca, onde arbustos e grama levavam uma existência dispersa e sedenta. A maior parte do espaço era ocupada por uma piscina, que era a palavra que as pessoas usavam para descrever um laguinho de água transparente com cheiro e sabor fortes. Foi no quintal dos fundos que encontramos a gata pela primeira vez.

Dutch ficou bastante interessado por Chloe e saltou na ponta da guia quando a viu, mas Taylor e Gavin gritaram bem alto:

— Não!

E Dutch se encolheu com raiva, abanando o rabo com as orelhas abaixadas.

— Você não pode incomodar Chloe — disse Gavin, sério. — Não, Dutch.

Eu sentia que Dutch estava perplexo por estar sendo disciplinado quando havia um gato bem ali que devia ser perseguido.

Chloe arqueou as costas e a cauda dela ficou muito grossa, e aí ela olhou para Dutch, com os lábios arreganhados.

Alguns gatos brincam, e outros, não, e Chloe não brincava. Decidi ignorá-la.

— Chloe sabe se cuidar, ela não é como Mike. Mas, quando tiver os filhotes, é melhor os cachorros se comportarem — falou Sylvia, irritada. Fumaça saía da sua boca quando falava, e depois de um tempo aprendi que a coisa que queimava na mão dela se chamava "cigarro".

As pessoas se sentaram em cadeiras na área externa, perto da piscina. Sylvia bebia de um recipiente alto cheio de gelo, e Taylor e Gavin seguravam copos que tinham um líquido escuro dentro. Todos eles lançavam um aroma parecido no ar.

— Espere, você disse "ela não é como Mike"? — perguntou Taylor. — Mike?

— Ele costumava se esconder embaixo da cama quando eu passava aspirador — explicou Sylvia.

— Acho que não estou entendendo uma coisa — disse Taylor. — Mike não é o seu namorado?

— Não, Mike o *gato*. É um Mike diferente. Mike é passado — declarou Sylvia enfaticamente, gesticulando com o cigarro. — Ainda bem.

— Hã? O que aconteceu com Mike, mãe? — perguntou Gavin.

— Ele foi atropelado.

— *O quê?!* — indagou Taylor, parecendo perturbado.

— Não, eu sei o que aconteceu com o *gato*. — Gavin riu. — Estou falando de Mike, o humano. Achei que vocês dois estivessem conversando sobre casamento.

— Ele é alcoólatra — disse Sylvia, tomando um gole grande do copo. Taylor e Gavin trocaram olhares. — Não estou falando do tipo bom. Ele fica mau.

Dutch se acalmou com um gemido, irritado por Chloe estar sentada bem à nossa frente lambendo a pata.

— Na verdade, agradecemos muito por você cuidar de Bella e Dutch, Sylvia — disse Taylor após uma pausa longa. Nós dois erguemos os olhos ao ouvir os nossos nomes. Chloe, depois de estabelecer a lei, saiu andando com altivez.

— Eu não me importo. Podia ser pior. Você se lembra daquela gangue de motociclistas que a sua irmã trouxe para cá? — perguntou Sylvia a Gavin.

— Não sei se era exatamente uma gangue — observou Gavin, com delicadeza.

— Então, o namorado dela se mudou para cá — disse Sylvia a Taylor. — Só por um tempo, porque o trailer dele explodiu, o que foi bom, porque destruiu todas as provas, e ele tem um primo e não sei o que mais, e um milhão de tatuagens. Mike ficou aterrorizado o tempo todo, embaixo da cama, e, em determinado momento, tive que dizer que se a polícia fosse chamada *mais uma vez*... Aí, eles foram embora, e a sua irmã não falou comigo por seis meses, até que me ligou de algum lugar do Canadá perguntando se era adotada.

Taylor se levantou.

— Mais alguém quer uma bebida?

— Acho, mãe, que para se qualificar como uma gangue de motociclistas pelo menos um deles precisa ter uma moto — comentou Gavin, enquanto estendia o copo.

— Tanto faz. — Sylvia deu de ombros. — Não falo espanhol mesmo.

Na manhã seguinte, Taylor e Gavin acordaram logo depois de amanhecer e botaram a mala no carro, então soube que íamos partir. Mas a coisa não funcionou assim. Eles se sentaram conosco perto da piscina.

— Gente, isso vai ser difícil, mas vamos viajar por um tempo. Só seis meses, mas vamos sentir muito, muito a falta de vocês — disse Taylor para nós. — Voltamos no outono.

— Amo vocês — sussurrou Gavin. Ele passou o braço em torno de Dutch, e Dutch se entregou ao abraço.

Não entendi as palavras, mas o tom me lembrou da última vez em que vi Lucas, e percebi que talvez soubesse o que estava acontecendo. Os dois homens me beijaram e me acariciaram, e Gavin estava chorando, mas, quando foram até o portão, impediram que Dutch os acompanhasse.

Não tentei ir atrás. Sabia que não haveria passeio de carro para nós.

Quando o veículo foi embora, enquanto os seus sons desapareciam, Dutch chorou, estendendo uma pata e arranhando o portão de madeira. Eu podia sentir a agonia dele, mas tinha aprendido que as pessoas não são tão confiáveis quanto um cachorro gostaria que fossem. Eles iam a lugares, às vezes por muito tempo, ou confiavam os seus cães aos cuidados de outras pessoas. Dutch podia arranhar e chorar o quanto quisesse, mas isso não ia trazer Gavin e Taylor de volta. Se ele os quisesse, ia precisar encontrá-los, como eu estava seguindo o meu caminho de volta para Lucas.

Pensei na vez em que Dutch viu um gato e quase derrubou Gavin, como a guia caiu da sua mão. Sylvia era menor que Gavin — quando ela empurrou a cabeça de Dutch para longe do prato de comida que colocou ao seu lado na poltrona, ela mal conseguiu movê-lo. Eu sabia que, quando fôssemos andar com ela, podia puxar a minha guia e arrancá-la das suas mãos, e estaria livre.

Eu não podia sentir Lucas, mas tinha um senso da direção que Gavin e Taylor tinham tomado. Eu ia seguir aquele caminho até conseguir farejar a coleção de odores que era a cidade onde eu vivia, então ia fazer a curva e seguir o meu focinho.

Próximo passeio. Ia fazer "Para casa" na próxima vez que Sylvia nos levasse para passear.

Capítulo 20

SYLVIA NÃO NOS LEVAVA PARA PASSEAR. "FAZÍAMOS AS NOSSAS NECESSIDA-des" no emaranhado triste de mato e plantas ao longo da cerca dos fundos, e nunca tínhamos permissão de sair do quintal. Dutch não parecia se importar — ele passava muito tempo sentado junto do portão, esperando, paciente. Quando não estava ali, ele deitava em uma sombra oval embaixo da mesa de madeira, com pequenas moscas voando em torno da sua boca.

Sem passeios e sem escorrega, eu não sabia o que fazer. Me sentia uma cachorra má. Eu precisava fazer "Para casa", e não sabia como.

Sylvia gostava de deitar ao lado da piscina todo dia e descansar sob o sol. Ela sugava os cigarros, falava no telefone e tomava drinques. Eu tinha o meu próprio ponto na sombra embaixo do toldo. Chloe, a gata, quase nunca fazia uma aparição no calor do dia, mas, quando isso acontecia, fazia questão de ignorar Dutch. Eu a deixava em paz e percebi que, enquanto ela andava confiante e tranquila pela borda da piscina, passava cada vez mais tempo olhando para mim. Não fiquei surpresa quando ela se aproximou para cheirar a minha cara. Abanei o rabo, mas não tentei brincar com ela. Dutch a observava com atenção, mas ela tinha arranhado o seu focinho com a garra quando ele a prendeu embaixo de uma cadeira, o que pareceu surpreendê-lo. Dutch, obviamente, não entendia que, embora nós dois fôssemos superiores aos gatos, era melhor deixá-los em paz.

Quando o sol descia no horizonte, Sylvia acordava e nos botava para dentro, mas não Chloe, que ia e vinha não como uma boa cachorra, mas sempre que tivesse vontade, miando de forma presunçosa em frente à porta para que a deixassem entrar.

Sylvia raramente tinha companhia. A primeira pessoa que vimos foi um homem, pesado, baixo e com cheiro forte de comida e de uma fumaça bem mais forte do que a que grudava em Sylvia. Dutch e eu nos apertamos na porta da frente quando Sylvia a abriu.

— Oi, querida — murmurou o homem, que depois descobríamos se chamar Mike. Ele carregava flores.

As flores foram postas em um vaso, enchendo a casa com um cheiro doce, e os dois humanos foram para a cama antes do pôr do sol. Sylvia se esqueceu de nos alimentar. Dutch andava de um lado para o outro na cozinha, farejando o chão, verificando a tigela várias vezes, mas eu me enrosquei para dormir. Já havia passado fome antes. Dutch me cutucou com o focinho, e abanei a cauda, mas não podia dizer a ele que as coisas iam ficar bem.

Dutch era parte da minha matilha, e eu sabia que o cachorro estava aflito. Ele sentia falta de Gavin e Taylor. Estava com fome e não entendia porque morávamos com Sylvia, e ficava aborrecido de dividir o quintal dos fundos com uma gata.

Mike e Sylvia gostavam de ter conversas em voz alta. Eu e Dutch nos assustávamos com a raiva nas vozes. Farejávamos um ao outro, bocejávamos e ficávamos inquietos enquanto isso acontecia.

Ficamos assustados na vez em que Sylvia pegou um copo e o jogou na parede, e ele se estilhaçou, fazendo um barulho alto. O cheiro forte e químico de Sylvia escorreu pelas paredes. Abaixamos a cabeça, nos sentindo como cachorros maus, e vi Chloe sair correndo pelo corredor dos fundos.

— Você me disse que tinha pagado! — gritou Sylvia.

— Não posso pagar se não tenho dinheiro, sua vaca burra.

— Você mentiu para mim!

— Para você calar a boca! Você está sempre falando, sabia, Sylvia? Nunca cala a droga da boca.

— Agora eles vão mandar alguém para levar o meu carro? — Sylvia pôs as mãos nos quadris.

— Eles não vão levar aquele pedaço de lixo — declarou Mike, com desdém.

Eu me lembrei quando um homem apareceu para ver Mãe, e ela ficou com raiva, bateu nele, e depois ele saiu rastejando pela porta da frente. Essa era uma briga ainda mais barulhenta, e me perguntei se Sylvia machucaria Mike e o mandaria embora. Em vez disso, porém, Mike caminhou na direção dela com o punho erguido. Houve um som abafado, e Sylvia engasgou em seco. Ela gritou quando Mike a empurrou contra a mesa, e as flores agora mortas caíram, e água azeda escorreu pela mesa e molhou o carpete.

Senti que, para ser uma boa cachorra, tinha que fazer "Sem latir", mas tudo era desconcertante demais para Dutch, que rosnou e latiu. Mike segurou o braço de Sylvia exatamente do mesmo jeito que o homem rastejante tinha agarrado o de Mãe.

— Pare com isso! — gritou ela.

A agonia de Sylvia e a fúria de Mike me eletrizaram, e então lati também, e Dutch saltou, fechando as mandíbulas no ar bem na frente da calça de Mike. Mike soltou Sylvia e caiu para trás, derrubado uma cadeira. Nós dois continuamos latindo.

— Meu Deus! Tire os malditos cachorros de cima de mim!

— Tente. Tente me bater — respondeu Sylvia de forma provocadora.

— Sabe de uma coisa? Eu não preciso disso. Não preciso de *você*.

Dutch e eu não sabíamos o que fazer naquele momento. Aquilo não era familiar para nenhum de nós, o jeito que ameaçávamos um humano. Nós dois paramos de latir, mas Dutch estava tenso, rosnando, com os lábios afastados, e achei que ele fosse morder aquele homem.

— Vou processar você para ficar com tudo — disse Mike.

— Ah, é? Boa sorte em conseguir qualquer coisa, porque você levou todo o meu dinheiro!

— Vou matar você, Bella — murmurou ele. Ele caminhou pesadamente na direção da porta, cambaleando um pouco.

— Esse é Dutch, idiota.

Ao ouvir os nossos nomes, Dutch e eu olhamos para Sylvia, confusos. Mike abriu a porta e saiu aos tropeços no jardim da frente.

— Bons cachorros — elogiou Sylvia.

Abanamos a cauda, aliviados, e ficamos gratos quando ela nos deu um pouco de carne da geladeira. Então, Sylvia saiu andando pela casa, pegando roupas e outras coisas que tinham o cheiro de Mike, abriu a porta da casa e jogou as coisas para fora. Ela se lembrou de nos alimentar, mas, naquela noite, caiu e dormiu no chão em frente a uma cadeira na sala. Senti cheiro de doença nela e fiquei por perto, torcendo para poder lhe proporcionar algum conforto. Enquanto estava ali deitada, pensei em quando tinha aprendido "Para casa" e "Fazer as minhas necessidades". Lucas fazia e dizia a mesma coisa várias e várias vezes. Um cachorro devia aprender quando as coisas eram repetidas. Naquele dia, aprendi que, quando os homens eram maus com as mulheres, o homem precisava ir embora. Eu também entendia que, por mais perturbador que fosse, um bom cachorro devia rosnar e morder quando um homem mau estava machucando uma mulher.

Chloe fugira para o quarto de Sylvia e não saiu, e, alguns dias depois, descobri o motivo: ela estava deitada com filhotes pequeninos na sua cama. O cheiro de leite explodia dela e enchia o quarto. Dutch, é claro, quis investigar, entrando escondido no quarto e seguindo até a cama dos gatos com a cauda rígida e os ouvidos alertas. Chloe rosnou com tamanha ferocidade que ele hesitou. Quando me aproximei com cautela, no entanto, farejando os gatos novos, Chloe não reagiu, apenas me observou sem piscar. Eles eram muito pequenos e faziam barulhos praticamente inaudíveis enquanto se apertavam contra a mãe.

O cheiro de leite e o fluxo das tetas de Chloe eram familiares. Na mesma hora, fui levada de volta à toca, onde eu tinha irmãos gatinhos e uma Mamãe Gata. Então, Lucas foi me buscar e morei com ele e dormia na sua cama, e nós alimentávamos os gatos.

Senti tanta falta de Lucas naquele momento que fui para o quintal dos fundos e me sentei junto do portão. Eu precisava que ele fosse me buscar, embora não conseguisse mais cheirá-lo, nem farejar a cidade que era a minha casa. Depois de algum tempo, Dutch pareceu saber o que estava acontecendo, e foi ficar ao meu lado. Nós farejamos um ao outro, mas não podíamos nos oferecer conforto, porque ambos tínhamos um vazio que apenas uma pessoa podia preencher. Mas nos sentamos, como bons cachorros.

Nós estávamos esperando por pessoas que nunca chegavam.

Quando os gatinhos começaram a andar, Dutch, claro, quis persegui-los. Isso irritou Sylvia, que gritou com ele e o prendeu na guia, não para passear, mas o tempo todo, amarrando a corda a coisas no quintal para que ele não pudesse circular muito. Os gatinhos aprenderam que, quando Dutch estava preso a uma cadeira perto da mesa no quintal dos fundos, podiam brincar, mas sabiam até onde a guia chegava e não se arriscavam a ficar ao alcance dele. Dutch deitava na área de sombra sob a mesa e os observava brincando com tristeza.

Eu não estava em uma guia.

— Seja delicada, Bella — dizia Sylvia, sempre que um dos gatinhos me atacava.

Eu não sabia o que as palavras significavam, mas percebi que ela dizia o meu nome porque eu brincava com os gatinhos. Eles eram tão pequenos que praticamente não pesavam nada. Eu tomava muito cuidado para não machucá-los com a minha pata ou fechar as mandíbulas sobre os seus corpos pequeninos e frágeis. Lutar com eles me trouxe de volta boas lembranças de Filhote Grande na trilha, e senti falta dela e torci para que estivesse bem sozinha. Filhote Grande era o maior gato que eu já tinha visto, e aqueles pareciam os menores.

Quando não estavam pulando sobre mim, os gatinhos perseguiam e lutavam uns com os outros. Eles se movimentavam em surtos de energia, parando de forma repentina e subindo por todo lado em um jogo constante que não fazia sentido para nenhum cachorro.

Os dias eram quentes. Sylvia entrava na piscina, e de vez em quando ficava em casa com todas as portas fechadas, de modo que não conseguíamos farejar se ela estava sequer ainda ali dentro. Uma máquina grande, pendurada na janela, fazia um barulho alto e gotejava água fria.

Os gatinhos ignoravam o calor, mas ele me exauria. Eu me arrependi de não ter sido mais firme com eles, porque sempre que resolvia dar um cochilo, eles achavam que era a hora perfeita para subir em cima de mim com as suas garrinhas afiadas.

Eles estavam maiores, mas ainda eram muito pequenos. Chloe parara de lhes dar leite, e eles estavam bem menos cautelosos em relação a Dutch. Nitidamente queriam entender o cachorro na corda, e Chloe já não os corrigia quando chegavam perto do cachorro macho. Eu me lembrei de como a minha mãe não deixava que nenhum filhote da sua ninhada deixasse a toca e como, quando eles ficaram mais velhos, meus irmãos gatos se tornaram cada vez menos propensos a respeitar limites.

Sylvia recebeu uma caixa de um homem na porta da frente e a levou para o quintal, de modo que ainda podia tomar um drinque enquanto a abria. Ela levou o conteúdo com ela para dentro de casa, mas deixou a caixa em cima de um banco perto da piscina. Os gatinhos ficaram empolgados com aquilo, se jogando por cima da caixa e desaparecendo no seu interior. A maior parte dos gatinhos estava ali, mas o que eu via como o Filhote Corajoso, um macho preto um pouco maior que os outros, testava os limites da guia de Dutch.

E Dutch prestava atenção. Ele não estava mais deitado; tinha se sacudido e estava sentado, observando Filhote Corajoso se aproximar. O gatinho corria de lado, virava e caminhava devagar e com cuidado perto de Dutch, em seguida se sentava e se lambia.

Quando o cachorro avançou, um rosnado baixo surgiu na sua garganta e a sua cauda não parava quieta. Ele chegou ao fim da corda, derrubando a cadeira em que estava amarrado, e foi em frente. Ele estava sendo um cachorro mau! Filhote Corajoso saiu correndo pelo quintal, obviamente aterrorizado. Dutch foi atrás, arrastando a cadeira, bem na direção da caixa cheia de gatinhos sobre o banco. Filhote Corajoso fez um desvio e, quando Dutch mudou de curso, a cadeira que puxava bateu na caixa perto da piscina e a caixa caiu na água. Atrapalhado com o emaranhado da cadeira e do banco reduzindo a sua velocidade, Dutch latiu. Filhote Corajoso deu a volta na casa e desapareceu.

A caixa com os gatinhos dentro estava boiando, com a parte aberta para cima, no meio da piscina.

Os gatinhos miavam de aflição. Eu podia ouvi-los na caixa, que se agitava na água — eles subiam uns sobre os outros no interior da coisa. O choro deles atraiu Chloe de imediato, que chegou correndo até os lamentos tristes. Dutch estava pendurado de um lado da piscina, de cabeça baixa, embora a tenha levantado quando Chloe passou correndo por ele. Ela circundou a água em parte, parando quando chegou perto do emaranhado que era a corda, a cadeira e o cachorro, e voltou pelo outro lado. Chloe fez um ruído terrível — um grito pequeno e tenso. Seus filhotes estavam em perigo, mas ela parecia com medo de ir atrás deles.

Uma cabeça pequena surgiu na borda da caixa e tornou a cair para dentro. Eles estavam tentando sair, mas não era isso o que deviam fazer, porque estariam na água. Gatos não deviam entrar na piscina. Até Filhote Grande tinha medo de nadar!

Eu era uma boa cachorra que tinha aprendido "Sem latir", mas lati, com urgência. Precisávamos de uma pessoa!

Depois que lati, tanto eu quanto Dutch olhamos para as portas grandes de vidro, mas Sylvia não saiu. A máquina zumbia e gotejava, os gatinhos gritavam, e a caixa se inclinou para um lado enquanto eles se movimentavam dentro dela.

Um filhote fêmea cinza pequeno apareceu no alto da caixa, agarrado à borda, parecendo aterrorizado. Ela tentou se segurar, mas a caixa virou de repente e a derrubou na piscina. Ela afundou, em seguida emergiu, cuspindo e tentando nadar, batendo as patas da frente na superfície. Chloe uivou de novo.

Mergulhei. A água que levantei passou por cima da cabeça do filhote, mas nadei com impulsos fortes e cheguei perto dela em um instante. Eu peguei delicadamente a sua nuca com os meus dentes, segurando-a no ar, e me virei para a borda da piscina, onde Chloe esperava ansiosamente. Pus a gatinha no cimento, e Chloe começou a lambê-la.

Cuidar de gatos era uma coisa que eu e Lucas fazíamos.

Quando me virei, a caixa então estava flutuando de lado. Em pânico, dois outros filhotes tinham caído dela. Um deles nadava com força, mas o outro havia afundado completamente. Eu me movi adiante, mergulhei a cabeça de boca aberta, peguei o gatinho e o puxei para a superfície. Nadei para o lado da piscina, com o gatinho pendurado imóvel da minha boca, mas ele ganhou vida quando o coloquei ao lado da mãe. O filhotinho miava bastante, e Chloe o levou para segurança.

O menor membro da ninhada mal conseguia manter o nariz fora d'água, lutando sem forças para sobreviver. Eu o agarrei e o levei para a mãe, depois fui atrás de outro.

A caixa agora estava vazia, mas duas bolas molhadas de pelos tinham conseguido chegar à lateral da piscina e estavam boiando perto da borda, fazendo ruídos agudos ansiosos que mal podiam ser ouvidos, sem conseguirem subir por conta própria. Eles fugiram de mim da melhor maneira possível quando fui atrás, mas peguei um de cada vez com delicadeza e os levantei até o cimento, e eles correram gritando para Chloe.

Aqueles foram os últimos. Os filhotes estavam molhados, mas em segurança. Chloe cuidava deles. Dutch voltara a ficar mal-humorado.

Nadei até o lado da piscina, prendi as patas dianteiras no cimento e me esforcei para sair. Quando me levantei, minhas costas se arquearam e as patas traseiras se moveram inutilmente embaixo de mim, sem encontrar apoio. Tremendo, me segurei ali por um momento, usando toda a minha força, com água escorrendo, então caí para trás.

Nadei de um lado para o outro, tentando sair, mas de nada adiantou — a lateral da piscina era alta demais. Fiz esforço mais uma vez, mas não consegui erguer todo o meu corpo para fora d'água. Eu estava como os filhotes, nadando em torno da borda da piscina, sem conseguir me salvar.

O tempo passou, e comecei a ficar cansada, mas não podia parar de nadar porque, quando reduzia a velocidade, podia sentir meu o corpo se afundando na água. Dutch me observava, arfando um pouco. Eu me perguntei se ele podia sentir que eu estava ficando com medo. Nadei e nadei, de um lado para o outro, de um lado para o outro. Não sabia o que fazer.

Nadei até a caixa e tentei subir nela, mas ela apenas se desmanchou embaixo de mim.

Chloe estava embaixo de uma árvore, lambendo os filhotes. Dutch estava ao lado da piscina e soltou um ganido ansioso e quase inaudível enquanto ele me observava. Continuei nadando. Minhas pernas doíam. Água encheu o meu nariz, e espirrei.

Se o meu Lucas estivesse lá, chegaria para me pegar. Passaria os braços ao meu redor e me levantaria. Cuidaria de mim. Mas Lucas não estava lá. Eu não tinha conseguido fazer "Para casa" e estava com problemas para manter o focinho acima da superfície. Meus músculos, naquele momento, estavam muito, muito fracos.

Eu me sentia como uma cachorra má.

Capítulo 21

EU MAL CONSEGUIA ME MOVER, COM A ÁGUA ENTRANDO NOS MEUS OUVIDOS e inundando o meu nariz, quando ouvi a porta de correr se abrir.

— Dutch! O que você fez? — repreendeu Sylvia.

Ela saiu e parou olhando para Dutch com as mãos nos quadris, e o cachorro abaixou a cabeça. Ela foi até onde eu estava nadando.

— Bella? Por que está na piscina? Saia daí!

Eu ouvi a palavra "saia" e tentei subir e sair de novo, com as patas dianteiras sobre o cimento, mas caí para trás, exausta. Olhei me desculpando para Sylvia.

— Ah, querida, não, não por aí. Venha cá, venha cá — chamou Sylvia, batendo palmas enquanto andava até a outra extremidade da piscina. Usei a pouca força que me restava para nadar nessa nova direção. Ela tirou os sapatos e entrou, afundando até os tornozelos. — A escada é aqui. Bella. Você precisa usar a escada.

Ouvi o meu nome e me perguntei o que aquilo significava. A parte de trás do meu corpo estava afundando, me puxando para baixo. Então, minhas patas traseiras tocaram o chão, e minhas patas dianteiras fizeram o mesmo um momento depois. Eu não precisava mais nadar para manter a cabeça fora d'água!

— Isso mesmo, boa garota, boa cachorra.

Eu era uma boa cachorra, mas minhas patas tremiam, e eu não conseguia subir mais. Minha pelagem estava pesada, pingando um fluxo contínuo de água na piscina. Eu mal tinha forças para ficar de pé no que pareciam ser degraus submersos.

— Qual o problema, Bella? Está passando mal? — Sylvia se abaixou e olhou para mim, e bati na água um pouco com a minha cauda. — Venha, agora.

Eu só queria ficar ali parada e me recuperar, mas Sylvia deu um tapa nas minhas coxas e obedeci. Forçando as patas relutantes a entrarem em ação, saí da água, me sacudi e deitei bem ali sob o sol, sentindo o calor do cimento. Sylvia foi soltar Dutch.

Eu sabia que acabaria dormindo em segundos, mas, antes que pudesse fazer isso, senti um toque delicado, em seguida outro. Abri preguiçosamente os olhos e ali estavam os gatinhos, me farejando, com os focinhos pequeninos batendo na lateral do meu corpo. Eu estava fatigada até mesmo para abanar o rabo.

Quando os gatinhos ficaram um pouco mais velhos, eles foram embora, um de cada vez. Sylvia chegava no quintal, pegava um e nós nunca mais o víamos. Eu não sabia dizer como Chloe se sentia em relação à lenta redução da sua família, embora percebesse que, a cada partida, ela parecesse mais atenta aos filhotes restantes.

Pensei em Filhote Grande, que provavelmente não sabia que eu estava morando com Sylvia, Dutch e a família felina de Chloe. O que ela ia pensar de gatinhos tão pequenos? Eu me perguntei se Filhote Grande sentia a minha falta, o que fez com que eu sentisse a falta dela.

Dutch parecia ter chegado à mesma conclusão que eu: Gavin e Taylor nunca mais iam voltar. Eu gostava deles, mas, para mim, suas ausências só faziam sentir ainda mais saudade de Lucas — até que eu conseguisse fazer "Para casa", as pessoas na minha vida continuariam a mudar, entrando e saindo. A tristeza de

Dutch, porém, o deixava sem energia. Quando todos os gatinhos foram embora e restou apenas Chloe, que passava caminhando pelo cão ao alcance da guia, os olhos de Dutch brilhavam, mas ele nem se dava ao trabalho de ficar de pé. Ele só queria ficar ali, parado e deitado, dia após dia, embaixo da mesa naquele calor calcinante e depois, quando o ar refrescava, ele se esparramava em uma faixa de luz do sol perto dali.

Além dos gatos e do clima, não houve mudança alguma. Sylvia nunca nos deixava sair pelo portão, nunca jogava bola, mas nos alimentava, falava conosco e nos deixava dormir onde quiséssemos na casa à noite. Por alguma razão, Dutch não queria que Sylvia fosse a pessoa dele, embora abanasse a cauda quando ela nos mandava sentar para dar petiscos.

Fiquei surpresa quando Dutch se ergueu de repente, mostrando mais energia do que fazia em dias. Eu o observei quando ele foi até o portão e se sentou — o cachorro não fazia isso em muito tempo.

Bocejei, fiquei de pé e me sacudi. A mudança repentina nele, de cão sonolento para completamente desperto, me intrigou.

Dutch ganiu, e fui até ele para farejá-lo com curiosidade, mas ele não reagiu a mim. Estava concentrado no portão.

Eu me sentei e cocei a orelha. Naquela manhã vapor se erguera da piscina, mas, fora isso, eu não conseguia pensar em nada diferente. Chloe passou a maior parte do tempo dormindo na sua poltrona na sala e estava lá nesse momento.

Dutch começou a abanar o rabo. Escutei um carro parar, uma porta se abrir, então ouvi uma voz ao mesmo tempo que senti o cheiro da pessoa.

— Dutch! Bella!

Gavin. Gavin tinha voltado.

Gavin empurrou e abriu o portão, e Dutch saltou sobre ele, ganindo, pulando e lambendo-o.

— Ei! Bom garoto! Sentado! Também senti a sua falta!

Naquele momento, entendi que Gavin era a pessoa de Dutch, assim como Lucas era a minha.

— Oi, Bella!

Fui até Gavin, abanando a cauda, e ele acariciou o meu pelo e me beijou no focinho.

— Ah, senti tanto a falta de vocês. — Ele se aprumou. — Oi, mãe.

Fiquei menos surpresa ao ouvir Gavin mencionar Mãe do que tinha ficado na primeira vez. Sylvia havia saído de casa. Estava fumando e tinha uma das suas bebidas de cheiro forte na mão.

— Cadê o seu namorado?

— Marido. Taylor é meu marido, mãe.

— Claro.

— Você... Qual o problema? — Gavin foi beijá-la, então se afastou. — Caramba, mãe, ainda não é nem meio-dia.

— Não comece. Você não tem ideia do que está acontecendo. Mike roubou o meu talão de cheques de novo e agora estou cheia de cheques sem fundos na praça.

— Então, Mike está de volta?

— Meu Deus, não. Disse a ele que conseguiria uma nova medida protetiva. Não sei como ele botou a mão nos cheques. Ele pode ter pegado no meu carro, porque, quando perdi as chaves, resolvi não trancá-lo mais.

— Está bem.

Dutch estava sentado pacientemente aos pés de Gavin, pronto para um passeio de carro, uma caminhada ou um cochilo. Farejei o ar, sentindo de leve o cheiro de Taylor, mas sabia que ele não estava por perto.

— Vocês dois estão prontos para ir para casa? — perguntou Gavin.

Eu levantei a cabeça e olhei para Gavin. Para casa?

— Amanhã de manhã cedo — falou Gavin.

Sylvia foi sentar em uma cadeira e quase tombou. Gavin a segurou pelo braço.

— Eu estou bem! — disse ela, com rispidez.

— Sim, eu sei, desculpe. Só estava tentando ajudar — respondeu Gavin, se desculpando. Havia um pouco de tristeza na sua voz.

Sylvia tomou um gole da bebida.

— Você precisa ir amanhã?

— Bom, tenho muita coisa para fazer. Achávamos que tínhamos tudo organizado antes de partir... Você conhece Taylor, ele planeja tudo, mas precisamos cuidar de muita coisa. Como ficaram os cachorros?

— Foi bom tê-los por aqui. Eles assustaram Mike — disse Sylvia.

— Talvez devesse arrumar um cachorro para você — observou Gavin.

Dutch e eu nos entreolhamos ao ouvir a palavra "cachorro".

— Eu preferiria Bella. Ela não late. Dutch só fica perturbando Chloe.

Houve um longo silêncio.

— Mãe? Não tenho certeza... Você está dizendo que gostaria de ficar com Bella?

— Entre eles dois, sim.

— Ah. Hã. Eu nunca tinha pensado nisso — respondeu Gavin.

Naquela noite, Dutch e eu dormimos com Gavin em um quarto no fundo do corredor. Dutch não parava de esfregar o focinho na mão de Gavin, querendo mais carícias enquanto eu me enrosquei aos seus pés e escutei ele falando conosco com o telefone encostado no rosto.

— Eu também não gosto, mas devemos isso a ela — disse ele. — E eu me sentiria mais seguro, sabendo que ela tem Bella para protegê-la.

Ergui os olhos ao ouvir o meu nome. Gavin escutou por um momento.

— Não. — Ele riu. — Isso não é um truque, embora pudesse dar a você algo a esperar quando fizéssemos uma visita. — Eu abaixei a cabeça. — Acho que as duas vão ficar bem, acho mesmo. Bella é Bella... sempre contente, não importa onde.

Fechei os olhos, ignorando a repetição do meu nome. Para casa. Era só nisso que eu conseguia pensar. Eu estava cansada de ficar ali e só queria fazer "Para casa". Era uma dor, uma fome, e vi a volta de Gavin como um sinal de que eu logo estaria a caminho de Lucas.

Na manhã seguinte, Gavin pôs as coisas no carro, e Dutch o seguiu logo atrás, sentado com expectativa na porta da frente sempre que ele saía.

— Não se preocupe, Dutch, você vai para casa comigo — comentou Gavin de forma tranquilizadora, acariciando a cabeça do cachorro.

Sylvia saiu do quarto, soprando uma nuvem de fumaça no ar.

— Já está nevando nas montanhas?

— Ainda não. As estradas vão estar limpas pelo caminho. Mãe, não posso agradecer o suficiente por cuidar dos cachorros enquanto estávamos viajando. Eu agradeço muito, muito mesmo.

Sylvia olhou para ele por um longo momento.

— Eu não sou uma boa mãe.

— Ah, mãe...

— Quero dizer, eu sabia que não seria, e nunca tive a intenção de ter filhos. Mas fiquei grávida. Estou tentando, tentando ser melhor. Ser melhor nisso. Eu me arrependo... de coisas.

Gavin foi até ela e lhe deu um abraço. Enquanto ele a abraçava, ela levou o cigarro à boca por cima do ombro dele.

— Eu devia ter ido ao seu casamento, Gavin. Sei que tinha que me apresentar para a intimação judicial e coisa e tal, mas isso, na verdade, foi só uma desculpa para não ir. Foi um erro. Nós somos família, você, eu, Taylor e, às vezes, a sua irmã.

— Sei que foi difícil para você, mãe. Tudo bem.

— Eu não entendia essa coisa gay, mas tenho assistido à TV e percebi que o que me ensinaram quando cresci não estava certo. Você é o meu filho, e tenho orgulho de você.

Eles se abraçaram mais um pouco. Ela sugou o cigarro, que brilhou forte, e jogou mais fumaça no ar.

— Então... — Gavin respirou fundo. — O que você disse sobre Bella. Falei com Taylor, e ele concorda que é uma boa ideia.

— O quê?

— Bella.

— Bella?

Ouvi o meu nome e me perguntei o que isso significava.

— Ela pode ficar aqui.

— Ficar aqui? — repetiu Sylvia.

— Sim. Nós odiamos separá-los, e vamos sentir falta dela, mas, como falei, Dutch e Bella apenas apareceram ao mesmo tempo, eles nunca estiveram juntos antes disso. Eles não são uma família canina.

— O que está dizendo? — perguntou ela, sem entender.

— Desculpe?

— Você quer que Bella fique aqui?

Eu ouvi “Bella” e “fique”, por isso fiz “Sentada”.

— Sim. Não era isso que você queria?

— Não. Claro que não. — Sylvia soprou fumaça.

— Mãe, você me perguntou ontem se podia ficar com Bella.

— Eu não disse isso. Falei que ela era uma boa cachorra. Brinca com Chloe. Fiquei presa aqui por seis meses por causa desses cachorros. Eu quero viajar, talvez ir para Bloomfield.

— Está bem.

— Se não quiser Bella, vai precisar encontrar uma outra casa.

— Não, nós *amamos* Bella. Eu só... Esqueça, está tudo bem.

Fizemos um passeio de carro que durou um bom tempo, mas a melhor parte foi quando subimos um morro e o cheiro me atingiu: casa, o lugar onde Lucas e eu morávamos. Havia, flutuando no ar, a mistura única de aromas que significava lar, e agora eu estava situada. Sabia para onde precisava ir.

Taylor ficou feliz em nos ver, e fomos postos em guias e levados o para nosso primeiro passeio em muito tempo. Dutch estava em êxtase, marcando tudo que via.

— Os dois ficaram *gordos* — comentou Taylor, insatisfeito.

— Logo vão entrar em uma dieta, mas vamos lhes dar uma chance de se reajustar. Eles devem estar confusos e sentindo falta de Sylvia — disse Gavin.

— É difícil discutir com algo tão completamente louco como essa afirmação. — Taylor riu. — Então, cabana nesse fim de semana? Eu adoraria fazer umas caminhadas antes de a neve cair.

Na vez seguinte em que fizemos um passeio de carro, meu nariz me disse para onde estávamos indo antes de chegarmos lá: a cabana. Dutch levantou a perna para todas as plantas no quintal dos fundos, insultado pelo cheiro dele ter desaparecido, enquanto eu mantinha o focinho no ar e procurava Filhote Grande. Eu podia farejar diversos animais, mas não ela.

— Querem sair para fazer uma trilha? — perguntou Taylor, na manhã seguinte. Reconheci as palavras, mas não entendia o significado delas sem Lucas. — Vamos, Dutch.

Os homens prenderam guias nas nossas coleiras e nos conduziram para fora. Durante algum tempo, o caminho era familiar, mas logo viramos morro acima e seguimos para uma área onde eu nunca estive antes. Dutch deixava marcas sempre que permitiam que ele fizesse isso — eles puxavam a guia quando ele tentava parar para levantar a perna.

— Você acha que estamos bem aqui? — perguntou Gavin.

— Claro. Quero dizer, se esbarrarmos com um guarda-florestal, vamos ter que pagar uma multa se eles estiverem sem guia.

— Você já viu algum guarda-florestal? Quero dizer, sem contar nas suas fantasias.

— Engraçadinho. — Taylor se ajoelhou, soltou a minha guia e a guardou na bolsa nas suas costas. Gavin fez a mesma coisa com Dutch.

Por algum tempo, a sensação de sair para andar sem guia era tão estranha que permaneci perto dos dois homens, que riam e conversavam. Depois de algum tempo, porém, Dutch saiu correndo à frente, atingido por um cheiro que não detectei. Trotei para acompanhá-lo.

— Não vão longe! — gritou Gavin.

Livres e correndo juntos, ficamos cheios de energia, e Dutch e eu disparamos, galopando pela trilha. Farejei um coelho e me perguntei se Dutch já tinha visto um. Eu me lembrei de Filhote Grande trazendo carne de coelho. E de estar em uma trilha longa e montanhosa como aquela. Eu me lembrei de "Para casa".

Eu me lembrei de Lucas.

Estimulados pela energia um do outro, corremos pela trilha, mas paramos de repente quando ouvimos Taylor.

— Dutch! Bella! — gritou ele.

Dutch e eu esfregamos os focinhos um no outro, arfando depois da corrida. Ele olhou para trás na direção em que podíamos sentir o cheiro dos homens, e depois para mim. Entendi que ele sentia alguma coisa em mim, uma mudança na minha intenção, mas que não conseguia compreender o quê.

Abanei o rabo. Eu gostava de Dutch. Ele era da minha matilha. Ele amava Gavin e Taylor, e eles o amavam. Mas a casa deles não era a minha, e agora era hora de eu seguir em frente.

Quando Taylor chamou de novo, Dutch me lançou um olhar demorado e voltou pelo caminho que tinha percorrido. Depois de alguns passos, ele parou e me encarou com expectativa. Não me mexi. Nós dois ouvimos os nossos nomes, dessa vez na voz de Gavin, e Dutch pareceu entender, enfim. Ele me olhou fixamente, talvez sem acreditar que eu abriria mão de uma vida maravilhosa com os dois homens, ou talvez apenas se dando conta de que talvez nunca mais fôssemos nos ver de novo.

Mas ele não podia ignorar Gavin. Com arrependimento e confusão nos olhos, Dutch me deixou e voltou para ficar com a sua família.

Eu continuei na outra direção.

Capítulo 22

POR MUITO TEMPO, TIVE CONSCIÊNCIA DE DUTCH, O CHEIRO DELE ME PERSEguindo enquanto eu seguia a trilha. Eu sabia que ele estaria feliz com Gavin e Taylor, sobretudo com Gavin, que era o Lucas de Dutch. Não fosse por Dutch, eu talvez não tivesse conseguido deixá-los, mas eu me sentia bem, sabendo que eles tinham um cachorro.

Eu não fazia um passeio tão longo desde que ficamos com Sylvia, mas tudo isso era familiar — percorrer uma trilha de terra em que andavam pessoas e animais, cobrindo terreno que subia e descia, e ia do rochoso para o arborizado, para o gramado, para o empoeirado.

Mais cedo do que eu teria esperado, fiquei cansada e com sede, com os músculos das pernas exigindo descanso. Encontrei um lugar protegido para deitar, bocejando, sentindo-me exausta. O sono não veio com facilidade — eu tinha me esquecido de todos os cheiros de animais que chegavam no ar da noite, e o uivo de uma raposa me deixou alerta. Queria pensar em Lucas, mas a minha memória me levava para Dutch, Gavin e Taylor, e Filhote Grande, e Chloe, e eu sentia falta de todos eles. Eu me sentia sozinha — completamente sozinha.

O tempo estava seco e revigorante. A trilha apontava direto para o cheiro de casa, mas eu sabia que precisava de água, e desviei com relutância do caminho e segui na direção onde o meu focinho me dizia que eu encontraria um riacho.

Também senti o cheiro de outra coisa: madeira queimada. Não fumaça como a da boca de Sylvia ou de quando Taylor e Gavin acendiam um fogo dentro do buraco na parede da cabana, mas o travo nítido de restos de madeira depois que as chamas tinham se apagado havia muito tempo. Seguindo a água, logo cheguei a uma área grande coberta de capim seco onde a maioria das árvores que apontavam para o céu tinha esse odor por todo o tronco. A maioria delas era totalmente preta e não tinha folhas, e muitas estavam tombadas no chão. Farejei uma delas com curiosidade, sem entender o que podia ter acontecido para provocar tantos troncos queimados.

Quando o fedor nítido e feroz de um coiote chegou a mim da floresta de madeira queimada, dei a volta.

Depois de dois dias de progresso constante, eu estava desgraçadamente faminta. Tinha seguido o meu focinho até a água e me deparara com um lago bastante grande, mas tinha que atravessar uma estrada movimentada para chegar lá, e me senti uma cachorra má enquanto os veículos passavam roncando. Não havia árvores, apenas pedras e alguma vegetação rasteira, por isso fiquei exposta enquanto bebia a água.

Eu queria fazer "Pedacinho de queijo". Não era o petisco que eu desejava, mas o amor e a atenção da minha pessoa.

Eu me sentia perdida.

Os carros na estrada significavam pessoas, e eu podia sentir o cheiro de uma cidade próxima. Ela me afastaria do caminho mais direto para casa, mas precisava comer — e onde havia pessoas, havia comida. Fiquei o mais afastada possível da estrada, o que foi, por algum tempo, bastante fácil — a área bem ao lado dela era plana, um riacho raso corria pelas pedras, e a estrada seguia pelas suas margens. Então, o solo pareceu ficar úmido, e os arbustos se adensaram. Comecei a encontrar fazendas, que evitei, ignorando os cachorros que latiam para mim ultrajados ou descrentes.

Estava escuro quando cheguei a ruas com casas e lojas. Senti cheiro de comida sendo feita: os odores no ar eram sedutores, mas não vi uma matilha sentada em frente a nenhum lugar onde eu ia. Encontrei alguns latões com pedaços deliciosos e fragrantes de carnes comestíveis, mas eles eram altos demais para que eu pudesse subir neles.

Logo fui atraída por um prédio grande com muitos carros estacionados em frente. Luz se derramava de janelas grandes enfileiradas por toda a face do edifício. Humanos adultos empurravam carrinhos cheios de comida, e às vezes uma criança ou duas descarregavam bolsas em um carro e depois empurravam os carrinhos para longe e os abandonavam. Quando me aproximei, vi pessoas entrando e saindo do prédio, e parecia que as portas se abriam sem que ninguém as tocasse. E toda vez que as portas grandes se abriam, aromas sedutores bailavam no ar.

O mais atraente desses cheiros maravilhosos era galinha. Havia galinhas sendo feitas ali.

As pessoas olhavam para mim, mas não me chamaram quando me aproximei mais das portas grandes, atraída pelas fragrâncias irresistíveis. Nenhuma delas parecia querer me botar em uma guia e me manter afastada de Lucas — na sua maioria, elas me ignoravam por completo. Um menininho chamou "cachorrinho" e estendeu a mão na minha direção, e havia um cheiro doce forte nos seus dedos, mas, antes que eu pudesse lambê-los, a mãe dele puxou o braço.

Nenhuma das pessoas me importava naquele momento tanto quanto o fato de que dentro daquelas portas havia galinha.

Eu me sentei por um tempo e sorvi as ondas de delícias sempre que as portas se afastavam com um movimento ruidoso, mas ninguém levou nada para uma boa cachorra que estava fazendo "Sentada".

Quando um bom tempo se passou sem ninguém sair, fiquei impaciente e me aproximei das portas de vidro para olhar para dentro e ver se conseguia localizar a fonte dos aromas de galinha.

Então, as portas se abriram.

Fiquei parada, sem saber ao certo o que fazer. As portas pareciam estar esperando por mim, do jeito que Lucas segurava a porta da frente sempre que chegávamos em casa de um passeio. Era como se eu estivesse sendo *convidada*. E logo na entrada, bem à minha frente, havia um mostruário de metal. O calor de luzes acima das prateleiras empurrava o cheiro maravilhoso de galinha assada pelo ar da noite. Vi sacos com galinha assando dentro deles, e elas estavam ali, bem ali!

Entrei no prédio bem-iluminado, sentindo-me culpada. Já podia sentir o gosto da galinha, podia me imaginar mastigando e engolindo a carne, e lambi os lábios. Nervosa, caminhei por um chão liso, e cheguei ao mostruário. Eu me ergui sobre as patas traseiras, tremendo, e tentei pegar um dos sacos. O calor das luzes fez com que eu piscasse enquanto pegava o saco apenas com os meus dentes dianteiros.

— Ei! — gritou alguém.

Ergui os olhos, e um homem vestido de branco tinha dado uma volta no mostruário e estava se aproximando. Ele parecia com raiva.

Larguei a galinha, e ela caiu no chão.

Comida no chão era sempre para um cachorro, a menos que alguém dissesse não.

— Vá embora! — gritou ele, o que não era a mesma coisa. Peguei o saco e me virei.

As portas estavam fechadas.

Eu queria escapar daquele homem, que estava chegando perto. Corri adiante, olhando pela janela à procura de alguém que chegasse do lado de fora e abrisse as portas.

— Pare! Cachorro! — gritou o homem de branco. Fui arranhar a porta, e elas se abriram! O ar da noite entrou, e eu corri, disparando para longe com o jantar na boca.

Meu instinto era correr sem parar, mas estava com fome demais para continuar naquele pique. Fui até uma área escura nos limites do estacionamento pavimentado. Eu podia ter aquela refeição toda para mim — não havia Filhote Grande com quem dividir. Rasguei o saco e a galinha quente e suculenta estava tão deliciosa que lambi e limpei o plástico.

Foi uma sensação boa ter comida na barriga, mas não consegui parar de pensar no que tinha visto na prateleira quando estava no prédio: outros sacos com mais galinhas. Agora que eu sabia onde elas estavam e como pegá-las, não queria mais nada além de voltar para o prédio.

Trotei até a porta. O homem tinha ficado com raiva, mas aquelas galinhas estavam ali paradas. Quando ele gritou, me senti como uma cachorra má, mas aquelas galinhas pareciam ter sido deixadas ali para mim — como eu podia ser má se as minhas ações me levavam a galinhas?

Eu me aproximei da porta. Uma mulher saiu, empurrando um carrinho, e apenas olhou de esguelha para mim. *Ela* não achava que eu era uma cachorra má.

Quando as portas se fecharam, eu me aproximei, e ela se abriram. Senti o cheiro das galinhas e entrei, como se Lucas tivesse me chamado. Fui direto para as prateleiras de aço com as luzes quentes e os odores suculentos.

— Peguei você! — gritou um homem.

Eu me virei e olhei. Era o mesmo homem, e ele estava no caminho da porta, com os braços abertos como se fosse me abraçar.

Peguei outra galinha e saí correndo.

Meu medo vinha de ter certeza de que o homem de branco era uma das pessoas que ia me afastar de Lucas. Ele estava com raiva, e me lembrei do homem de chapéu e a caminhonete com as gaiolas e dos gritos de dor e tristeza de todos os cachorros na sala onde ninguém fazia "Sem latir". Homens com raiva machucavam cachorros. Esse homem podia me machucar, podia me botar de volta naquele lugar horroroso.

Eu corri, mas para onde podia ir? Apenas humanos conseguem encontrar maneiras de entrar e sair de prédios. O chão sob as minhas garras estava escorregadio, e me esforcei para manter o equilíbrio, vendo pessoas me encarando enquanto corria por fileiras e fileiras de prateleiras.

Ainda estava com a galinha. Era a *minha* galinha agora. Tudo que eu queria fazer era encontrar um lugar para rasgar o saco e comê-la, mas as pessoas gritavam, gritavam *comigo*. Eu precisava sair dali!

— Peguem! Peguem o cachorro! — bradava o homem de branco.

Um garoto com uma vassoura foi na minha direção, por isso mudei de rumo, deslizando, e corri freneticamente entre prateleiras altas. Um homem com um carrinho chamou:

— Aqui, garoto.

Ele pareceu amigável, mas passei correndo por ele. Tudo que eu podia farejar era a galinha na boca, e tudo que podia sentir era pânico. Todo mundo achava que eu era uma cachorra má que precisava ser castigada.

— Aqui! — gritou outro homem, quando cheguei no fim da passagem entre as prateleiras. Ele agitou os braços na minha direção, e deslizei, parei e quase caí antes de ganhar tração e disparar na direção oposta.

— Peguei você! — Era o homem de roupa branca, bem atrás de mim, correndo depressa. Segui adiante, na direção do homem que agitava os braços, então desviei para o lado. As mãos dele roçaram no pelo do meu pescoço. O homem de branco tentou mudar de direção e bateu em uma prateleira de papelão, e aí aconteceu uma chuva de pequenos recipientes plásticos, se espalhando por todo o chão. Ele escorregou e caiu embolado.

Senti o cheiro do exterior e corri nessa direção, mas, quando cheguei lá, não estava do lado de fora — estava em uma parte do prédio que tinha apenas o *aroma* do exterior: terra, plantas e flores. Frutas que eu reconhecia de quando Lucas as comia liberavam as suas fragrâncias fortes — laranjas e maçãs. Não havia pessoas com raiva ali, por isso larguei a galinha, rasguei o saco e comi um pouco. Humanos eram criaturas tão maravilhosas que podiam caçar galinhas, cozinhá-las e guardá-las em sacos quentes!

Ouvi passos apressados. Os homens com raiva, entre eles o de roupa branca e o garoto com a vassoura, estavam se aproximando. Peguei o meu jantar e disparei em uma direção. O garoto bateu em uma mesa, e uma pilha inteira de laranjas cascateou para o chão com impactos macios e abafados. Elas rolaram como bolas, mas não parei. Corri na direção onde havia peixes e carnes, com ar frio emanando das paredes.

— Peguem ele! — gritou alguém. Agora havia ainda mais pessoas atrás de mim.

Virei e passei por pães e queijos cheirosos. Havia tanta comida ali! Aquele era o lugar mais maravilhoso que eu já tinha ido, exceto pela atitude das pessoas em relação aos cachorros. Eu teria amado farejar aquela prateleira, mas podia ouvir os homens com raiva chegando mais perto.

Voltei a um lugar familiar — as prateleiras com galinhas deliciosas estavam bem à minha frente. Passei correndo por elas. Uma mulher carregando um saco nos braços estava saindo, e ouvi um ruído quando as portas se abriram para ela e a brisa noturna entrou.

— Não! — gritou alguém.

Eu conhecia essa palavra, mas senti que não se aplicava a mim sob aquelas circunstâncias. A mulher, porém, parou e virou, então talvez o "Não!" tivesse relação com o comportamento dela. Passei correndo e rocei nas suas pernas.

— Uau! — disse ela.

— Parem o cachorro! — ordenou a voz, agora familiar, do homem de branco.

— Cachorrinho? — disse a mulher para mim.

Eu ainda tinha medo. Saltei para a escuridão, deixando o maravilhoso prédio das comidas para trás. Encontrei uma rua com algumas casas, mas segui em frente. Por fim, quando ouvi um cachorro me desafiando de um quintal dos fundos, soube que estava em um lugar seguro, um lugar que *gostava* de cachorros. Parei, arfando, me deitei e mastiguei o resto do meu jantar.

Quando acordei, uma camada fina de neve estava caindo. Meu estômago doía, e "Fiz minhas necessidades" de um jeito doloroso e violento. Depois, passei o traseiro pela neve e me senti um pouco melhor.

Ainda estava processando o sentimento de que, de algum modo, eu tinha sido uma cachorra má. Quando pensava no homem de branco, o medo voltava, e eu ficava ansiosa e um pouco mal. Caminhei em silêncio pela neve, desconfiada das pessoas, preocupada que alguém quisesse me machucar ou me pegar e levar embora.

O cheiro de comida sendo feita flutuava sedutoramente pelas correntes de ar, atraindo-me como um ímã. Por algum tempo, me sentei diante de uma porta dos fundos, esperando que alguém saísse com alguma coisa deliciosa — eu podia sentir o cheiro de bacon e achei que pudesse haver um ou dois pedaços disponíveis para uma boa cachorra fazendo "Sentada", mas ninguém me notou. Talvez eu precisasse de uma matilha comigo para receber essa atenção.

Passei o dia me movendo com cautela entre as casas, farejando com esperança latões de plástico que exalavam cheiros de comida, mas não encontrei nenhum com a tampa aberta. O sol derreteu a neve, as ruas estavam molhadas e as casas gotejavam em um ruído que enchia o ar com o som e o cheiro frios e limpos de água. Várias vezes toquei focinho com cachorros amigáveis por trás de cercas, e, em outras, ignorei cachorros que se ofendiam com a minha presença.

Não comi até tarde naquele dia, quando passei por uma porta de garagem que estava levantada o suficiente apenas para que eu me espremesse por baixo. Havia um saco de comida de cachorro aberto e quase vazio no canto, e enfiei a cabeça nele, ignorando os gritos ultrajados de dois cachorros do outro lado da porta.

Comer comida de cachorro me fez lembrar de Lucas. Eu me recordei da excitação que havia quando ele botava o prato no chão à minha frente, como eu ficava grata, como ficava cheia de amor pelo homem que estava me dando jantar com a própria mão. A saudade de casa me tomou com tanta força quanto as dores com que eu tinha acordado naquela manhã, e soube que logo estaria deixando aquela cidade para voltar para a trilha.

Porém, eu estava aprendendo que precisava comer sempre que a oportunidade aparecia. Vários dias podiam passar até a próxima refeição. Quando escureceu, fui para a rua com mais cheiros de comida. A noite trazia uma temperatura gelada, e me lembrei de dormir nas montanhas com Filhote Grande. Eu ia precisar caçar como ela para me alimentar. Mas faria o que fosse preciso para ser uma cachorra que fazia "Para casa".

Havia um homem sentado na calçada sobre cobertores em um facho de luz que descia de uma lâmpada acima.

— Oi, cachorrinho — chamou ele com delicadeza, quando tentei evitá-lo.

Meu primeiro instinto foi fugir. Mas parei, ouvindo algo na voz dele que parecia amistoso.

O homem cheirava a sujeira, carne e suor. O cabelo no seu rosto e na sua cabeça era comprido e emaranhado. Ele tinha sacos plásticos empilhado de um lado, e uma mala como a de Taylor no outro. Usava uma luva sem dedos, que estendeu na minha direção.

— Aqui, cachorrinho — disse ele.

Hesitei. Ele parecia legal, e como estava ali sentado com as pernas estendidas e encostado no prédio em vez de estar de pé com os braços abertos ou uma guia nas mãos, não parecia o tipo de pessoa que ia tentar me impedir de fazer "Para casa".

Ele enfiou a mão em uma caixa pequena e estendeu um pedaço de carne na minha direção, e fui até ele abanando o rabo. O petisco de carne tinha queijo dentro. Eu o engoli rapidamente e fiz "Sentada".

— Bom cachorro — elogiou ele. Ele aparentemente reconhecia uma boa cachorra quando ela fazia "Sentada". Ele levou a mão à caixa e pegou outro pedaço de carne. Ele passou a mão pelo meu pelo, segurou a minha coleira e olhou para ela com olhos apertados. — Bella.

Abanei o rabo. A maioria das pessoas que sabia o meu nome me dava petiscos. As pessoas no prédio com as galinhas não me conheciam, o que explicava por que estavam com tanta raiva.

— O que está fazendo aqui fora sozinha? Está perdida, Bella?

Ouvi a pergunta na voz do homem e olhei enfaticamente para a caixa ao seu lado. Sim, eu adoraria comer mais carne com queijo.

— Eu estive perdido também — declarou depois de um tempo. Ele levou a mão para dentro de um dos sacos e remexeu no interior. Observei com atenção. — Ei, aqui, você gostaria disso?

Ele me alimentou com um punhado de nozes e, enquanto eu as mastigava, brincou um pouco mais com a minha coleira. Quando terminei, percebi que tinha, então, um cordão comprido preso a ela. Alarmada, tentei me afastar do homem, mas não consegui ir longe antes que a corda se esticasse.

O homem e eu olhamos um para o outro. Um pequeno ganido escapou dos meus lábios.

Eu tinha cometido um erro terrível.

Capítulo 23

O HOMEM TINHA UM CARRINHO COMO O QUE AS PESSOAS USAVAM NO ESTACIONAMENTO para levar comida e crianças para os seus carros, mas não havia crianças com ele e a maior parte do que guardava no carrinho, em sacos plásticos, não era comida.

— Vamos dar uma volta — dizia o homem, quase diariamente, botando tudo da calçada dentro do carrinho.

Eu tinha vontade de andar, de subir até as montanhas, mas quase nunca íamos tão longe. Em geral, caminhávamos pela rua até um terreno plano com pedaços de plástico e metal espalhados pelo chão, e eu me agachava para "Fazer as minhas necessidades", então voltávamos ao lugar perto da parede onde ele espalhava os cobertores. Ao lado da parede havia uma cerca de metal e, quando o homem me deixava sozinha, me amarrava ali. Na maior parte do tempo, ele atravessava a rua até um dos vários prédios — um cheirava à comida e o outro não cheirava a nada que eu conseguisse detectar além de pessoas e caixas. Quando saía desse segundo lugar, o homem trazia uma garrafa d'água nas mãos e, quando a abria, o cheiro pungente me lembrava de Sylvia.

Na maior parte do tempo, ficávamos sentados. O homem falava comigo quase sempre, repetindo o meu nome, mas apenas murmurando palavras que eu não conhecia.

— Não sou burro. Sei o que você fez comigo. Sei quem você é. Mas esses são os *meus* pensamentos! — dizia ele, sem parar.

— Eles não estão no controle. *Eu* estou no controle. Fim da transmissão.

Quando pessoas se aproximavam, o homem se aquietava.

— Só preciso de dinheiro para a minha cachorra — dizia ele com delicadeza. — Tenho que comprar comida para ela. — As pessoas paravam para me acariciar e falar comigo, mas nenhuma me desamarrava. Muitas vezes, elas jogavam coisas em uma latinha e o homem dizia: — Obrigado.

Várias pessoas diziam a palavra "Axel" e, depois de um tempo, aprendi que esse era o nome do homem. Axel.

Eu não sabia por que Axel dormia na calçada e não em casa. Axel parecia muito solitário — ele precisava de um amigo do mesmo modo que Gavin tinha Taylor. Mas ninguém que parava para conversar agia como esse tipo de amigo, mesmo que fossem simpáticos.

No início, eu só queria escapar de Axel, fazer "Para casa". Mas então entendi que Axel precisava de conforto, da mesma forma que Mack e os meus outros amigos em "Para o trabalho" precisavam de mim. À noite, Axel lutava com pessoas que eu não conseguia ver, gritava com elas, se contorcendo na cama, com um medo forte no suor. Quando eu botava a cabeça no peito dele, podia sentir o coração batendo acelerado. Mas então, quando a sua mão encontrava o meu pelo, a agitação febril se acalmava e a respiração voltava ao normal.

Eu gostava de Axel. Ele falava comigo o dia inteiro e dizia que eu era uma boa cachorra. Depois de morar com Sylvia, era bom receber tanta atenção. Me sentia muito importante quando estava com ele.

Eu queria fazer "Para casa", mas sabia que estava fazendo o que Lucas ia querer que eu fizesse, assim como cuidar de Filhote Grande era o que ele teria desejado. Mais que qualquer coisa, ainda mais que "Para casa", Lucas queria que eu fosse uma boa cachorra. E eu nunca era uma cachorra melhor do que quando confortava uma pessoa ou um gatinho assustado. Era o meu trabalho.

As noites estavam ficando cada vez mais frias, então outra coisa que eu podia fazer era manter Axel aquecido ao me apertar contra ele. Também o alertei quando um carro parou na rua e dois homens desceram do banco da frente. Eu havia conhecido pessoas daquele tipo antes: eles tinham objetos pesados e de cheiro estranho nos quadris — eram policiais. Eu os associava com a caminhonete das gaiolas que tinha me levado para longe de Lucas. Me encolhi quando eles se aproximaram, e Axel acordou.

— Oi, Axel — disse um deles, ajoelhando-se. — Quando arranjou um cachorro? — Ele estendeu a mão na minha direção, mas não me aproximei, pois não confiava nesse homem.

— É ela. Eu a encontrei. Abandonada — respondeu Axel.

— Ah. Bom, tem certeza de que ela está bem? Não parece muito amistosa.

— Bella. Diga oi para o policial Mendez.

— Está tudo bem, Bella — falou o homem com a mão estendida. Farejei os seus dedos, abanando um pouco o rabo, com medo que ele tentasse pegar a minha coleira. — Meu nome é Tom.

— Como podemos ajudá-lo hoje, policial? — perguntou Axel.

— Não fale assim, Axel. Você sabe que o meu nome é Tom.

— Tom.

Parecia que o nome do policial simpático era Tom. O amigo de Tom permaneceu afastado enquanto anotava alguma coisa.

— Então, Axel, o inverno está chegando. Você já pensou no que eu falei, sobre voltar para Denver? Ainda estamos dispostos a levá-lo. Acho que é uma ótima ideia.

— E a minha cachorra? — perguntou Axel.

— Ela pode ir. Claro — assentiu Tom, de maneira agradável.

— E depois?

Tom deu de ombros.

— Você pode voltar para o hospital da Associação de Veteranos…

— Não vou fazer isso — interrompeu Axel, com calma. — Na última vez que fiquei lá, eles tentaram tirar o meu sangue.

— É um hospital, Axel.

— Hospital. Hospitalidade. Apesar disso, há pessoas lá que nunca foram julgadas, nunca foram condenadas, mas que *não podem sair*. Elas estão presas a amplificadores médicos que se conectam com a internet através de protocolos TCP/IP. Por que acha que fazem isso? Um monitor eletrofisiológico proporciona transmissões com a rede nos dois sentidos... isso não é suspeito para você? A *rede mundial* de computadores?

Tom ficou em silêncio por um momento.

— Nós não podemos ajudá-lo aqui. Ninguém pode viver nas ruas no inverno, não aqui, é frio demais. Gunnison não tem estrutura, e você não deixa que nenhuma instituição de caridade o ajude.

— Todas elas querem a mesma coisa de mim — disse Axel, duro.

— Todo mundo *se preocupa* com você, Axel. Você serviu o nosso país. Ajudou a gente, e, agora, queremos ajudá-lo.

Axel apontou para o céu.

— Sabia que tem três satélites triangulando você o tempo todo? Mas os algoritmos deles não funcionam em mim porque vivo de forma aleatória. Estou fora do padrão. Não estou no *esquema*. Não vou comer a comida geneticamente modificada deles.

— Tudo bem... — falou Tom.

— Quando você vai a um café, eles perguntam o seu nome. Já parou para pensar por quê? Por que precisam dessa informação? Para uma xícara de café? E botam isso no *computador*? Essa é apenas uma das mil maneiras pelas quais você é rastreado. — Axel começou a falar depressa. Eu podia senti-lo ficar ansioso e esfreguei o focinho na sua mão para que ele soubesse que eu estava bem ali.

— Você está usando de novo, Axel? — perguntou Tom, com delicadeza.

Axel virou o rosto. Agora ele estava furioso. Esfreguei o focinho nele de novo. Só queria que ficasse feliz.

— Bom. — O policial simpático ficou de pé. Abanei a cauda, entendendo, pelo seu movimento, que ele não ia tentar me levar junto. — Pense no que eu disse, Axel. Não posso obrigá-lo a aceitar ajuda, mas queria que visse o quanto as pessoas se importam. Se tentar morar ao ar livre durante o inverno, você e a sua cachorra vão *morrer*. Por favor, pense nisso. — Ele levou a mão ao bolso e botou alguma coisa na lata. — Fique bem, Axel.

Sem aviso, Axel encheu o carrinho, e nós atravessamos a cidade até um parque. Fomos morar na casa dele, mas era uma casa muito estranha: um lugar com telhado e nenhuma parede, com várias mesas, mas sem comida. O terreno era enorme e havia vários escorregas, mas não pude mostrar a Axel que sabia subir neles porque estava sempre na guia.

Às vezes, outros cachorros chegavam no parque e eu gania, desejando correr com eles. Axel não se importava quando eles trotavam até mim, mas eu não tinha permissão de seguir quando eles saíam correndo atrás de bolas e crianças.

— Eles estão marcados, Bella. Todos têm chips — dizia para mim. Eu ouvia determinação na forma como ele dizia o meu nome e sabia que não teria permissão de brincar.

Outras pessoas iam nos ver. Todas carregavam sacos e bolsas e bebiam de garrafas com cheiro forte de Sylvia, que eram passadas de mão em mão enquanto falavam e riam. A lareira era uma caixa de metal em uma estaca, e me lembrava da vez em que encontrei um pedaço grande de carne separado para mim em um parque e um bebê me observou pegando-o. Eles queimavam madeira na caixa e ficavam em frente a ela estendendo as mãos na direção do fogo.

— *Droga*, está ficando frio — disse um homem chamado Riley. Eu gostava de Riley, ele tinha mãos delicadas e o seu hálito cheirava como o da Mamãe Gata. — Preciso ir para o sul antes que fique do lado errado do inverno.

Pessoas — havia três homens além de Axel — balançaram a cabeça e murmuraram em afirmação.

— Eu não vou embora — respondeu Axel, laconicamente.

Todos se entreolharam.

— Você não pode ficar aqui, Axel. A partir de dezembro, a temperatura vai estar sempre abaixo de zero. Tem dias que fica abaixo dos quinze — disse Riley.

— Eu não vou embora. Não de novo. Estou seguro aqui.

— Não está, não — falou outro homem. Ele tinha acabado de chegar, e eu não sabia o seu nome, mas as pessoas o estavam chamando de Não Beba Tudo. — Você e a sua cachorra vão morrer congelados.

Na maioria das vezes, as pessoas passavam algo pequeno e fino como um lápis umas para as outras. Eles encostavam a ponta do lápis no braço, depois todo mundo ria, e eles dormiam. Eu sentia uma grande paz baixar sobre Axel naqueles momentos, mas, por alguma razão, ficava ansiosa pela forma como ele dormia profundamente, não importasse a temperatura. Eu me arrumava para mantê-lo quente, esperando que ele acordasse.

Lucas também tinha lápis, mas não me lembro de vê-lo espetar o braço com um.

Quando as pessoas iam embora, iam como um grupo, levando as bolsas do jeito que Taylor fazia quando partia por vários dias.

— Você não vai conseguir, cara. Por favor, venha conosco — falou Riley com urgência.

Axel me acariciou.

— Vou ficar.

— Você é um filho da mãe burro e merece morrer — disse Não Beba Tudo, rindo.

Axel fez um gesto rápido com a mão, e o homem riu de novo, um som feio que fez os pelos da minha nuca se arrepiarem.

A casa sem paredes estava solitária só com nós dois. Eu ficava satisfeita sempre que íamos para a cidade e nos sentávamos nos nossos cobertores na calçada. Muitas pessoas paravam para falar conosco. Algumas me davam petiscos e, às vezes, davam a Axel sacos de comida de cachorro.

Um homem se sentou nos cobertores e falou com Axel por muito tempo.

— Hoje a temperatura vai cair para menos de doze graus, Axel. Você não quer vir para a igreja? Pode tomar um banho. Nem que seja pela sua cachorra.

— Não é uma igreja de verdade. A palavra não viaja além das portas — respondeu Axel.

— O que posso fazer por você?

— Não preciso da ajuda de ninguém — retrucou Axel, com frieza. Ele se levantou e começou a enfiar coisas no carrinho, e eu sabia que íamos voltar para o parque.

Quando chegamos, havia quatro carros no estacionamento e pessoas na casa sem paredes, mas farejei que nenhuma delas era Riley. Uma se afastou do grupo e caminhou até nós. Era o policial amigável, Tom.

— Oi, Axel. Oi, Bella. — Ele esfregou o meu peito, e abanei a cauda.

— Não fiz nada de errado — respondeu Axel.

— Eu sei. Está tudo bem. Você pode vir um minuto aqui no pavilhão? Está tudo bem. Venha, Axel, eu garanto. Nada de ruim vai acontecer.

Axel o seguiu até onde estavam as pessoas. Havia uma casinha de pano sobre almofadas embaixo do telhado da casa sem paredes, alguns baús de plástico e uma caixa baixa de metal. Tom acenou para as pessoas e elas se afastaram, de modo que ficaram apenas Axel e o policial parados comigo.

— Está bem, olhe só, Axel. — Tom segurou aberta a porta da casa de pano. — Viu? Essa barraca é projetada para o ártico.

Aquilo ali é um aquecedor a gás. Você tem um saco de dormir de montanhismo. Os coolers têm comida, e o fogareiro tem um acendedor elétrico.

Farejei com curiosidade o interior da casa de pano.

— De que se trata tudo isso? — perguntou Axel.

Tom apertou os lábios.

— Quando você foi para o Afeganistão, seu pai falou com a gente e...

— A gente? — interrompeu Axel. — Quem é a gente?

Tom piscou.

— Apenas pessoas, Axel. Sua família está em Gunnison há muito tempo. Ele só queria garantir que, quando morresse, você tivesse alguém para cuidar de você.

— Eu não tenho família.

— Entendo porque diz isso, mas está errado. Nós somos a sua família. Todos nós, Axel.

Eu não sabia porque Axel estava tão aborrecido, mas senti que as pessoas paradas que o observavam conversando com Tom deviam ser parte da razão. Olhei para elas, mas elas não fizeram nenhum movimento ameaçador ou hostil. Depois de algum tempo, todo mundo foi embora e ficamos sozinhos.

— Vamos dar uma olhada nessa barraca, Bella — disse Axel.

Nós tivemos a noite mais quente em muito tempo, dormindo dentro do que eu aprendi ser a barraca. Axel se remexia e gritava, com os sonhos agitados, o que me lembrou de Mack. Lambi o seu rosto. Ele acordou e se acalmou, a mão no meu pelo.

— Eles querem alguma coisa de mim, Bella — murmurou ele. Abanei o rabo ao ouvir o meu nome.

Não se passavam muitos dias sem que Tom nos visitasse e levasse comida, que ele botava nas caixas de plástico. Às vezes, Axel se sentia feliz, e os dois homens conversavam um pouco, e, às vezes, ele estava hostil e com raiva, e Tom apenas me dava um pequeno petisco e ia embora.

Eu gostava de Tom, mas entendia que Axel nem sempre ficava feliz ao vê-lo.

Nós ainda íamos para a cidade. De vez em quando, nos sentávamos no cobertor por algum tempo, e as pessoas paravam para botar coisas em uma lata, então Axel atravessava a rua e trazia uma garrafa que cheirava como Sylvia. Às vezes, ele me deixava amarrada à cerca pelo que parecia uma eternidade, retornando e nos levando de volta para a barraca na mesma hora. Ele segurava o lápis plástico sobre o braço, então entrava na barraca e dormíamos por muito, muito tempo.

O inverno estava implacável, queimando a minha garganta e fazendo arder as almofadas das minhas patas. Eu desejava o calor da barraca e me enroscava contente com Axel ali dentro. Um dia, eu sabia, os dias de verão voltariam, e talvez então eu pudesse tornar a fazer "Para casa", mas nada me motivava a sair da segurança do calor que Axel podia fornecer apenas brincando com os botões na caixa de metal dentro da barraca.

Estávamos voltando da cidade para o parque, com o sol se pondo devagar em um céu cinzento, quando farejei fumaça, madeira queimando e pessoas perto da nossa casa sem paredes. Não era Riley, mas três estranhos, machos, com as sombras dançando no fogo grande que eles haviam acendido na caixa de metal sobre a estaca. Tínhamos acabado de entrar no parque, caminhando com dificuldade pela neve pesada e, quando um deles riu alto, Axel levantou a cabeça, de repente consciente da presença dos homens. Ele se enrijeceu, e senti uma onda de medo e raiva correr pelo seu corpo enquanto eu levava o focinho à sua mão.

Os homens eram jovens e estavam jogando as coisas de Axel de um lado para o outro, fazendo muito barulho. Axel respirava com dificuldade, mas não estava se mexendo enquanto os observava pisotear os seus pertences.

Por mais estranho que parecesse, meu pensamento voltou para quando os coiotes perseguiram a mim e a Filhote Grande enquanto fugíamos para a encosta rochosa. De algum modo, aquilo me deu a mesma sensação. Eles não eram cachorros maus, eram homens maus. Homens maus como o que Mãe fez rastejar pela porta. Maus como o que foi machucar Sylvia.

Dutch quis morder aquele homem, nós dois rosnamos, e o homem foi embora.

Eu sabia o que precisava fazer.

Capítulo 24

UM ROSNADO RAIVOSO SAIU DA MINHA GARGANTA. AXEL OLHOU PARA MIM, surpreso. Então, ele se aprumou, o medo derretendo conforme a fúria tomava conta. Eu a senti emanando dele como calor.

— É, Bella, você tem razão. Isso não pode ficar assim!

Ele saiu correndo, e disparei ao seu lado, nossos passos silenciosos abafados pela neve. Era como se eu estivesse enfrentando os coiotes — fui tomada por uma ira feroz. Eu nunca tinha mordido um humano antes, mas parecia que era isso que Axel queria que eu fizesse. Eu estava reagindo como se ele tivesse gritado uma ordem.

Os três jovens viraram quando eu e Axel surgimos no círculo de luz do fogo. Rosnei cheio de raiva e saltei na direção do homem mais próximo, que caiu no chão. Meus dentes se fecharam a uma pequena distância do seu rosto, e Axel me segurou com a guia.

— Meu Deus! — gritou um deles. Os dois que ainda estavam de pé saíram correndo, mas quando o que estava no chão se arrastou para trás, Axel avançou, então fiquei em cima dele.

— Por que fizeram isso? Para quem estão trabalhando? — perguntou Axel.

— Por favor. Não deixe que o seu cachorro me machuque.

Nós ficamos assim por um longo momento, então Axel me puxou para trás.

— Está tudo bem, Bella. Está tudo bem — disse ele, com gentileza.

O terceiro homem ficou de pé e correu pela noite atrás dos seus companheiros. Momentos depois, faróis se acenderam no estacionamento, e um carro saiu roncando.

Axel e eu nos voltamos para os destroços da nossa casa. A barraca estava no chão; as caixas de plástico, quebradas; nossa comida, espalhada. A tristeza que emanava dele naquele momento era tão profunda que gani um pouco, querendo fazer qualquer coisa que lhe desse conforto, mas sem saber o quê.

Axel conseguiu produzir chamas da caixa de metal no cimento. Ele puxou os cobertores e os restos da barraca, e nos ajeitamos para uma noite infeliz. No início, eu estava quente, apertada contra ele, mas, aos poucos, meu corpo esfriou, e o meu focinho e a minha língua começaram a latejar. Eu me enrosquei o máximo possível, com o focinho embaixo do rabo. Axel envolveu os braços ao meu redor e apertou, com tremores por todo o corpo. Eu não me lembrava de ter sentido tanto frio. Não conseguia dormir, e nem Axel. Ele apenas se agarrava a mim, e eu respirava o seu bafo e desejava que ele fosse para algum lugar quente.

Ao amanhecer, estávamos de pé. Axel escavou a neve e encontrou um pedaço de frango que fervilhou quando ele o botou na caixa de metal. Dividimos a pequena refeição, então ergui os olhos quando um carro familiar entrou no estacionamento, com os pneus silenciosos sobre a neve. Tom saiu e andou até onde estávamos encolhidos, perto do nosso pequeno fogo.

— Que diabos aconteceu? — perguntou ele. — Meu Deus.

— Garotos — respondeu Axel. — Só garotos.

— Meu Deus. — Tom cutucou com tristeza a bagunça no chão. — Você os reconheceu?

Axel olhou para Tom.

— Ah, sim. Sei exatamente quem são.

* * *

Perto do fim de tarde daquele mesmo dia, uma procissão de carros entrou no estacionamento. Axel se levantou, e me virei para olhar para a possível ameaça, embora eu tivesse determinado que uma das pessoas era Tom.

Captei outros cheiros que reconheci também: os três jovens da noite anterior. Eles se aproximaram com relutância. Três homens mais velhos que eu nunca vira antes caminhavam com uma determinação terrível atrás deles.

Tom estava à frente do grupo. Todos chegaram embaixo do telhado da casa sem paredes, os três homens mais jovens mantendo os olhos no chão.

— Oi, Axel — cumprimentou Tom.

— Oi, Tom. — Axel estava calmo como eu não o via em muito tempo.

— Você deve reconhecer esses três — disse Tom.

— Eles fizeram uma visita ontem à noite — observou Axel, com ironia.

Um dos jovens soltou uma expressão de escárnio e revirou os olhos, e o homem atrás dele se aproximou e o cutucou com força entre as omoplatas.

— Preste atenção! — falou o homem com rispidez.

Todos os três jovens levantaram a cabeça.

— Pedimos desculpas pelo que os nossos filhos fizeram, Axel — disse outro homem de trás.

— Não — respondeu Axel, com seriedade. — Eu quero que eles falem.

Tom olhou para Axel com uma expressão de surpresa.

— A gente estava bêbado — argumentou um dos jovens, de forma nada convincente.

— Isso *não* é desculpa — retrucou Axel, rispidamente.

Os três jovens se remexeram, desconfortáveis.

— O que vocês têm a dizer para o sargento Rothman? — perguntou um dos homens mais velhos.

— Desculpe — murmuraram os jovens, um depois do outro.

— Eles vão arrumar as coisas por aqui enquanto os pais e eu vamos na cidade pegar equipamento para substituir o que foi quebrado — avisou Tom. — Os garotos vão pagar por tudo, fizemos um acordo. Digamos apenas que eles vão ter um verão muito ocupado, trabalhando para a cidade, coletando lixo.

— Eu vou ficar para garantir que façam tudo — declarou um dos homens mais velhos.

— Ah, não se preocupe — respondeu Axel. — Eu cuido disso.

Os três homens mais jovens se entreolharam, desconfortáveis. Tom sorriu.

Tem coisas que um cachorro não vai entender nunca. Fiquei confusa quando Tom e os amigos dele partiram, e os homens mais jovens ficaram para trás, pegaram coisas e as empilharam enquanto Axel observava, de braços cruzados. Fiquei intrigada quando os homens mais velhos voltaram e armaram uma barraca diferente e nos deram outras caixas de plástico.

Todos os homens logo foram embora, menos Tom.

— Acho que acabei de conhecer o soldado que merecia ganhar uma estrela de prata — disse ele, com delicadeza.

Axel olhou friamente para ele.

— Isso não é uma coisa que se merece, Tom.

— Desculpe, sargento. — O policial sorriu, mas o sorriso desapareceu depois de algum tempo. — Sabe, eu só queria que você deixasse as pessoas ajudarem, Axel.

— Foram as pessoas que fizeram isso comigo, Tom — respondeu ele.

Havia muitas noites em que Axel se contorcia, murmurava e gritava enquanto dormia, e dias em que estávamos os dois com um frio terrível, agarrados um ao outro para nos esquentar. Também havia vezes, mais frequentes, em que Axel desabava e ficava sem reação, babando, apenas para acordar e ficar letárgico e lento. Ele parecia doente, e eu esfregava o meu focinho nele com ansiedade. Desejei que Lucas estivesse ali. Lucas saberia o que fazer.

Aos poucos, o sol foi ficando mais quente, e insetos e pássaros encheram o ar com as suas músicas. Havia esquilos no parque! Eu queria persegui-los, mas Axel segurava firme a minha guia. Cachorros apareceram, crianças brincavam nos escorregas, e a grama ondulava úmida e saudável com a brisa.

Tom chegou para me dar um petisco.

— Com esse tempo, as famílias estão vindo para o parque. Você vai ter que se mudar. Tecnicamente, ninguém pode ficar aqui depois que escurece — disse ele a Axel. — E as pessoas querem usar o abrigo, mas se sentem... incomodadas. — Ele parecia triste.

— Não estou machucando ninguém — falou Axel.

— Bom... Houve reclamações. Eu fico com o seu aquecedor, se quiser.

— Vou embora. Que vocês vão todos para o inferno! — reclamou Axel.

— Ei, não fique assim — respondeu Tom, com tristeza.

Não entendi uma palavra, e o meu nome não foi mencionado, mas Axel botou todas as coisas que tinha no carrinho e saiu do parque com ele. Caminhamos muito pela estrada ao lado do rio, então pegamos uma trilha até onde as margens eram planas e arenosas. Axel tornou a erguer a barraca ali, então se instalou de um jeito que me sugeriu que não íamos embora.

Com o tempo, o sofrimento de Axel ficou pior. Ele gritava mais durante o sono e começou a falar em voz alta comigo durante o dia, gesticulando para o céu. Às vezes, ele arfava e se retorcia muito, deixava-me amarrada a um toco enquanto ia na direção da cidade. Quando voltava, estava com um dos lápis e parecia feliz, mas por pouco tempo. Então, desabava e dormia profundamente. Amarrada a ele, eu ia até os limites da guia para me agachar e "Fazer as minhas necessidades".

Em uma dessas noites, captei um fedor familiar e, quando olhei, vi um coiote solitário me observando da margem oposta do rio. Rosnei baixo, mas sabia que ele não ia atravessar a água corrente. Axel não reagiu ao cheiro nem ao som da minha fúria crescente, e, por fim, o cachorro pequeno e mau foi embora.

Fiquei alarmada quando Axel começou a andar de um lado para o outro e a gritar pela margem do rio o dia inteiro. Ele derrubou a barraca e a jogou violentamente em uma pilha. Ele se esqueceu de me alimentar uma vez, e outra, em seguida derramou um saco inteiro de comida na terra ao meu alcance, me deixou amarrada a um toco e foi embora chutando com raiva as pedras do caminho.

Ele ficou fora por dois dias. Comi toda a comida e bebi água do rio. Estava triste e ansiosa. Eu tinha sido uma cachorra má? Quando Axel voltou, estava cambaleando e falando, sem perceber como eu fiquei feliz em vê-lo. Seu hálito me lembrou o de Sylvia.

Ele se sentou em uma pedra, curvado sobre o rio, e, pelos seus movimentos, vi que ele estava fazendo aquela coisa com o braço e o que ia acontecer depois. Como era de se esperar, ele ficou relaxado, riu e me chamou de boa cachorra. A paz apagou todo o medo e a raiva do seu rosto. Logo os olhos dele estavam piscando bem devagar.

— Bella. Você é a minha melhor amiga — disse ele. Agitei a cauda ao ouvir o meu nome.

Axel desabou na terra, respirando lentamente. Eu me enrosquei ao seu lado, sendo uma boa cachorra e dando conforto. Ele não sentia dor, e a respiração estava vagarosa.

Depois de um tempo, a respiração parou.

Fiquei deitada a noite inteira sobre o peito de Axel, que não parava de esfriar. O cheiro dele estava mudando à medida que cada vez mais do que tinha sido o homem ia embora, e cada vez mais de outra coisa entrava no seu corpo.

Axel era um bom homem. Ele nunca foi mau comigo. Estava sempre com raiva, triste, assustado e aborrecido, mas nunca comigo. Eu tinha feito o possível para ser uma boa cachorra, para cuidar dele. Naquele momento, senti a sua falta, mesmo sentada ao seu lado, e desejei que ele levantasse e falasse comigo uma última vez. Me lembrei de como nos aninhávamos juntos nas noites frias. Como, quando ele tinha comida, dividia comigo, do mesmo jeito que eu dividia as refeições com Filhote Grande.

"Você fica com o primeiro pedaço, Bella", dizia ele enquanto arrancava um pedaço de alguma coisa e dava para mim. Eu ouvia o meu nome e podia sentir o amor. Axel me amava, e agora estava morto.

Ele não era Lucas, mas, sofrendo naquele momento por Axel, não me senti desleal. Eu tinha me preocupado com muita gente na vida, não apenas Mãe, Ty, Mack, Layla e Steve, mas Gavin, Taylor e até Sylvia. Era isso que eu devia fazer. Mas Axel tinha precisado de mim mais que qualquer outra pessoa.

Eu tinha água na tigela, o que era bom, porque a minha guia, agora presa ao pulso de Axel, não ia até o rio. Ela também não alcançava o meu saco de comida.

Quando fiquei de pé, podia ver os carros passarem voando pela estrada pavimentada. Às vezes, havia um cachorro com a cabeça para fora da janela e ele latia para mim ao passar. A maioria dos carros, porém, não tinha cachorros, mesmo que cheirasse como se já tivesse tido.

Depois de algum tempo, fiquei com fome. Olhei para a forma imóvel de Axel, esperando que ele me alimentasse. Quando o vi deitado tão imóvel, relembrei o que tinha acontecido e me senti solitária outra vez. Eu fiz "Sentada", pensando que, se as pessoas que estavam de carro na estrada vissem que eu era uma boa cachorra, parariam para colocar um pouco de comida na minha tigela. Mas ninguém parou, não durante todo aquele dia. Quando a noite caiu, estiquei a guia, tentando alcançar o meu jantar e me sentindo um pouco como uma cachorra má enquanto fazia isso, mas a mão de Axel não se mexeu.

Axel estava frio e duro quando encostei o focinho no seu rosto. As roupas ainda cheiravam como ele, mas, fora isso, era como se ele nunca tivesse sido uma pessoa.

Olhei para a noite, pensando em Lucas. Onde será que ele estava naquele momento? Estava deitado na cama, sentindo falta da sua cachorra do mesmo jeito que eu sentia saudade dele? Ele abria a porta da frente para ver se eu tinha feito "Para casa" e estava deitada no meu lugar? Ele deixava um petisco pronto para fazer "Pedacinho de queijo" e estava esperando que eu pulasse e o lambesse dos seus dedos? Gani, chorei, ergui o focinho para a lua e soltei um uivo longo e melancólico. Era um barulho estranho, alheio à minha garganta, e ele levava consigo todo o meu sofrimento.

Longe, bem longe, ouvi um único uivo em resposta, uma canção solitária de algum outro cão desconhecido, e muitos outros latiram, mas nenhum apareceu para ver o que estava deixando uma cachorra tão triste.

Na manhã seguinte, minha água estava quase no fim. Comecei a latir para os carros — se eles não parassem para uma boa cachorra, talvez parassem para uma cachorra má que não estivesse fazendo "Sem latir".

Eles não pararam. Comecei a arfar à tarde depois de lamber o que restava de água na minha tigela. O rio liberava a fragrância sedutora do líquido refrescante que dava vida, bem ali, mas fora do meu alcance. Eu desejava saltar pela margem e pular na água. Queria nadar no rio, rolar nele, brincar ali o dia inteiro. Filhote Grande podia observar da margem enquanto eu mergulhava e abria a boca embaixo d'água, como se tentasse pegar um gatinho afundando.

Esse era o tipo de dilema que apenas um humano podia solucionar. Eu precisava que uma pessoa aparecesse para me ajudar. Por que ninguém parava?

Minha boca estava tão seca que chegava a doer. Um tremor involuntário agitou os meus membros, e estiquei a guia repetidas vezes, impotente, *sentindo* o riacho bem ali, sem conseguir chegar a ele. O corpo de Axel mal se mexia quando eu puxava.

Eu estava ficando doente. Podia sentir aquilo crescendo em mim, tomando o meu corpo, que ficava quente e depois frio, deixando-me fraca e tremendo. Lati e chorei, sentindo falta de Lucas como nunca sentira antes.

O sol estava quase se pondo quando farejei algumas pessoas se aproximando — garotos, com vozes jovens chamando uns aos outros. Quando eu os vi na estrada, percebi que estavam de bicicleta. Lati para eles, implorando para que parassem e me ajudassem.

Eles passaram direto.

Capítulo 25

FRUSTRADA, LATI MUITO PARA OS GAROTOS, E A MINHA GARGANTA DOEU com o esforço.

Então, ouvi as bicicletas voltando. Parei de latir.

— Viram só? — perguntou um dos garotos.

Havia quatro deles. Pararam na estrada, sentados nas suas bicicletas.

— Por que alguém prenderia um cachorro aqui? — perguntou outro.

— Ele parece com fome — observou um terceiro.

— Ele está arfando. Talvez esteja com raiva.

Eu fiz "Sentada". Abanei a cauda. Lati. Me inclinei na direção deles, no limite da tolerância da minha guia, com as patas dianteiras erguidas do chão, implorando.

Os garotos desceram das bicicletas, empurraram-nas pela grama e as puseram no chão. O menino que estava na frente cheirava muito a comida temperada. Ele era magro, alto e tinha cabelo escuro.

— Você está bem, rapaz? — Os outros garotos ficaram parados perto da estrada, mas esse desceu com cuidado até onde eu estava. Abanei a cauda sem parar. — Ele parece amigável! — disse, olhando para trás.

Ele se aproximou com a mão estendida. Assim que os dedos chegaram ao meu alcance, eu os lambi, saboreando as cebolas e os temperos gostosos na sua pele. Ele me acariciou, e pulei sobre ele com as patas dianteiras, muito aliviada por uma pessoa ter me encontrado porque, assim, eu teria comida e água.

— Ei, jogue a minha garrafa d'água para cá! — gritou o garoto. Eles tinham se aproximado, mas um se afastou, voltou até as bicicletas e jogou alguma coisa para o que estava mais perto de mim, que a pegou. Farejei a água antes que ele a derramasse na minha tigela, e pulei desesperadamente na direção dela, querendo mergulhar toda a minha cabeça ali. Minha cauda estava abanando, e eu bebi, bebi e bebi.

— Parece que a corda ficou presa em algum lixo. — Todos os garotos tinham se juntado a mim, e estavam parados entre eu e a estrada. Abanei o rabo e farejei as mãos estendidas deles, nenhuma das quais era tão temperada quanto a que pertencia ao garoto alto de cabelo preto.

Um garoto pegou sem preocupação a minha guia e a puxou, seguindo-a na direção do rio.

— Ah! — gritou ele.

Todos os garotos se afastaram correndo de mim, de volta às bicicletas.

— O que foi?

— Meu Deus!

— O quê? O que você viu?

— Tem um corpo.

— Um o *quê*?

— Tem um cara morto aí!

Os garotos estavam parados fora do meu alcance, arfando. Eu fiz "Sentada" para mostrar que era uma boa cachorra que precisava de um pouco de comida para acompanhar a água que tinham lhe dado.

— Não — disse um garoto, por fim.

— Não acredito.

— Sério? Sério, um corpo?

Os garotos ficaram em silêncio. Eu os observei com expectativa.

— Como você sabe que ele está morto? — perguntou o garoto com as mãos temperadas.

— É aquele cara sem-teto. O veterano.

— E daí? — disse Garoto Temperado.

— Meu pai disse que o sem-teto se mudou com o cachorro para um lugar perto do rio. É aquele soldado que está sempre gritando na rua.

— Está bem, mas como sabe que ele está *morto*?

Houve outro silêncio.

— Ei, senhor? — chamou Garoto Temperado de forma hesitante. — Senhor? — Ele se aproximou e pôs a mão na minha cabeça. Eu podia sentir o seu medo e a sua excitação. Ele se abaixou até o que costumava ser Axel deitado sob os cobertores. Ele puxou a guia, e os movimentos bateram na minha coleira.

— Ele está morto — afirmou Garoto Temperado, sem rodeios.

— Uau.

— Meu Deus.

Os garotos pareciam agitados, e nenhum deles fez qualquer movimento para se aproximar de onde Garoto Temperado estava parado, ao meu lado.

— Está bem, vai escurecer em algumas horas, o que fazemos? — perguntou o garoto que estava mais longe.

— Vou ficar aqui para garantir que ninguém mexa em nada — respondeu Garoto Temperado, sério. — Chamem a polícia.

Garoto Temperado ficou comigo quando os outros foram embora. Ele fez um círculo amplo em torno dos cobertores de Axel, encontrou o saco de comida de cachorro e botou um pouco na minha tigela. Eu devorei rapidamente o meu jantar, agradecida.

— Sinto muito — sussurrou ele para mim, depois de eu comer. O menino acariciou a minha cabeça. — Sinto muito pelo seu dono.

Eu ainda estava com sede, mas a situação não tinha mudado — estava amarrada à guia, que, por sua vez, estava presa ao corpo rígido e pesado. Lancei um olhar cheio de expectativa para Garoto Temperado, mas ele não me deu mais nenhuma água.

Estava muito silencioso, por isso ainda conseguia escutar o sibilar e o gorgolejar do rio que passava por ali. Aos poucos, tomei consciência do medo crescente de Garoto Temperado — conforme o sol descia no horizonte, ele parecia cada vez mais ansioso por estar ali comigo e com Axel morto. Eu sabia o que precisava fazer. Com a sede esquecida por um momento, fui até Garoto Temperado e me encostei nele para lhe dar conforto. Ele passou os dedos no meu pelo, e eu o senti relaxar, embora muito pouco.

— Boa cachorra — disse ele.

Logo alguns homens chegaram, além de uma mulher, em veículos grandes com luzes que não paravam de piscar. Eles se aproximaram para olhar nos cobertores de Axel. Um deles soltou a minha guia e a entregou a Garoto Temperado, que a aceitou com seriedade. Ele me levou até o rio e bebi bastante água. Eu estava certa: as pessoas sempre sabiam o que fazer.

Em pouco tempo, Tom chegou, e havia luzes piscantes no teto do seu carro também. Ele desceu e se juntou ao círculo de pessoas.

— Se eu fosse dar um palpite, diria overdose. Mas não vamos saber ao certo até o levarmos de volta — avisou a mulher.

— Meu Deus.

Eles estavam em silêncio. Tom se ajoelhou.

— Ah, Axel — murmurou ele, com pesar. Senti a tristeza emanar dele. Ele levou uma das mãos ao rosto, chorando. Um dos outros homens passou o braço em torno dos seus ombros. — Meu Deus — disse. Ele levantou o rosto na direção do céu. — Que desperdício. Que tragédia.

— Ele era um grande homem — murmurou o outro.

— Era. — Tom sacudiu a cabeça, sem acreditar. — Sim. E vejam o que aconteceu.

Outros carros chegaram. Eles pararam e pessoas desceram e ficaram de pé na luz que ia desaparecendo, enfileiradas na estrada ao longo do rio. Na sua maioria, elas estavam em silêncio. Muitas estavam tristes. Eu vi homens e mulheres esfregarem os olhos.

— Está bem, vamos tirá-lo daqui — declarou a mulher.

Eles pegaram o corpo e os cobertores de Axel, o levaram até a estrada e o colocaram em um dos carros grandes com luzes em cima.

Quando ouvi pela primeira vez os tons de voz, não entendi o que estavam fazendo, mas então percebi que era cantar, como Mãe costumava fazer quando estava na pia derramando água nos pratos. Apenas algumas pessoas, então cada vez mais até que parecia que todas cantavam juntas o refrão. Não entendi as palavras, claro, mas senti a dor, o remorso e a tristeza nas vozes.

We fight our country's battles
In the air, on land and sea;
First to fight for right and freedom
And to keep our honor clean;
e are proud to claim the title
Of United States Marine[1]

Quando terminaram de cantar, as pessoas ficaram com as cabeças baixas e os braços em torno umas das outras. O carro com Axel saiu andando devagar e, quando passou, alguns indivíduos estenderam as mãos e tocaram as suas laterais.

Então, todo mundo começou a voltar para os seus carros, murmurando uns com os outros. Eles começaram a ir embora, um veículo de cada vez.

---

1 Hino dos Fuzileiros Navais dos EUA. "Lutamos as batalhas de nosso país/ no ar, em terra e no mar;/ Somos os primeiros a lutar pelos direitos e pela liberdade/ E para manter a nossa honra limpa;/ Temos orgulho do título/ De Fuzileiros Navais dos Estados Unidos.

— Rick! — chamou um homem. Garoto Temperado ergueu a cabeça de repente. — Peguei a sua bicicleta. Vamos.

Garoto Temperado olhou para mim, hesitante.

— Rick. *Agora!*

— Você vai ficar bem — sussurrou ele para mim. — Só preciso encontrar alguém para cuidar de você.

— Rick, que droga, ande logo! — gritou o homem. Algumas pessoas paradas na estrada se enrijeceram em sinal de desaprovação.

— Alguém pode cuidar da cachorra? — gritou Garoto Temperado, largando a minha guia e indo embora, apressado. Várias pessoas se viraram para olhar para mim, mas ninguém se aproximou para pegar a minha guia.

Depois de um momento, fui andando até onde restavam alguns sacos e cobertores de Axel espalhados perto da margem do rio. O cheiro dele estava forte no pano macio, e eu o sorvi. Tinha sido uma boa cachorra e fornecera conforto para Axel, mas ele estava morto. Essa era, percebi, a última vez que ia sentir o seu cheiro. Ele tinha partido, e nunca mais ia voltar.

As coisas se repetiam, que era como um cachorro aprendia. Para fazer "Para casa", tive que deixar para trás o meu cobertor de Lucas, assim como teria que deixar para trás os cobertores de Axel.

A sensação de tristeza e pesar dentro de mim era familiar — eu a sentia sempre que me desesperava com a possibilidade de nunca mais ver Lucas. Era a mesma dor. Eu nunca mais ia sentir a mão de Axel de novo na minha cabeça, nunca mais ia dormir ao lado dele, nunca mais ia ganhar um petisco dele, seguro entre os seus dedos enquanto ele sorria para mim.

Ergui os olhos e olhei para onde o grupo cada vez menor de pessoas ainda andava de um lado para o outro. Tom estava ali — se alguém fosse me notar, seria ele. Eu gostava dele e do fato de sempre parecer prestes a me dar um petisco, mas Tom estava ocupado falando com os outros. Ele estava cuidando de assuntos humanos e, apesar de um cachorro ser muito importante para as pessoas, naquele momento a minha presença não mereceu a atenção de ninguém.

Dei a volta e ninguém disse o meu nome. Saí trotando pela margem do rio, recebida pelas sombras frescas da escuridão que caía, seguindo os meus sentidos.

Era hora de fazer "Para casa".

Eu estava progredindo, arrastando a guia que fazia um tremor constante e um tanto irritante no meu pescoço. Aquilo reduzia a minha velocidade, e só ficou pior quando ela prendeu em uma árvore caída. Fui parada de repente, incapaz de avançar. Frustrada, gani, de repente, odiando a guia. Tentei puxá-la, mas ela não cedeu. Dei a volta na árvore, mas isso não ajudou. Eu estava presa.

Peguei a guia com os dentes e sacudi, mas não adiantou nada também.

Olhei ao redor, de repente consciente de onde estava. Eu tinha deixado a cidade para trás. Estava perto de um rio, com árvores e arbustos esparsos para dar cobertura, mas, quando a lua nasceu, fiquei vulnerável em campo aberto. Ao longe, eu podia sentir o cheiro de coiotes. E se eles pudessem me farejar? Pensei em como ficariam satisfeitos de me encontrar presa a um tronco, sem conseguir me defender, e senti uma onda de medo.

Eu me contorci e puxei até a coleira me machucar. Tentei tudo em que pude pensar para me livrar dela. Em determinado momento, me afastei da árvore e senti a coleira subir pelo pescoço. De repente, ela ficou muito desconfortável, me sufocando. Eu me abaixei e sacudi a cabeça desesperadamente, puxando. Então, sem aviso, a coleira soltou.

Eu me senti uma cachorra má. A única vez em que tinha ficado sem coleira foi no lugar com cachorros latindo e gaiolas. As pessoas dão coleiras para um cachorro para que os cachorros saibam que pertencem a uma pessoa. A leveza em torno do meu pescoço, então, era uma sensação infeliz.

Bem, fosse ou não uma cachorra má, eu precisava continuar. Eu estava mais perto de Lucas — podia sentir isso, mas ainda estava longe.

Embora fizesse muito, muito tempo que eu estava na minha viagem, tudo no caminho me era familiar: as montanhas, a procura por água, a falta de comida. Eu farejava animais e assustei um coelho — eles não tinham ficado mais fáceis de pegar. Na trilha, o cheiro de pessoas era forte, mas eu evitava áreas onde podia ouvi-las falando ou se movimentando, mesmo quando fiquei com muita fome. Sem coleira, não tinha como saber ao certo como as pessoas iam reagir quando me vissem.

Desci até uma estrada e encontrei alguns pedaços de cachorro-quente em um latão de metal que derrubei, mas, fora isso, não estava fazendo um bom trabalho em me alimentar.

O fedor agressivo dos coiotes estava sempre presente no ar — essa era uma área por onde circulavam e caçavam os cachorros pequenos e maus. Eu estava cautelosa e recuava na mesma hora quando percebia estar a caminho de encontrá-los.

No dia em que comi os pedaços de cachorro-quente, captei o fedor deles muito forte — pelo menos três e próximos. Inverti a direção de imediato, porque, por mais que fosse importante avançar na direção de Lucas, eu precisava, acima de tudo, evitar os predadores caninos.

Por mais estranho que fosse, o odor dos três diminuiu e depois voltou, tão forte em determinado momento que me virei e olhei para trás, para baixo de uma encosta longa, esperando vê-los emergir de trás de algumas pedras. Não, eles não estavam ali, mas estavam perto.

Eu estava sendo caçada.

Quando a trilha saiu do meio de algumas árvores e chegou a uma grande área de campina, me senti exposta. Eles estavam atrás de mim — voltar para as árvores ia apenas me botar em perigo. A uma boa distância adiante, a campina se erguia de repente, e eu podia ver um monte de rochedos apontando para a direção do céu. Meu cheiro estava fluindo para a frente com a brisa, mas não detectei nada ali — não havia coiotes em cima no alto do morro.

Eu me lembrei da última vez que tinha enfrentado aquele tipo de ameaça. Uma boa cachorra aprende quando as coisas se repetem. Ter alguma coisa atrás de mim tinha frustrado o seu ataque. Se eu pudesse chegar àqueles rochedos grandes, não estaria em terreno aberto, onde uma matilha podia me derrubar. Eu teria uma chance de lutar pela minha vida.

Embora as minhas pernas estivessem fracas após dias sem me alimentar direito, comecei a correr morro acima, sentindo os predadores avançando atrás de mim.

Eu estava arfando muito quando cheguei à base do afloramento rochoso e me deitei em uma pequena área de sombra por algum tempo para recuperar o fôlego. De onde estava, podia ver a campina íngreme abaixo e avistei os três cachorros pequenos quando surgiram da mata. Eles estavam seguindo o meu rastro e iam na minha direção em fila indiana.

Meus lábios se afastaram em um rosnado involuntário.

Naquele momento, não me lembrei de Lucas, não pensei em Axel nem em outra pessoa. Eu estava reduzida à minha essência canina, presa de uma fúria primitiva. Queria afundar os dentes em carne de coiote. Fiquei de pé, esperando que eles chegassem e a luta começasse.

Capítulo 26

Os três coiotes subiram o morro em silêncio, com as línguas para fora, os olhos semicerrados. Quando chegaram perto, eles se espalharam, sabendo que, com as minhas costas para as pedras, eu não podia recuar. Era possível farejar a fome nas suas expirações, e eles compartilhavam um odor familiar — os três machos eram jovens, da mesma ninhada, e estavam famintos. Eu era maior que qualquer um deles, mas eles estavam desesperados.

O instinto de enfrentá-los era quase avassalador, uma necessidade que me impulsionava, mas que eu não entendia, então fiquei com a cauda para as pedras, resistindo à tentação de saltar adiante e persegui-los morro abaixo. Lati, batendo os dentes, e eles recuaram, farejando uns aos outros, sem saber ao certo por que eu não estava fugindo. Um deles parecia maior e mais ousado e deu alguns passos, mas dançou para trás quando corri adiante para enfrentá-lo, e os seus dois irmãos se moveram para o lado. Dei meia-volta para encarar esse novo desafio e senti o coiote mais atrevido saltar na minha direção. Rosnei e ataquei, e os outros dois avançaram sobre mim. Mordi o ar com as minhas presas, derrubando um coiote menor quando o ousado saltou e senti dentes no meu pescoço, rasgando a minha carne. Gritei, girei, ataquei e mordi, e ficamos sobre as patas traseiras. Eu o empurrei para trás, e o irmão dele correu para a frente.

Então, houve um borrão de movimento acima de mim, e outro animal se juntou à luta, aterrissando bem à frente dos meus agressores. Os coiotes rosnaram e latiram, chocados e com medo, e se afastaram de um ataque feroz. Olhei, assombrada, quando um gato enorme, bem maior que eu, avançou sobre os coiotes com uma velocidade quase cegante, com as garras para fora. A pata enorme atingiu o mais ousado dos irmãos nos quadris e o derrubou, e os três desceram o morro correndo, em pânico. O gato saltou com facilidade atrás deles por apenas um momento antes de se virar e olhar para mim.

Abanei o rabo. Eu conhecia aquele felino gigante. O cheiro tinha mudado, mas, mesmo assim, era Filhote Grande.

Ela se aproximou de mim, ronronou e esfregou a cabeça embaixo do meu maxilar, quase me derrubando no chão com a sua força tremenda. Me abaixei para brincar e ela estendeu uma pata travessa e bateu sem garras no meu focinho. Só consegui subir nos seus ombros tirando as patas da frente do chão. Como ela tinha ficado tão grande?

Quando ela se virou e subiu para o alto do morro, fui atrás, seguindo-a pelo cheiro quando a noite caiu. Eu estava de volta ao caminho para Lucas, então é claro que estava de novo com Filhote Grande. As coisas se repetiam.

Ela me levou a um filhote de alce semienterrado e comemos como tínhamos feito tantas vezes antes, lado a lado sobre a caça.

Eu estava cansada e me deitei sobre a grama. Filhote Grande se aproximou e lambeu o ferimento no meu pescoço, esfregando-o com a língua áspera até que me afastei e suspirei. Ela saiu para caçar, mas fiquei onde estava deitada e logo caí no sono. Ela não voltou até o sol ter nascido, se encolheu junto a mim e ronronou. Fiquei onde estava, resistindo à vontade de ficar de pé para fazer "Para casa". Isso era parte do nosso padrão, ficar perto da comida e comer o máximo possível antes de seguirmos em frente. Faríamos isso até estarmos com Lucas, então ele ia alimentar Filhote Grande quando alimentasse os outros gatos.

As noites ficaram mais frias enquanto viajávamos juntas. Ela não me acompanhava durante o dia, mas sempre me encontrava à noite, às vezes me levando a uma pequena refeição — em geral, enterrada na terra. Passávamos tempo nos alimentando antes de deixarmos aquele ponto. Eu fazia progresso constante na direção de Lucas; eu podia sentir, podia farejar.

Então, um dia, Filhote Grande fez uma coisa incomum. Eu a farejei de manhã enquanto ela estava parcialmente escondida por uma árvore caída, e saí trotando dali com confiança. Havia uma cidade à frente, um lugar onde eu podia me alimentar e levar comida de volta para Filhote Grande. Era assim que viajávamos.

Nesse dia, em vez de dormir e me alcançar depois, Filhote Grande me seguiu. Eu não a ouvi, claro — ela não fazia barulho algum na trilha. Em vez disso, o cheiro dela me alcançou, com tanta força que eu soube que estava logo ali. Eu me virei e olhei. Ela estava parada no alto de uma rocha grande, me observando sem se mover.

Não entendi esse novo comportamento e voltei até onde ela estava para ver se conseguia compreender. Filhote Grande pulou com agilidade, esfregou a cabeça em mim e correu de volta para o lugar em que dormia, olhando para trás com expectativa.

Ela queria que eu a seguisse, tentando me atrair de volta para o local em que estávamos. Mas eu precisava continuar progredindo na direção do cheiro de casa. Quando não me mexi, ela voltou até mim. Dessa vez, não se esfregou em mim, apenas se sentou e me encarou fixamente. Depois de algum tempo de nós duas olhando uma para a outra, senti que tinha compreendido.

Filhote Grande não ia morar na toca do outro lado da rua. Ela não ia deitar na cama de Lucas comigo, esperando "Pedacinho de queijo". Ela não ia caminhar além daquele ponto. Por alguma razão, não podia ou não queria me acompanhar, nem esperar por mim na trilha quando eu fosse a uma cidade para ver se conseguia encontrar comida. Era como se ela mesmo quisesse fazer "Para casa", como se tivesse um lugar onde precisasse estar, e o local em que estávamos naquele momento fosse longe demais de lá.

Fui até ela agitando a cauda e a toquei com o meu focinho. Eu amava Filhote Grande e sabia que, se ficasse, ela ia caçar todo o inverno para nós, encontrar presas onde a neve tornava o meu progresso difícil. Eu tinha gostado da minha vida com ela, primeiro quando ela era um filhote indefeso, depois quando ficou grande o suficiente para se proteger — e quando ela me salvou dos cachorros pequenos e maus. Porém, a vida me ensinara que eu ia ficar com pessoas e animais até ser hora de seguir em frente, e aquela hora tinha chegado. Eu precisava fazer "Para casa".

Voltei a seguir os odores na direção da cidade à frente. Quando parei e me virei, Filhote Grande estava de volta à pedra me observando, os olhos fixos. Eu me lembrei da minha mãe fazendo a mesma coisa quando a deixei na sua casa nova embaixo do deque. Dutch ficou confuso e aborrecido quando me despedi, mas Filhote Grande apenas observou, como a Mamãe Gata. Ela ainda estava lá na vez seguinte em que me virei para olhar, e na outra.

Então olhei uma quarta vez, e Filhote Grande tinha desaparecido.

Estava escurecendo quando entrei na cidade. Havia folhas correndo à minha frente com a brisa suave. Luzes alegres brilhavam e se acendiam nas casas, piscando quando pessoas passavam pela frente de janelas.

Eu não sentia fome, mas sabia que logo ficaria faminta. Dormi embaixo de um banco em um parque que cheirava a crianças e cachorros. De manhã, bebi de um rio frio e limpo, evitando homens e mulheres que ouvi conversando uns com os outros.

Eu desejava a companhia deles, mas não tinha como saber quais iam me impedir de voltar para Lucas.

Atrás de alguns prédios, encontrei um latão tão cheio que a tampa estava aberta. Pulei, tentando entrar nele, mas não consegui me segurar na borda do latão com as garras da frente. Eu me lembrei de quando tentei sair da piscina de Sylvia — havia algumas coisas que eu não podia fazer. Em vez disso, quando pulei, enfiei o focinho no latão e peguei o que consegui, que foi um saco sem nada de comer dentro. Tentei mais uma vez e peguei outro saco com os dentes. Ele caiu no chão e eu o rasguei. Encontrei uma caixa com pedaços e ossos de aves. Não era galinha, mas era parecido. Além disso, encontrei também uma embalagem de alumínio com carne temperada e pão.

Havia muitas pessoas andando pelas ruas onde estavam os carros, e poucas nas ruas estreitas por trás dos prédios. Os dois humanos que vi não me chamaram.

Um prédio adiante me atraiu — senti cheiro de ossos, petiscos e comida de cachorro. Com a boca cheia d'água, vi que a porta traseira estava aberta. Eu me perguntei se entrar significaria ser perseguida por um homem de roupa branca. Um caminhão muito alto estava estacionado de ré bem diante da porta aberta e, quando o explorei cautelosamente, vi que a porta traseira estava aberta como a de uma garagem. Ao subir os degraus até a porta dos fundos da loja, cheguei a uma plataforma de cimento na mesma altura do piso do caminhão aberto. Saltei com agilidade pelo vão entre o cimento e o piso de madeira do veículo, atraída pelos odores deliciosos. O lugar estava quase todo vazio, exceto perto da parte da frente, onde encontrei plástico que nada fazia para conter os odores deliciosos que havia por baixo. Rasguei o plástico e descobri sacos e sacos de comida de cachorro.

Rasguei o saco de papel embaixo do plástico e comecei a comer. Eu não me sentia uma cachorra má; eu *devia* comer comida de cachorro!

Então, um homem saiu dos fundos da loja. Congelei, sentindo-me culpada, mas ele nem olhou para mim. Subiu no caminhão, puxou uma correia e, com uma batida, a traseira do caminhão se fechou. Fui até a porta, farejando, sentindo a fragrância do homem, da comida de cachorro e pouca coisa mais.

O veículo chacoalhou, ganhou vida com um ronco e, balançando e sacudindo, eu o senti começar a se mexer. Precisei enfiar as unhas no chão de madeira quando o lugar balançou em uma direção e o ronco do caminhão ficou mais alto.

Eu estava presa.

O caminhão sacudiu, pulou e roncou por um bom tempo, tanto que peguei no sono, apesar da estranha sensação de andar de carro que atingia o meu corpo. Os cheiros do exterior não paravam de mudar, mas eram quase sempre os mesmos — água, árvores, um animal de vez em quando, pessoas, cachorros, fumaça, comida.

Por fim, o zumbido constante do caminhão assumiu um caráter diferente, tornando-se mais alto. As forças que agiam sobre ele ficaram mais pronunciadas, e escorreguei antes de pular de pé. Senti uma mudança para um lado, depois outra, então caí para a frente. Em seguida, o veículo foi desligado, e o silêncio repentino foi ainda mais estranho depois do longo período de vibração. Ouvi uma porta fechando, e o som do caminhar de um homem. Eu me sacudi e andei até onde eu tinha entrado no caminhão.

Com um barulho alto e chacoalhante, a parede à minha frente subiu.

— Ei! — gritou o homem, quando pulei no chão.

Ele não pareceu amigável, por isso não me aproximei. Em vez disso, corri, subi uma rua e virei na direção de alguns arbustos, onde me agachei, agradecida. O homem não foi atrás de mim.

Avaliei onde estava. O lugar se parecia muito com onde eu tinha passado a noite, embora pudesse sentir pelo cheiro que era uma cidade diferente. Havia prédios, alguns carros e muitas pessoas caminhando por ali. O sol estava se pondo, mas o ar estava quente. Senti o cheiro de uma grande quantidade de água, neve limpa no alto das montanhas, esquilos, gatos e cachorros.

E de casa. De algum modo, enquanto eu estava na traseira daquele caminhão, tinha ficado tão perto de casa que o cheiro estava se separando em duas partes distintas. Era o contrário do que aconteceu quando Audrey me levou para longe de Lucas. Olhei para as montanhas altas, que reluziam ao pôr do sol. Do outro lado delas estava a minha pessoa.

Embora o meu estômago estivesse pesado depois de tanta comida de cachorro, eu sentia muita sede, então me virei na direção em que os meus sentidos me diziam que encontraria um rio. Bebi de um riacho que corria veloz, e fui atraída pelo som de crianças. Era um parque com escorregas, balanços e dois cachorros pequenos que correram na minha direção latindo com agressividade, então se viraram de maneira submissa e farejaram com educação embaixo da minha cauda. Eram duas fêmeas, uma das quais queria brincar, tentando me tocar com a pata e se abaixando, e outra que não me deu atenção e voltou para onde as suas pessoas estavam sentadas em um cobertor no chão.

Embora eu estivesse ansiosa para voltar para a trilha, a noite estava chegando, e eu devia encontrar um lugar para me enroscar. Aquele parque seria um lugar bom e seguro para dormir.

E depois eu ia fazer “Para casa”.

O céu mal estava clareando quando acordei na manhã seguinte. Era a hora do dia em que Filhote Grande voltava das suas andanças, às vezes com comida para nós. Senti uma pontada de saudade dela, mas estava ansiosa para seguir adiante. Dei a volta em um lago e subi um morro alto, acompanhando uma estrada grande com muitos veículos subindo e descendo por ela. Do outro lado do morro, encontrei um rio que fluía na direção que eu precisava ir, na direção de Lucas. Uma estrada sinuosa acompanhava o riacho, às vezes perto, às vezes não tão perto, mas quase sempre onde eu podia ouvir os carros.

Acompanhando a água corrente, me deparei com uma ave grande comendo um peixe em uma pedra. Corri atrás da ave, que bateu as asas com força. Ela largou o peixe e voou para o alto e para longe. Pulei sobre o peixe e o comi.

O riacho descia até uma cidade onde encontrei alguns pães doces em uma lata de lixo e um pedaço fino de carne com queijo em uma caixinha. Dormi atrás de um carro nessa cidade e voltei a caminhar quando o sol nasceu. Estava tão animada por ver Lucas, para finalmente fazer "Para casa", que me vi correndo pelas áreas planas.

Na noite seguinte, me enrosquei em um parque em uma cidade diferente. Não havia nada para comer, mas já tinha passado muito mais fome na vida e dormi sem problema.

Meus sonhos foram vívidos e estranhos. Senti a mão de Axel esfregar o meu pelo, e a língua de Filhote Grande no meu pescoço, no local que o coiote me mordeu. Calor emanava de Gavin e Taylor, apertados ao meu lado na cama. Senti o cheiro do hálito de Sylvia e ouvi Chloe chamar os seus filhotes. Dutch rosnou no meu ouvido, um som satisfeito que ele costumava fazer quando se aninhava contra Gavin. Saboreei os petiscos salgados de José e senti Loretta arrumar o meu cobertor de Lucas ao meu redor.

Era como se todos tivessem ido se despedir de mim.

De manhã, subi mais um morro longo e grande, e tudo ficou diferente. Desci em um lugar de estradas e carros e não podia mais manter um caminho reto, porque, onde antes os obstáculos eram colinas e pedras, agora eram cercas e construções. Eu sabia, porém, que estava fazendo o caminho na direção certa, e segui com paciência as curvas das ruas, passando por casas, ouvindo cachorros, vendo pessoas. Eu tinha consciência de que homens e mulheres olhavam para mim, e que algumas crianças me chamavam, mas os ignorei.

A luz se apagou no céu, mas as ruas estavam iluminadas, e eu, na verdade, me sentia mais confortável nas sombras. Sons de carros desapareciam conforme a noite avançava. Cachorros deixavam os seus quintais, e seus latidos ficavam cada vez mais raros.

Eu não dormi, decidindo seguir me movendo pela escuridão. Sons ficaram mais altos quando o sol nasceu — voltei a ficar exposta, mas agora estava bem perto. Reconheci um parque onde tinha estado com Lucas e Olivia. Quase lá! Saí em uma disparada insensata.

Quando fiz a curva na minha rua, diminuí a velocidade, insegura. A fileira de casas baixas e sujas em frente à nossa casa não estava lá, incluindo aquela onde ficava a toca dos gatos. Prédios altos tinham tomado o lugar delas, e eu podia farejar muitas pessoas, o cheiro emanando de janelas abertas.

Mas eu estava ali! Fiz "Para casa", mas não me deitei junto da parede como tinham me ensinado. Em vez disso, arranhei a porta, abanando o rabo, e lati. Lucas!

Uma mulher abriu a porta, e os cheiros de casa emanaram.

— Olá, querido — cumprimentou ela.

Abanei a cauda, mas não consegui farejar Lucas. Não consegui farejar Mãe. Alguns odores eram familiares, mas eu sabia que Lucas não estava ali. A casa não estava mais cheia de Lucas. Em vez disso, estava com o cheiro daquela mulher à minha frente.

— Qual é o seu nome? Por que não tem coleira? Está perdida? — perguntou ela.

Ela era simpática, mas eu precisava encontrar a minha pessoa. Quando a empurrei e passei por ela, ouvi-a gritando:

— Minha nossa! — Ela, porém, não pareceu com raiva.

Parei na sala. Tinha um sofá ali, mas não era o mesmo sofá, e a mesa também era diferente. Segui pelo corredor. O quarto de Lucas não tinha cama, mas outros móveis. O quarto de Mãe tinha uma cama no mesmo lugar, mas não era a cama de Mãe.

— O que está fazendo, cachorrinho? — perguntou a mulher, quando emergi do quarto e tornei a me juntar a ela na cozinha.

Ela estendeu a mão, e fui até ela com o rabo abanando, esperando uma explicação. Pessoas podem fazer coisas maravilhosas, e eu queria que a mulher consertasse aquilo para mim, porque não era uma coisa que um cachorro podia entender.

A mulher me deu água e alguns petiscos de carne. Eu os comi, agradecida, mas por dentro me sentia mal, percebendo que ela não seria capaz de me ajudar.

Lucas havia desaparecido.

Capítulo 27

NA MESMA HORA, FUI TOMADA POR UMA NECESSIDADE URGENTE DE IR embora, de voltar para a trilha. Sem Lucas, não era "Para casa". O que quer que estivesse acontecendo, essa era a única atitude que eu conseguia pensar.

Quando fui até a porta e me sentei, esperando, a mulher simpática se aproximou e olhou para mim.

— Já vai embora? Mas acabou de chegar.

Olhei da mulher para a porta, esperando que ela a abrisse. Ela se abaixou e segurou o meu focinho por baixo com a mão em concha.

— Estou com a sensação de que você veio por uma razão muito importante, mas que não tenho nada a ver com isso, tenho?

Ouvi a bondade na voz e agitei a cauda.

— O que quer que esteja fazendo... — sussurrou ela — ... espero que encontre o que está procurando.

Ela abriu a porta e saí trotando.

— Adeus! — Eu a ouvi exclamar atrás de mim, mas não olhei.

Achei que sabia para onde devia ir.

Senti o cheiro forte no chão quando me aproximei da toca embaixo do deque na colina, até o lugar em que eu a havia seguido muito, muito tempo atrás: a Mamãe Gata ainda estava viva. Quando enfiei o focinho no espaço, percebi que ela estava ali, então puxei a cabeça para trás e esperei, abanando o rabo.

Depois de um momento, ela saiu, ronronando, e se esfregou em mim. Ela estava tão pequena! Como tinha ficado daquele jeito?

Fiquei feliz por estar de volta com a minha mãe. Eu me lembrei de uma época em que ela cuidava de mim, quando os meus irmãos gatinhos e eu estávamos juntos na toca. Agora que tinha perdido Lucas, fui confortada quando ela tocou a cabeça em mim. Ela era a minha primeira família e, naquele momento, a única família que eu conseguia encontrar.

Mamãe Gata estava se movendo com rigidez e tinha pequenas áreas sem pelo no corpo. Eu a farejei com cuidado, e havia comida de gato no hálito dela, sem sinal do odor selvagem de passarinhos e camundongos. Também não havia indicação de que ela tinha estado perto de Lucas nos últimos tempos. Minhas esperanças de que ela me levasse de volta para a minha pessoa não iam se concretizar.

Quando a Mamãe Gata saltou graciosamente sobre o próprio deque, eu a segui, encontrando degraus que conseguia subir com facilidade. O deque se projetava de uma casa a partir de janelas grandes, onde encontrei uma tigela de comida e um pouco de água, junto com o cheiro de gente.

Percebi, então, que alguém estava cuidando da minha mãe ali, na nova toca dela, assim como Lucas a havia alimentado na antiga, como algumas pessoas tinham me alimentado enquanto eu estava na minha longa jornada.

Mamãe Gata me observou enquanto eu comia a comida úmida com sabor de peixe da tigela. Não havia muita coisa, mas os poucos bocados estavam deliciosos. Então voltei a estudá-la com o meu nariz — percebi que ela não tinha filhotes havia algum tempo, pois não havia nela aroma de leite.

Quando uma mulher apareceu de repente na porta de vidro grande, esperei que a minha mãe fosse correr, mas ela não fugiu, nem mesmo quando a porta deslizou e se abriu. Mamãe

Gata se virou e olhou para a mulher que cheirava a farinha e açúcar.

— Daisy? Que cachorro é esse? — perguntou a mulher.

Abanei a cauda ao ouvir a palavra "cachorro".

Mamãe Gata passou por baixo de mim, esfregando as costas na minha barriga ao fazer isso.

— Ah, Daisy, é um vira-lata. Nem tem coleira. Ele comeu a sua comida?

A mulher se abaixou e estendeu a mão, mas a gata manteve distância. Havia uma razão para Mamãe Gata não ter cheiros humanos no pelo; ela podia aceitar comida, mas não desejava o toque de uma pessoa. Eu ainda abanava o rabo, me perguntando se, em vez disso, a mulher poderia me acariciar.

— Fora, cachorro. Aqui não é o seu lugar.

A mulher apontou, então fez um movimento, como se estivesse jogando uma bola. Olhei na direção em que ela gesticulava, mas não vi nada.

— Vá para casa — ordenou ela.

Olhei confusa para ela. Lucas e Mãe não estavam mais lá. O que "Para casa" significava agora?

— Sai! — gritou ela.

Entendi que ela me via como uma cachorra má, possivelmente porque eu não estava fazendo "Para casa". Desci do deque em um só pulo até a terra, e a Mamãe Gata me seguiu.

— Daisy? Gatinha? — chamou ela.

Abanei o rabo. Minha mãe esfregou a cabeça no meu pescoço. Lambi o rosto dela, mas a gata não gostou e se afastou de mim.

Eu me lembrei de Filhote Grande, me observando da pedra. Às vezes, gatos precisam ficar onde estão enquanto cachorros seguem em frente. Essa era uma dessas vezes. Quando desci o morro, sabia que a minha mãe estava imóvel atrás de mim, olhando enquanto eu partia.

Era assim que gatos se despediam.

Eu não conseguia pensar em nada a fazer além de "Para casa" de novo e ver se Lucas estava lá dessa vez. Cruzei o riacho, escalei a margem e atravessei o parque, passando pelo escorrega onde tinha subido e pulado tantas vezes. Por alguma razão, ele estava muito menor agora.

Segui na direção da nossa rua, mas, antes que eu chegasse lá, uma caminhonete fez a curva, uma com cheiros de cachorros e uma pilha de gaiolas para cachorro na traseira. Parei, e a caminhonete fez o mesmo. Um homem grande de chapéu saiu do banco da frente.

Eu conhecia aquele homem.

— Nossa, não dá para acreditar no que estou vendo — declarou ele.

Não abanei o rabo. Olhei para ele, desconfiada.

— Venha cá, garota! — Ele foi até a lateral da caminhonete e pegou a vara com um laço de corda na ponta. — Petisco!

De repente, fiquei com muito medo. Não acreditei que o homem de chapéu fosse me dar um petisco, embora soubesse que ele tinha feito isso no passado. Ele era uma das pessoas que ia me manter afastada de Lucas, e faria isso com raiva. Ele era um homem mau.

Dei as costas para ele e corri.

Avancei por jardins, ouvindo a caminhonete atrás de mim. Cheguei à nossa rua, virei, passei correndo pela nossa casa e segui pela calçada ao lado da rua movimentada. Disparei pelo trânsito. Carros buzinaram e fizeram um barulho estridente. Ouvi a caminhonete se aproximar. Atravessei o estacionamento. Até a porta de "Para o trabalho".

Não havia ninguém ali para me deixar entrar. Frustrada, corri em torno do prédio, passando por cercas vivas e subindo por uma calçada. As pessoas estavam sentadas do lado de fora, fumando como Sylvia enquanto o sol se punha.

Ouvi a caminhonete entrar roncando no estacionamento.

Havia uma porta grande de vidro e, quando me aproximei, ela deslizou e se abriu de um jeito parecido com o que as portas se abriram no lugar onde havia uma prateleira de galinhas separadas para mim. Dessa vez, não fui recebida por nenhum aroma de galinha — apenas os cheiros e sons de muitas, muitas pessoas. Mas a porta aberta era um convite, e entrei.

Todas as pessoas andavam de um lado para o outro, sentadas em cadeiras, falando. Atrás de uma mesa grande, bem em frente à porta, uma mulher pulou de pé.

— Ah! Um cachorro! — disse ela, alarmada.

Embora eu nunca tivesse entrado por aquela porta antes, podia farejar para onde ir. Várias pessoas reagiram a mim quando passei pela mulher, mas as ignorei, com o focinho junto do chão em busca de orientação.

— Alguém sabe de quem é esse cachorro? — gritou ela.

Como o ar estava cheio de muitas pessoas, não farejei ninguém que conhecesse até ouvir uma voz familiar.

— Bella? *Bella!*

Era Olivia! Ela estava parada do outro lado de uma sala cheia de cadeiras macias e pessoas conversando. Ela levou a mão à boca, e alguns papéis caíram das suas mãos. Nós corremos uma para a outra, e ela se ajoelhou. Pulei, lambi o seu rosto e não consegui evitar que ganidos saíssem da minha garganta. Eu estava cheia de alegria, alívio e amor. Deitei para ser acariciada na barriga, então fiquei de pé e pus as patas no seu peito. Ela riu e caiu para trás.

— Ah, Bella, Bella! — falava Olivia, sem parar. Lambi as lágrimas do seu rosto. — Não acredito. Como isso aconteceu? Onde você esteve? Ah, Bella, procuramos tanto por você!

Outra mulher se juntou a nós.

— Essa cachorra é sua? — perguntou ela.

— Não. Bom, de certa forma, é. É a cachorra do meu noivo. Faz, meu Deus, faz mais de dois anos. Tivemos que mandar Bella para longe por causa das leis de raças de Denver e, quando Lucas encontrou um lugar para morar e fomos buscá-la, Bella tinha fugido. Rodamos toda a cidade de Durango de carro, pusemos cartazes, então achamos que talvez alguma coisa ruim tivesse acontecido com ela. Mas está aqui você, Bella! Uma cachorra milagrosa! — Olivia esfregou as minhas orelhas e eu me encostei nela, gemendo. — Ah, Bella, eu sinto muito. Nem imagino pelo que você deve ter passado! Onde está a sua coleira?

Olivia tinha o cheiro de Lucas na pele, e não consegui evitar sorvê-lo. Ela me levaria até ele. Minha longa jornada chegara ao fim. Fiquei feliz por ter reencontrado a minha família humana! Não conseguia parar de circundar as pernas de Olivia, mesmo quando ela voltou a ficar de pé. Coloquei as patas nos seus quadris, tentando subir para beijar o rosto dela.

— Hã? Olivia? Essa cachorra é sua? — perguntou outra mulher. Era a mesma que estava sentada atrás da mesa. Abanei a cauda, sabendo que agora que estava com Olivia, a mulher não ia se aborrecer comigo.

— Sim. É uma longa história. Ela costumava vir aqui o tempo todo quando era filhote. Acho que encontrou o caminho de volta.

— Ah, bem, tem um agente do controle de animais aqui — falou a mulher da mesa.

— Como assim?

— Ele disse que estava perseguindo a cachorra e que a viu entrar aqui.

— Ah — respondeu Olivia. — E?

— Ele disse que você precisa entregá-la. Que precisa levar a cachorra para fora — disse a mulher da mesa, como se estivesse pedindo desculpas.

— Entendo.

— Quer que eu o mande vir aqui?

Raiva era uma emoção rara em Olivia, mas foi o que senti emanar dela naquele instante.

— Não. Diga a ele que falei para... Só diga a ele que não, que não vou levá-la.

— Bom... ele é um agente da lei, Olivia — respondeu Mulher da Mesa, com cautela.

— Eu sei.

— Acho que basicamente você precisa fazer o que ele diz, não?

— Não. Na verdade, eu tenho uma opinião diferente.

— O que vai fazer, então?

Olivia me levou por um corredor comprido até uma parte muito familiar do prédio. Abanei bastante a cauda quando fizemos a curva e empurramos portas pesadas. Havia pessoas sentadas em um círculo de cadeiras de metal no centro de uma sala grande com o chão liso e limpo.

— Sentada, Bella — ordenou Olivia. Eu fiz "Sentada", ansiosa por estar ali com ela. — Ah, oi? — chamou ela. — Desculpe interromper a reunião, mas tenho uma espécie de emergência aqui.

As pessoas reagiram ao que Olivia tinha acabado de dizer e se ajeitaram nas suas cadeiras, que rangeram.

— O que é? — perguntou um homem, ficando de pé. Abanei a cauda ainda mais, muito feliz. Era Ty!

— Bella voltou — falou Olivia. Abanei o rabo com ainda mais força ao ouvir o meu nome e parei de fazer "Sentada", saí correndo na direção de Ty e saltei sobre ele.

— Bella! — disse o homem, rindo, satisfeito, quando apoiei as patas em cima dele. — Mas como isso aconteceu?

— Bella?

Mãe! Corri na direção dela pelo chão liso, arfando, ganindo, e pulei para lamber o seu rosto. Ela se abaixou. Ela também cheirava a Lucas. Mãe e Olivia iam me ajudar a encontrá-lo! Eu estava fazendo "Para casa".

Assim que cheguei a ela, percebi que conhecia todas as pessoas sentadas nas cadeiras. Layla ficou de pé.

— Bella? — Corri até ela e me virei para Steve. Marty e Jordan puseram as mãos em mim, e os meus amigos estavam todos me chamando, rindo e batendo palmas.

— Como ela chegou até aqui? — perguntou Mãe.

Eu me deitei para uma carícia na barriga. Ty se ajoelhou ao meu lado.

— Boa cachorra, Bella! — disse Marty.

— Vocês não vão acreditar, mas ela acabou de entrar pela porta da frente — respondeu Olivia. — Entrou tranquilamente como se fosse a coisa mais normal do mundo.

— Não, estou falando chegar *aqui*. De Durango — disse Mãe.

Ty me virou de lado com delicadeza.

— Ela está com uma cicatriz na nuca, aqui. E vejam como está magra! Dá para perceber que passou por dois anos difíceis.

— Vocês acham que ela veio *andando*? — Mãe engasgou em seco. — Pelas montanhas?

Jordan riu com prazer.

— Isso seria incrível.

— Ah, Bella, você é tão especial — falou Ty. — Pode fazer o que quiser.

— O problema é o seguinte — falou Olivia. — Tem um agente do controle de animais aqui. Acho que é o mesmo sujeito que perseguiu Bella desde o início. Ele diz que precisamos levá-la para fora.

Ty se ergueu e ficou de pé.

— Ah, ele diz, é?

Layla cruzou os braços.

— *O quê?*

— Se fizermos isso, vão matá-la. Não podemos deixar que isso aconteça. Tem alguma coisa que podemos fazer? — perguntou Olivia, com urgência.

Senti Mãe ficar tensa.

— Vou cuidar disso.

Ty levantou a mão.

— Não, não só você, Terri. Acho que *todos* nós vamos cuidar disso.

— É isso aí — disse Jordan.

Marty tinha se sentado, mas ficou de pé.

— Isso mesmo! Ele nem imagina com quem está mexendo.

Mãe se virou para Olivia.

— Você ligou para Lucas?

Levantei bruscamente a cabeça ao ouvir o nome.

— Não, ainda não. Está tudo acontecendo tão rápido, Bella mal tinha entrado pela porta quando me disseram que o homem da carrocinha estava aqui. E...

— E? — Mãe ergueu uma sobrancelha.

— Nós meio que brigamos hoje de manhã. Lucas está estressado demais. Em geral, ele liga mais tarde para se desculpar. Essa talvez seja uma das melhores coisas nele.

A mãe deu um sorriso.

— Quem sabe você não quebra o padrão hoje? Acho que ele ia querer saber sobre isso o quanto antes. Leva só um minuto.

Olivia assentiu.

— Venha, Bella. — Ela saiu andando do círculo de pessoas, que estava se fechando em torno de Ty. Eu queria brincar, ser acariciada e chamada de boa cachorra, mas Olivia tinha dito "Venha", e eu sabia que Lucas ia querer que eu fizesse o que ela dizia. Fui atrás dela até o canto da sala.

Olivia aproximou o telefone do rosto.

— Oi, sou eu. Sim. Tudo bem, sim, mas... Lucas, quer parar um minuto? Sim, quero ouvir você dizendo como estava errado e pedindo desculpas. Quero *muito* isso. Mas estou ligando por outra coisa.

Olivia sorriu para mim, e abanei a cauda.

— Você nunca vai adivinhar quem acabou de aparecer aqui.

Todos os meus amigos me levaram para andar pelo corredor, e passamos pela mulher da mesa, pela porta e saímos. A noite tinha caído, mas havia muitas luzes, então eu conseguia ver e sentir o cheiro do homem de chapéu e da sua caminhonete com gaiolas.

Dois carros com luzes piscantes estavam estacionados ao lado dessa caminhonete.

Uma mulher e dois homens saíram desses carros, todos usando roupas escuras e carregando objetos de metal nos quadris. Polícia. Eles caminharam com o homem de chapéu para cumprimentar os meus amigos, que se espalharam ao meu lado. Mãe pôs a mão no meu pescoço, e fiz “Sentada”.

— Estou aqui pela cachorra — declarou o homem de chapéu, em voz alta.

Ty deu um sorriso alegre.

— É mesmo?

— Estou executando um confisco legal de acordo com a seção 8/55.

— Isso parece bem legal, tenho que admitir — comentou Ty.

O homem de chapéu olhou para o policial parado ao seu lado.

— Não queremos nenhum problema aqui, senhor — declarou um deles, com cautela. — Mas vocês vão ter que entregar o animal.

Ty não falou nada.

— Entenderam? — zombou o homem de chapéu. — Vamos levar a cachorra.

— Tudo bem. — Ty assentiu e se ergueu alto, gesticulando para o homem parado ao seu lado. — Mas, para fazer isso, vocês vão ter que passar pela Quarta Divisão de Infantaria do Exército dos Estados Unidos.

Houve um longo silêncio.

— Octogésima Segunda Divisão Aerotransportada, Exército dos Estados Unidos — declarou Mãe, com firmeza. Enquanto falava, ela se manteve rígida, aprumando as costas e adotando uma postura ereta curiosa. Abanei o rabo, mas não entendi.

Drew moveu a cadeira para a frente.

— Segunda Divisão dos Fuzileiros. — Ele também ficou rígido.

Kayla chegou ao lado de Ty.

— Sexta Frota. Marinha dos Estados Unidos.

— Primeira Infantaria. Exército — anunciou Jordan.

— Guarda Aérea Nacional.

Vários outros dos meus amigos falaram. Houve um silêncio longo e tenso quando terminaram de falar. Eu podia ouvir um cachorro latindo ao longe.

Os policiais pareciam com medo.

Capítulo 28

— O xerife está aqui — disse um dos policiais. Todo mundo virou e olhou para o carro que estava chegando ao estacionamento. Quando ele parou, um homem se levantou do lado do passageiro como se os seus ossos doessem. Por um momento, ele olhou para nós sem se mexer, então sacudiu a cabeça de leve e caminhou na nossa direção, seguido pela mulher que estava dirigindo o carro, e parou quando dois policiais foram falar com ele. O homem novo olhou para mim, e abanei o rabo.

— Calma, Bella — murmurou Mãe. Ergui os olhos para ela, sentindo a ansiedade emanando do seu corpo sem entender.

— Então — cumprimentou Homem Novo, quando se juntou a nós —, como está todo mundo hoje?

— Estamos aqui para realizar um perigoso confisco de animal, e essas pessoas estão tentando transformar isso em um problema — disse o homem de chapéu, com raiva. — Estão obstruindo, interferindo no trabalho policial, abrigando um animal perigoso e desobedecendo a uma ordem legal da polícia.

Homem Novo fungou e olhou para os meus amigos que estavam parados perto de mim.

— Interessante — observou ele. — Esse cachorro é seu, senhora?

— É a cachorra do meu filho — respondeu Mãe.

Gostei que o assunto fosse cachorro.

— É uma pit bull? — perguntou Homem Novo.

O homem de chapéu assentia vigorosamente.

— Ela foi certificada por três agentes diferentes do controle de animais segundo...

— Chuck — interrompeu Homem Novo —, achou mesmo que eu estava falando com você?

O homem de chapéu se enrijeceu.

— Na verdade, não sabemos. — Mãe deu de ombros. — Ela foi encontrada vivendo embaixo de uma casa com um monte de gatos vira-latas.

— Gatos. Não diga? — respondeu Homem Novo. — Nunca ouvi falar disso antes.

— Não importa — disse o homem de chapéu de forma sombria.

— Talvez o que *importa* seja que você não vai levar Bella a lugar algum — falou Mãe, com frieza. Então senti uma raiva forte emanando dela.

— Vamos fazer o que for preciso para impedir que você toque nessa cachorra — acrescentou Ty, gesticulando para todos parados com ele.

Todos ficaram tensos. Um dos policiais deu um passo para trás e pôs a mão em um dos objetos de metal na cintura. Por um longo momento, ninguém falou. Bocejei.

— Chuck, mas no quê, em nome de Deus, você me meteu? — perguntou Homem Novo.

— Senhor, vários anos atrás recebemos muitas reclamações sobre essa cachorra — disse o homem de chapéu.

— *Por quê?* — perguntou Mãe.

— Está bem, vejam. Vamos nos acalmar — falou Homem Novo, sereno. — Está bem? — Ele sorriu para Mãe. — As emoções estão à flor da pele agora, mas vamos analisar a situação. — Ele se virou para olhar para o estacionamento, onde chegaram mais dois carros com luzes piscantes, e outros policiais desceram e caminharam até onde estávamos. Abanei o rabo. — Vejam, as coisas estão saindo de controle — prosseguiu Homem Novo.

— Por mais desagradável que seja, temos um trabalho a fazer. Vamos ter que levar a cachorra sob custódia, mas prometo que...

— Isso não vai acontecer — retrucou Mãe.

— Senhora, por favor, deixe-me terminar. Prometo que vamos tomar conta dela. A senhora tem a minha palavra.

— Sua palavra não significa droga nenhuma — respondeu Ty.

Homem Novo olhou para ele, estreitando os olhos. Os policiais parados ao lado dele se entreolharam.

— Lá vem o dr. Gann — disse Olivia, em voz baixa.

Outro carro parou, e eu não conhecia a pessoa que saltou dele. Mais dois policiais saíram do prédio pela mesma porta que tínhamos usado e se juntaram a nós. Era um grupo grande de pessoas, mas infelizmente nenhuma delas tinha petiscos para cachorros que eu pudesse farejar.

O recém-chegado cumprimentou Homem Novo.

— Sou Markus Gann.

— Xerife Mica — respondeu Homem Novo. Os dois homens puxaram as mãos um do outro por um momento antes de desistirem.

— Oi, dr. Gann — disse Mãe.

— Olá, Terri.

— E aí, dr. Gann? — acrescentou Ty. O nome do estranho era dr. Gann.

— Olá, Ty, Jordan, Drew, Olivia. — O dr. Gann se virou para Homem Novo. — Então, o que posso fazer por vocês, cavalheiros?

O homem de chapéu começou a falar, mas Homem Novo o calou com um olhar.

— Temos um problema com uma cachorra — começou Homem Novo.

— Ela é um animal de apoio emocional — interrompeu Mãe. Eu podia sentir o medo voltando a ela, e as suas mãos começarem a tremer. Toquei os seus dedos com o focinho, preocupada.

— No meu hospital? — respondeu o dr. Gann, com uma voz que me lembrou de como Lucas me abraçava antes de fazer "Para o trabalho", com delicadeza, gentileza e carinho. Mãe olhou para mim, e abanei o rabo.

— Ela tem vindo para cá há muito tempo — disse Ty. — E agora a polícia está aqui para levá-la.

— Por cima do meu cadáver — acrescentou Mãe.

— Do meu também — disse Steve.

O dr. Gann ergueu as mãos.

— Tudo bem.

— Não vamos deixar que eles levem o cachorro, dr. Gann — falou Ty. — E ponto final.

— A última coisa de que precisamos aqui é que a situação fique pior — disse Homem Novo.

— Ah. — O dr. Gann assentiu, esfregando o queixo. — Mas você agora está decidido a agir, não está? O senhor não escolheu essa luta, mas ela existe.

Homem Novo olhou o dr. Gann e deu de ombros.

— A lei 8/55 de Denver me dá autoridade para confiscar esse animal — disse o homem de chapéu, de maneira tensa.

— Chuck. — Homem Novo suspirou. — Você não está ajudando.

— Denver — respondeu o dr. Gann, pensativo.

— Sim, senhor. Estrou executando as minhas responsabilidades legais como um agente do controle de animais.

— De Denver. Do condado de Denver — repetiu o dr. Gann.

— Isso.

O dr. Gann olhou para mim por um momento e depois para os dois policiais novos que tinham saído do prédio.

— Bom — disse ele, por fim —, isso aqui não é Denver. É propriedade federal.

— Isso nunca foi um problema. Fomos chamados várias vezes até essa instalação no passado — respondeu o homem de chapéu.

— Chamados? Está dizendo que ligamos para vocês esta noite? — perguntou o dr. Gann.

— Bom, não. Eu estava seguindo esse animal, que é uma raça ilegal, e ele entrou no hospital.

— Então, é isso — disse o dr. Gann a Homem Novo no mesmo tom delicado. — Aqui é território federal. O controle de animais não tem jurisdição. Não há necessidade de mais nenhum confronto.

Homem Novo coçou a cabeça, movendo o chapéu com o movimento. E assentiu de leve.

— Entendo o que quer dizer.

— Cachorra. Aqui. — O homem de chapéu estalou os dedos e senti Mãe fazer um movimento brusco, alarmada. Eu não me mexi.

— Espere aí! — disse com mau-humor Homem Novo. — Droga, Chuck, o que está tentando fazer? — Senti a raiva dele crescendo.

— Eu quero...

— Não, *eu* que quero. Quero que *você* cale a boca e me obedeça!

O homem de chapéu pareceu infeliz.

Homem Novo se virou de novo para o dr. Gann.

— Desculpe pelo equívoco. Estamos de saída.

— O senhor é bem-vindo a qualquer momento, xerife. Só me dê um telefonema, que lhe mostro as novas instalações — respondeu o dr. Gann.

— Eu gostaria disso. — Homem Novo se virou para os policiais, que pareciam mais relaxados. — Tudo bem, vamos para casa.

— Certo, mas vou lhe dizer uma coisa — falou o homem de chapéu com desprezo, apontando o dedo para Mãe. — Vou ficar de olho. E se vir essa cachorra sair daqui de carro, vou pedir reforços, mandar vocês pararem e levá-la sob custódia.

— Você não vai fazer isso — respondeu Homem Novo, cuspindo no chão.

— Xerife...

— Droga, Chuck, você já perdeu tempo demais com essa cachorra. Tenho mais reclamações de você do que de todos os agentes do controle de animais juntos. Vou tirar você da ativa para mais treinamento. Amanhã de manhã mesmo. Então, a partir de agora, você está suspenso. *E ninguém manda um veículo parar por causa de um cachorro* — disse ele, com intensidade, olhando para os policiais. — Ninguém. Está entendido?

Alguns policiais sorriram uns para os outros.

— Sim, senhor — disseram alguns.

— Você... você... — gaguejou o homem de chapéu.

— Devolva o veículo do departamento e pare, Chuck — interrompeu Homem Novo. — Vamos embora.

Os policiais simpáticos fizeram a volta e retornaram para os seus carros. Ty e Mãe me acariciaram e abanei o rabo. Eles estavam felizes.

— Então... Vocês sabem que o regulamento da Associação de Veteranos não permite animais, nem mesmo de apoio emocional, nas dependências do hospital — disse o dr. Gann.

— Sim, em relação a isso... — Ty deu de ombros. — Parece que muita gente tem trazido os seus cachorros terapêuticos nos últimos tempos. Bella foi só a primeira.

O dr. Gann assentiu.

— Tenho coisas melhores a fazer do que tentar aplicar tudo que está no regulamento. Especialmente já que tanta gente começou a ignorar isso. — Ty sorriu para ele, que retribuiu o sorriso. — Só não deixem que ela morda ninguém.

— Ah, ela nunca faria isso — respondeu Mãe.

— Bella!

Levantei a cabeça bruscamente. Um carro novo tinha parado no estacionamento, e eu conhecia o homem que saía dele.

Lucas.

Naquele momento, foi como se todo mundo ali desaparecesse. Eu via apenas a minha pessoa, com os braços abertos e um sorriso largo. Ele e eu corremos um para o outro. Eu estava chorando, abanando a cauda, lambendo-o. Caímos juntos no chão, e subi sobre ele, ávida pelo seu toque e pelos seus beijos.

— Bella! Bella, onde você esteve esse tempo todo? Como achou o caminho para casa?

Eu não conseguia me segurar, estava latindo, desobedecendo ao "Sem latir", dançando em círculos. Eu ia "Para casa". Para casa com a minha pessoa, com Lucas. Mãe se aproximou e se ajoelhou ao lado dele.

— Ela simplesmente apareceu aqui hoje.

— É incrível. Não dá para acreditar. Bella, senti tanto a sua falta! — Lucas pegou a minha cara com as duas mãos. — Meu Deus, vejam como ela está magra. Bella, você está magra demais!

Amei ouvir Lucas dizer o meu nome. Ele caiu de costas, e mergulhei sobre ele, sentei sobre a sua barriga e lambi o seu rosto enquanto ele não parava de rir.

— Está bem! Chega! — Ele se esforçou para voltar a se sentar.

— Você acha possível que ela tenha chegado até aqui pelas montanhas? Que distância seria isso? — perguntou Mãe.

Lucas sacudiu a cabeça.

— A estrada tem quase 650 quilômetros, mas não tenho ideia de quanto seria a pé. Com certeza não dá para vir caminhando até aqui em linha reta.

Eu me deitei de lado, deixando que ele acariciasse a minha barriga. Isso era tudo o que eu queria, que a minha pessoa me amasse.

Mãe acariciou o lado do meu corpo.

— O controle de animais estava aqui. Aquele sujeito. Mas o xerife mandou que ele deixasse Bella em paz. — Ela não estava mais com medo nem tensa e estava sorrindo.

— Sério? Isso é incrível!

— Mas eu não a soltaria da guia.

— É claro.

— Oi. — Era Olivia. Abanei o rabo para ela, e, no momento seguinte, as mãos dela também estavam em mim. Eu nunca tinha me sentido tão amada.

Mãe ficou de pé.

— Preciso voltar para a minha reunião. — Ela me acariciou pela última vez antes de se dirigir ao prédio e entrar, indo atrás de todos os meus outros amigos.

— Você consegue acreditar nisso? — perguntou Olivia.

— Honestamente, não. — Lucas me beijou no focinho. — Meu Deus, me senti tão culpado, com tanta certeza de que ela tinha morrido sem nunca entender por que nunca fui buscá-la.

— Isso não importa. Vê como ela perdoa você? Cachorros são assim, incríveis.

— É. Perdão. Sobre esse assunto... — Lucas se levantou.

— Não há nada para perdoar, Lucas.

— Não, estou falando que eu perdoo *você*.

— Ah. — Olivia riu. — Claro, isso mesmo.

— Eu saí um pouco da linha esta manhã.

— Eu entendo. A escola de medicina não é fácil.

— Ah, não, eu não estava aborrecido por causa da escola de medicina, foram os seus ovos mexidos.

Eles se beijaram, com amor. Pulei para me juntar a eles, botando as patas nas costas de Lucas. Os dois riram enquanto eu abanava a cauda.

— Você precisa voltar — disse Olivia.

— Sabe de uma coisa? Vamos para casa. Ficar com Bella.

Ouvi "Para casa" e abanei o rabo.

— Espere, o que você fez com o Lucas de verdade? Você nunca fez nada irresponsável na vida.

— Bella conseguiu chegar em casa. Se não comemorarmos isso, acho que nunca vamos celebrar nada. É um milagre! Veja como ela está alegre. Não posso ficar sério agora. Preciso deitar na cama com a minha cachorra e dar a ela um pedacinho de queijo.

Levantei a cabeça. "Pedacinho de queijo"? Sério?

* * *

Todos voltamos para o prédio. Ty chegou para me ver.

— Você pode trazer Bella por um minuto? É por Mack — perguntou ele a Lucas.

— Mack?

— Ele está em confinamento para observação. Teve um ano difícil.

— Claro — disse Lucas, devagar. Ele olhou para Olivia.

— Vai lá. Meu turno já vai acabar mesmo — disse ela.

Olivia beijou Lucas e agitei a cauda. Então Ty, Lucas e eu seguimos pelo corredor até o lugar com portas de metal que se abriam com um toque sonoro. Nós entramos na sala trêmula e, quando as portas fecharam e depois se abriram, estávamos em outro ponto do prédio onde nunca tinha estado antes, embora tivesse basicamente o mesmo cheiro de todos os outros lugares. Ty foi até uma janela, pegou um telefone e o aproximou do ouvido.

— Tem alguém aqui para ver Mack — declarou, e esperou. — Alô, doutora. Sim, conheço os protocolos, mas isso é importante. Não. Não, sei do que Mack precisa. — Ty bateu a mão espalmada no vidro, e Lucas e eu levamos um susto. — Droga, Theresa, abra a porta! — Ele parecia com raiva.

Houve um zumbido e, com um estalo alto, a porta se abriu. Ty, Lucas e eu entramos por ela. Uma mulher nos recebeu no corredor, olhando para mim.

— Mas o que é isso, Ty? O dr. Gann...

— O dr. Gann acabou de aprovar essa cachorra — interrompeu Ty. — Onde está Mack?

Ela não parecia feliz.

— No último à esquerda.

Lucas estava olhando ao redor.

— Nunca estive aqui antes.

— É, bom, eu já — murmurou Ty.

Seguimos pelo corredor e comecei a abanar a cauda quando farejei quem estava do outro lado da porta: meu amigo Mack!

Com outro zumbido, a porta se abriu, e entrei correndo. Mack estava sentado em uma cadeira, e pulei direto no seu colo.

— Bella! Oi! — cumprimentou ele.

Lambi o seu rosto. Ele parecia muito tenso — tenso e com medo.

— Achei que você estivesse perdida para sempre, garota.

— Todos nós achamos. Mas ela encontrou o caminho de volta. Através das montanhas, por centenas de quilômetros. É incrível, não? — perguntou Ty.

— Com certeza. — Mack acariciou as minhas orelhas, e dei um gemido.

— Pense em como deve ter sido difícil para ela — falou Ty. — Mas ela nunca desistiu. Sabia que estávamos contando com ela, que ela era importante.

— É, eu entendo, Ty, não sou burro.

Ty se aproximou de mim.

— Você é um de nós, Mack. Precisamos de você.

Ficamos naquele quartinho por um bom tempo. Enquanto eu me apertava contra Mack, com as suas mãos no meu pelo, pude sentir a tristeza nele diminuir um pouco, ficar um pouco menos marcada pelo medo. Eu estava confortando-o. Estava fazendo o meu trabalho. Estava feliz.

Quando saímos de "Para o trabalho", nós dois cheirávamos como Olivia. Lucas tinha o próprio carro! Eu me sentei no banco da frente. Fizemos passeio de carro até um lugar diferente, desembarcamos e subimos alguns degraus. Eu podia sentir o cheiro de Lucas no ar e sabia que ele tinha estado ali antes. Lucas abriu a porta, e Olivia estava sentada em uma cadeira. Claro! Fui trotando para vê-la.

— É tão bom chegar em casa e encontrá-la aqui — disse Lucas a ela.

— Parei e comprei um pouco de comida de cachorro e uma coleira para a srta. Bella. E veja o que encontrei no armário! —

Olivia pegou um pedaço de pano dobrado e o cheiro me atingiu na mesma hora: meu cobertor de Lucas! — Vou botá-lo na cama.

Lucas se aproximou e tocou o cobertor.

— Eu tinha me esquecido completamente dele. — Lucas a beijou, e abanei o rabo. — É muito bom morar em um prédio que aceite cachorros, mesmo cachorros gigantes.

Olivia assentiu.

— Um prédio que aceita cachorros, cachorros pit bulls, em Golden, Colorado.

Nós três nos enroscamos juntos em uma cama pequena. Eu tinha uma coleira nova e rígida. Meu cobertor de Lucas estava dobrado ao pé da cama, mas eu o ignorei e fiquei bem ali entre eles. Olhei para Lucas, que começou a rir.

— Quase esqueci — disse ele.

Lucas foi até a cozinha e fiquei com Olivia, aproveitando o toque da sua mão. Quando ele voltou, farejei o que tinha e fiquei em alerta máximo, esperando toda dura.

— Ela sempre faz isso — disse Lucas, rindo.

— É só um pedacinho de queijo!

— Sim! Pedacinho de queijo!

— Certo, a questão é o ritual, acho. Veja só como ela olha fixamente.

Os dois ficaram tão felizes por fazerem "Pedacinho de queijo" que riram. Lucas o abaixou devagar, e eu o peguei com cuidado dos seus dedos. A explosão de sabor na minha língua durou apenas um momento, mas era o que eu desejava— um petisco, dado a mim pela mão da minha pessoa.

Eu me lembrei dos meus dias de fome na trilha, quando tudo que podia pensar era no meu "Pedacinho de queijo". Ele era tão maravilhoso quanto eu me lembrava.

Na verdade, eu não estava muito confortável na cama pequena. Era um pouco como dormir com Gavin, Taylor e Dutch, mas não desci. Permaneci ali e me lembrei de como tinha ficado faminta, quando aquela dor vazia no meu estômago fazia com que eu sentisse falta de Lucas. Eu me lembrei de Filhote Grande, como ela se sentou e me observou das pedras quando a vi pela última vez. Cuidei de Filhote Grande quando ela precisou de mim. Cuidei do pobre e triste Axel, dando a ele conforto do mesmo jeito que tinha acabado de dar conforto a Mack. Axel me amava. E Gavin e Taylor me amavam. Sem o amor e o cuidado destes e de outros, eu não teria sido capaz de encontrar o meu caminho.

Tudo tinha acontecido de um jeito que eu pude fazer "Para casa". Agora, deitada na cama entre Lucas e Olivia, eu estava de volta com as minhas pessoas, e nunca iria embora outra vez. Eu era uma boa cachorra.

Eu finalmente, finalmente, fiz "Para casa".

Agradecimentos

TEM UMA COISA QUE SEI SOBRE MIM MESMO: NÃO GOSTO DE IR MAL EM trabalhos escritos. Sempre foi questão de orgulho poder fazer um trabalho sobre, digamos, *Guerra e paz*, e tirar nota suficiente para passar — em especial considerando que eu, na verdade, não li *Guerra e paz*. Como a maioria dos meus professores acabaram descobrindo, blefei durante todo o ensino médio, distraindo-os com boa gramática. (Isso não funcionava muito bem nas aulas de matemática.)

A presente tarefa, porém — agradecer a todos que me ajudaram na criação deste romance —, parece quase impossível. Não sei ao certo por onde começar e não sei onde terminar. Nada parece trivial demais para incluir quando você pensa no fato de que se, por exemplo, minha mãe não tivesse me dado à luz, eu não teria me tornado escritor. E se ninguém tivesse inventado o papel? E os ovos que comi no café da manhã — sem eles, eu ficaria com fome demais para escrever estas palavras. Será que devo agradecer às galinhas?

Ainda assim, imagino que caiba a mim tentar captar nestas páginas as pessoas que foram mais importantes para *A caminho de casa*. Tenho quase certeza de que não vou conseguir e vou esquecer alguém. Se o seu nome não está aqui não é porque não achei que você não me ajudou em nada, é porque a minha memória está de férias. Na verdade, começo a escrever uma frase e então, no meio... certo, agora não consigo me lembrar do que estava querendo dizer, mas acho que era uma boa coisa.

Primeiro, quero agradecer a Kristin Sevick, Linda, Tom, Karen, Kathleen e todas as pessoas na Tom Doherty/Tor/Forge que ajudaram a trazer este livro ao mundo. A princípio, apresentei um projeto de um romance completamente diferente, e todos estavam dispostos a ouvir quando confessei que a minha ideia não era excelente. Não vou entrar em detalhes; foi um trabalho impossível quando comecei a fazer a minha pesquisa, e, assim, procuro evitar fazer pesquisas ou, na verdade, qualquer coisa que se pareça com trabalho de verdade. Então, de uma forma muito gentil, eles concordaram em discutir outras ideias, e por fim esta, a história de Bella encontrando o seu caminho de volta para as suas pessoas, se revelou a vencedora para todos nós.

Obrigado a Scott Miller, da Trident Media, por explicar a todo mundo que, se eles parassem de publicar os meus livros, eu ia ficar magoado. Scott, você é um verdadeiro amigo e um verdadeiro defensor do meu trabalho.

Também quero agradecer a Sheri Kelton, minha nova manager, por ajustar o meu foco para que, em vez de ficar distraído, eu agora seja apenas preguiçoso. Obrigado, Steve Younger, por me defender contra as forças do mal.

Obrigado, Gavin Polone, por acreditar no meu trabalho, por querer ver o meu sucesso nesse negócio perigoso e por prometer não desistir. Você sempre mantém a sua palavra, o que deixa as pessoas nessa cidade muito nervosas.

Obrigado, Lauren Potter, por aparecer na minha vida e no meu escritório, e organizar os dois. Por sua causa, tenho tempo para escrever tudo que Scott Miller está prometendo às pessoas que vou escrever e aquilo em que Sheri Kelton diz que eu devia me concentrar.

Obrigado, Elliot Crowe, por me deixar preservar o título de "produtor de cinema independente" enquanto você faz todo o trabalho. O filme *Muffin Top: A Love Story*, dirigido por Cathryn

Michon, foi o nosso primeiro projeto de sucesso, mas temos outro em produção: *Cook Off!* Isso não estaria acontecendo sem Elliot.

Obrigado à Connection House Incorporated por todo o trabalho de marketing e pesquisa que continua a tornar a minha vida mais fácil. Estou constantemente impressionado pela forma como todos os que trabalham aí estão tão sintonizados.

Obrigado, Fly HC e Hillary Carlip, por manter e criar os meus sites: wbrucecameron.com e adogspurpose.com.

Obrigado, Carolina e Annie, por me deixarem ser parte das suas vidas.

Obrigado, Andy e Jody Sherwood. Vocês continuam entre as pessoas que mais me apoiaram durante a minha vida, praticamente de todas as maneiras possíveis.

Obrigado, Diane e Tom Runstrom. Vocês são pessoas maravilhosas.

Obrigado à minha irmã, Amy Cameron, que quase foi Miss Estados Unidos, e se tornou uma das melhores professoras do mundo. Emily ficaria orgulhosa.

Obrigado à dra. Julie Cameron, por ser a pessoa para quem posso telefonar e dizer: "Preciso de uma doença na qual uma pessoa acorda de manhã com cabelo ruivo e sem memória de palavras que rimam com '*kismet*'". Ela vai citar a doença, descrever o tratamento e recomendar um ótimo psiquiatra para mim.

Obrigado, Georgia e Chelsea, por terem se reproduzido tanto em 2016, e a James e Chris por fazerem a sua parte no processo. Obrigado, Chase, por ser o homem que se tornou, e obrigado, Alyssa, por influenciá-lo para que permaneça assim.

Gordon, Eloise, Ewan, Garrett e Sadie: sejam bem-vindos.

Não tenho departamento de marketing. Não preciso de um. Tenho a minha mãe. Obrigado, mãe, por vender os meus livros a todos em Michigan e, quando se recusam a comprar um exemplar, por dar um a eles.

Obrigado, Milady e Lindy, por me fazerem socializar e se assegurarem que qualquer pessoa que entre na internet por qualquer razão descubra sobre *Quatro vidas de um cachorro*.

Tenho uma grande dívida com Jim Lambert por me apresentar ao hospital da Associação de Veteranos de Denver e por explicar a cultura militar dali. Jim, você foi muito generoso com o seu tempo e está fazendo um trabalho muito importante.

Rather Hosch trabalhou em segredo para mim e morou em Gunnison, Colorado, por anos, apenas para poder descrever detalhadamente o frio de lá. Obrigado, Rather.

Por fim, a pessoa que é o meu maior apoio, a que sempre me garantia que este romance merecia ser escrito, que leu os primeiros rascunhos e fez observações excelentes, que é a minha parceira nos negócios e na vida e a minha melhor amiga. Cathryn, você é tudo para mim, e essa história nunca teria encontrado o seu caminho sem você.

Este livro foi impresso em 2018,
pela Edigráfica, para a HarperCollins Brasil.
O papel do miolo é avena $80g/m^2$, e o da capa é cartão
$250g/m^2$.